D1367637

NEPHILIM

Åsa Schwarz

NEPHILIM

Roman

Traduit du suédois par Caroline Berg

PRESSES
DE LA CITÉ

Titre original : *Nefilim*

© Åsa Schwarz, 2009.
Tous droits réservés.
Publié avec l'accord de Nordin Agency,
Suède et Pontas Literary & Film Agency, Espagne

place
des
éditeurs

© Presses de la Cité, un département de [place des éditeurs], 2010 pour la traduction française et 2011 pour la présente édition
ISBN 978-2-258-08398-1

*Yahvé vit que la méchanceté de l'homme
était grande sur la terre et que son cœur
ne formait que de mauvais desseins
à longueur de journée.*

Genèse, VI, 5

Stockholm, aujourd'hui

Ils surveillaient l'appartement depuis trois semaines.
A présent, l'heure était venue.

Ils n'avaient vu personne entrer ni sortir de toute la soirée. Il était bientôt 23 h 30. Aucune lumière ne brillait aux fenêtres de l'immeuble et la nuit était noire. Le cinq-pièces de la Drottninggatan, dans le centre-ville, était vide. Nova, assise à son poste d'observation idéal, espérait bien qu'il le resterait. Les soirées précédentes avaient dessiné un schéma très clair. Quand les propriétaires de l'appartement n'étaient pas chez eux à cette heure-là, cela signifiait qu'ils ne rentreraient pas de la nuit. Cela voulait dire aussi qu'ils étaient restés dormir dans leur prétentieuse résidence secondaire de l'archipel intérieur de Skärgården. Lorsqu'on a amassé cent cinquante-cinq millions de couronnes en onze ans, on peut s'offrir ce luxe, pensa-t-elle, agacée. Cent cinquante-cinq millions pour faire cracher du carbone aux quatre centrales thermiques les plus polluantes d'Allemagne. Ces quatre usines, propriété du groupe Vattenfall, figuraient toutes sur la liste, établie par le WWF, des trente centrales énergétiques européennes les plus néfastes à l'équilibre climatique, les Dirty Thirty.

Nova dut se concentrer pour faire disparaître le malaise qui grandissait en elle devant l'épreuve à venir. Elle prononça comme un mantra les deux mots « Dirty

Thirty ». Bonne idée ! L'adrénaline afflua immédiatement dans son sang. Elle avala une grande gorgée du gobelet en carton devant elle, pour marquer sa détermination, et fit une grimace de dégoût. Le café était glacé. Il était déjà tiède quand on le lui avait servi et, maintenant, il était froid, fade et amer.

Son portable émit un signal. Nova savait déjà ce que disait le SMS. Elle posa brusquement le gobelet sur la table qu'elle occupait près de la fenêtre du Seven-Eleven, et se leva. Pour se débarrasser du goût âcre du café, elle fourra dans sa bouche son dernier chewing-gum. Le serveur boutonneux leva distraitement la tête vers elle, puis se replongea dans la lecture du dernier numéro de *Rocky Magazine*. Une mèche de cheveux sales glissa sur son visage et il la repoussa derrière son oreille d'un geste machinal. Nova avait pris soin de ne pas croiser son regard, mais elle avait eu le temps de remarquer qu'ils étaient à peu près du même âge. Mardi prochain, elle aurait dix-neuf ans.

Nova ne pensait pas qu'il pût l'identifier plus tard. La combinaison dont elle était vêtue venait d'une poubelle. D'une couleur tirant sur l'orange, elle portait le sigle de la compagnie de téléphone Televerket, inscrit en grandes lettres bien lisibles dans le dos. Les dreadlocks de Nova étaient dissimulées dans une casquette, qui venait du même endroit que la combinaison. La visière de la casquette était descendue bas sur son front. Elle avait retiré son piercing dans le nez et elle n'était pas maquillée. « Ta propre mère ne te reconnaîtrait pas », lui avait dit l'un de ses collègues quand elle avait quitté le bureau un peu plus tôt dans la journée. Elle n'avait pas répondu, mais elle avait pensé : On voit bien que vous n'avez pas connu ma mère.

Une fois sortie du Seven-Eleven, elle inspecta son sac à dos noir, pour la cinquième fois en une heure. Il ne contenait que trois choses : une bombe de peinture rouge vif, une lampe frontale et une série de passe-partout que Nova avait commandée sur le Net et reçue des Etats-Unis. Elle avait trouvé le fournisseur sous la rubrique « articles d'autodéfense », et les rossignols étaient emballés dans un carton de couleur neutre. Elle avait commencé par sourire à l'idée d'utiliser un rossignol pour se défendre, et puis elle avait réalisé que c'était justement à cela qu'ils allaient servir.

De toute façon, si le monde allait vers sa destruction, elle mourrait elle aussi.

Il n'était donc pas faux de considérer leur plan comme un acte de légitime défense. Et à y réfléchir, c'était dans cet esprit-là qu'elle avait décidé d'entreprendre l'action de ce soir.

Le carton contenait aussi un petit guide du serrurier débutant. Nova avait fait l'acquisition de deux serrures identiques à celle qu'elle devait forcer ce soir, et elle s'y était entraînée des dizaines de fois. Pourtant, elle se sentait inquiète. Elle était toujours nerveuse quand elle faisait une chose pour la première fois. On n'entrait pas par effraction dans un appartement tous les jours. Dirty Thirty, se répéta-t-elle, pour reprendre courage, Dirty Thirty.

Drottninggatan était déserte, à l'exception d'un groupe de noctambules bruyants qui se dirigeaient vers la station de métro, au bout de la rue. Aucun d'entre eux ne remarqua la jeune femme en combinaison orange qui traversait en jetant autour d'elle des regards inquiets. Les nombreux réverbères de la rue éclairaient l'entrée de l'immeuble. Le code de la porte était gravé dans sa mémoire. Deux semaines auparavant, elle avait aidé une vieille femme en déambulateur à rentrer chez elle et en avait profité pour mémoriser les chiffres. En cinq secondes, Nova fut dans le hall.

Il y flottait une odeur de vieux, d'humidité et d'huile de graissage pour câbles d'ascenseur. Le sol de marbre, les piliers en bois tourné et les anges enluminés sur leur piédestal témoignaient de la richesse et des goûts des occupants. Nova décida de ne pas prendre l'ascenseur, bien que l'appartement dans lequel elle se rendait se trouvât au dernier étage. On ne pouvait pas s'échapper d'un ascenseur. La culpabilité la minait déjà alors qu'elle n'avait encore rien fait de mal.

Arrivée tout en haut, elle reprit son souffle en examinant le palier. Il n'y avait que deux portes, toutes les deux très hautes avec des chambranles de bois. Sous l'une d'entre elles passait un faible rai de lumière. On entendait en sourdine le son d'un téléviseur allumé. Nova eut un coup d'œil nerveux en direction du trou de la serrure. La voisine ne dormait pas.

Ce qui n'était pas prévu au programme...

Nova resta parfaitement immobile quelques secondes. Ses mains gantées tremblaient. Etait-elle observée ? Il lui vint une idée. Elle mâcha une dernière fois son chewing-gum, le roula en boule entre ses doigts et alla, d'un pas souple et silencieux, le coller sur l'œilleton de la porte de la voisine. Au moins, elle serait prévenue par le bruit du verrou s'il prenait à quelqu'un l'envie de l'épier. La voisine n'appellerait sans doute pas la police avant d'avoir vérifié elle-même ce qui se passait.

Nova retourna à la porte qui l'intéressait. Elle était éraflée, lourde et usée, mais paraissait avoir été récemment rafraîchie par une couche de vernis. Le nom du propriétaire, Josef F. Larsson, était gravé en lettres fines sur une jolie plaque dorée. Nova le lut une deuxième fois. Malgré le soin avec lequel l'opération avait été planifiée, il valait mieux vérifier l'adresse une fois de plus, se dit-elle, même s'il y avait peu de risques qu'elle se soit trompée d'étage.

Nova inspira à fond, ouvrit son sac et sortit les rossignols. Dirty Thirty, Dirty Thirty, le premier verrou céda aussi vite que lorsqu'elle s'entraînait chez elle ; soudain, elle entendit un bruit chez la voisine.

Des griffes cliquetaient sur le parquet.

Et elles labouraient maintenant la porte. La respiration de Nova s'accéléra, son sang se mit à battre violemment dans ses oreilles. Elle envisagea de fuir. Au lieu de cela, elle s'attaqua en tremblant au deuxième verrou. Elle n'était plus aussi concentrée et dut recommencer. Une voix grincheuse appela le chien, qui se mit à aboyer furieusement pour attirer son attention. Un pas traînant s'approcha de la porte.

Nova échoua encore une fois et cassa un de ses ongles vernis de noir. Le chien et sa maîtresse parlementaient ; puis une exclamation de surprise venant de la maîtresse indiqua à Nova que l'obstruction de l'œilleton avait été découverte.

La voisine enlevait la chaîne de sécurité.

Enfin, le verrou sur lequel se démenait Nova céda et la porte s'ouvrit. Elle tira le sac à dos à elle et se faufila à l'intérieur. Sans un bruit, elle referma derrière elle. A la seconde où l'obscurité de l'appartement enveloppait Nova, la porte de la voisine s'ouvrit. Elle fit un énorme effort pour ne pas respirer trop fort, mais les battements de son cœur grondaient comme le tonnerre.

A Nova, maintenant, de regarder par l'œilleton. Elle vit la bonne femme scruter le palier et la cage d'escalier, baisser finalement sa tête hérissée de bigoudis vers un petit caniche grisâtre, la mine incrédule. Puis elle retira la chaîne de sécurité et ouvrit prudemment la porte. Le caniche fit un bond en avant et se remit à aboyer en direction de Nova. La femme, l'air affolée, s'avança à petits pas dans le couloir, se pencha avec difficulté pour prendre le chien dans ses bras. Tout en se dirigeant vers son appartement, elle lui chuchota à l'oreille :

— Allons, Gudrun, ce n'est pas bien d'aboyer sur les voisins.

Au moment où elle allait rentrer, elle s'arrêta, pensive, se retourna et vit la boule de chewing-gum. De la poche de sa veste en tricot, elle sortit un mouchoir pour y envelopper le chewing-gum qu'elle arracha de l'œilleton.

— Saleté de gosses de prolétaires, grommela-t-elle en fermant derrière elle.

13

Nova affronta l'obscurité de l'appartement vide. En arrière-plan, il était vaguement éclairé par la lumière des réverbères de Drottninggatan et des enseignes des boutiques, qui filtrait à travers les volets. Elle sortit la lampe frontale de son sac, l'alluma et la fixa sur sa tête. L'entrée, coquette, était meublée de façon classique avec tapis, miroir doré et penderie équipée de quelques cintres. Un unique manteau de couleur beige y était suspendu. Les vêtements du couple devaient se trouver dans le dressing. Nova vit une paire de chaussures d'homme dans un cuir assorti à la couleur du manteau, et une autre, de femme, à petits talons. Des chaussures de mémère. Une faible odeur de pourriture flottait dans l'air. « On ne doit jamais laisser de poubelle quand on part de chez soi pendant les mois de grosses chaleurs. » Nova entendait encore le ton péremptoire de sa mère.

Au milieu du plancher gisait un porte-documents ouvert. On aurait dit que quelqu'un était rentré chez lui précipitamment et avait jeté sa mallette au sol avant d'attraper le téléphone. Les derniers relevés de la comptabilité annuelle de Vattenfall s'étaient partiellement répandus par terre. La présence de l'attaché-case mit Nova mal à l'aise, bien qu'elle sût avec certitude que personne n'avait pénétré ici ce jour-là. Il troublait l'ordre des lieux et en brisait l'harmonie. Elle regarda le porte-documents pendant un long moment et finit par conclure que le désordre serait de toute façon bientôt la note prédominante de l'appartement. Elle sortit la bombe de peinture. Nova avait toujours trouvé que les graffitis d'insultes couleur rouge sang faisaient plus d'effet que les autres.

Le grand miroir de l'entrée subit le premier outrage : **ASSASSINS.** Le prochain qui se regardera là-dedans se reconnaîtra, pensa Nova. Puis elle entra dans le séjour sombre et immense. Le parquet était couvert de tapis orientaux. Des colonnes en bois précieux, que Nova supposa être des enceintes de chaîne hi-fi, occupaient les angles de la pièce. Une statue africaine représentait une femme et un enfant étroitement lovés l'un contre l'autre.

Un canapé en cuir noir, avec un repose-pieds assorti, était appuyé contre l'un des murs. Elle se dirigea vers lui et inscrivit : **SALAIRE DU CRIME** sur toute la largeur du dossier. Contente d'elle-même, elle fit un pas en arrière pour admirer son œuvre.

En écrivant **DIRTY THIRTY** sur le mur opposé, elle constata des éclaboussures au sol. Elle vérifia la bombe, qui lui parut étanche, et fut rassurée. Rien n'était plus agaçant que de se retrouver en panne de peinture. S'étant penchée pour regarder la tache à la lumière de sa lampe frontale, elle remarqua qu'elle était légèrement plus foncée que le rouge vif de ses inscriptions. Et aussi qu'elle était déjà sèche. Elle fit glisser le faisceau lumineux sur le sol, découvrit deux autres taches, sèches également, de la même teinte brunâtre.

Une sensation désagréable, qu'elle se refusait à formuler en pensée, l'envahit. Les deux nouvelles taches formaient le début d'une trace conduisant du séjour, où elle se trouvait, vers une des pièces adjacentes. Elles avaient dégouliné dans les rainures du parquet et y resteraient longtemps.

Incapable de résister, Nova suivit la piste. Mais la marque qu'elle découvrit sur l'encadrement de la porte l'arrêta ; c'était l'empreinte d'une main qui s'était accrochée au chambranle puis avait glissé le long de celui-ci, avant de lâcher prise.

Une empreinte écarlate.

Du vrai sang ! Nova avança d'un pas hésitant, et sa lampe éclaira la pièce. Elle resta pétrifiée, incapable de détacher son regard du lit double devant elle. L'odeur venait de là. Les trois corps étaient disposés selon une mise en scène grotesque, pornographique, qui évoquait à Nova une prophétie du Jugement dernier. Maître, maîtresse et berger allemand emmêlés

15

dans une ultime et fatale étreinte. Au-dessus du lit, des chiffres et des lettres avaient été inscrits à l'aide d'excréments : Genèse, VI, 4. On les distinguait parfaitement sur le papier peint or et argent. L'abat-jour rouge de la lampe de chevet accentuait la couleur rubis du sang qui avait coulé sur le tapis, tout autour du lit. Ses franges lui donnaient un air de lampe de bordel, renforcé par le miroir au plafond.

Un bordel en enfer.

Dans le reflet du miroir, Nova remarqua que les boyaux du chien avaient été enroulés autour du cou de la femme, comme un collier de laisse. Nova se retourna et vomit du café amer et de la tarte aux brocolis. Le mélange verdâtre se mêla aux taches d'hémoglobine à ses pieds.

Nova traversa le séjour en titubant, s'essuyant machinalement la bouche sur la manche de sa combinaison. Elle attrapa son sac à dos et quitta l'appartement en claquant la porte. Au bas de la première volée de marches, elle trébucha. L'onde de choc de l'impact de ses genoux sur le marbre se fondit dans les vagues de panique qui lui tordaient le ventre. Elle continua à dévaler l'escalier. Là-haut résonnait encore l'aboiement hystérique du caniche.

Nova se jeta contre la porte d'entrée, se rua dans Drottninggatan avec un regard fou. Sa seule et unique pensée était qu'elle devait s'éloigner le plus possible de l'appartement et de l'immeuble.

Elle tituba dans la rue comme en état d'ivresse.

Quelqu'un la suivait des yeux.

Honolulu, 9 septembre 2003

L'été 2003 fut le plus chaud qu'on ait connu depuis le XIVᵉ siècle. Au début, cela n'inquiéta que les experts en météorologie, mais la nouvelle se propagea assez rapidement chez les lobbyistes, puis les politiques et enfin dans l'opinion publique. En revanche, cela n'inquiétait nullement George McAlley. Dire qu'il en était content eût été un euphémisme. Ses sentiments oscillaient entre bonheur et extase.

Grâce au réchauffement de la planète, George McAlley atteignait le point paroxystique de ses soixante-dix années d'existence. Bientôt, un communiqué de presse serait diffusé aux plus grands journaux de la planète. Et la réaction promettait d'être énorme. Cela ne faisait aucun doute. L'excitation illuminait ses yeux habituellement ternes d'une lueur fanatique. Sa main droite trembla légèrement quand il la passa dans ses cheveux coupés ultracourt et d'un blanc parfait. Garder ses cheveux d'une longueur inférieure à deux millimètres était une habitude qu'il avait prise alors qu'il servait dans l'armée de l'air. Bien que cela remontât à des décennies, il avait gardé de cette époque la coupe en brosse, le dos droit et l'allure martiale.

George McAlley était assis à son bureau, dans une pièce donnant sur un jardin aussi bien tondu que son crâne. Les murs étaient tapissés de photos datant de l'époque où il était officier, et ses chaussures parfaitement cirées foulaient une épaisse moquette blanche. Dans un globe de verre sur un piédestal brillait une médaille en argent ; elle avait la forme d'une croix avec, en son milieu, un aigle aux ailes déployées. Un ruban rouge, blanc et bleu y était attaché. C'était la récompense qui lui avait été remise en hommage à ses actes de bravoure exceptionnels pendant la guerre du Vietnam, et l'objet auquel George McAlley tenait par-dessus tout.

Devant lui se trouvaient deux photographies. La première avait été prise par l'US Air Force et venait d'un dossier classé top secret, portant la mention « L'Anomalie d'Ararat », où elle était restée enfermée jusqu'en 1997, date à laquelle l'information avait été diffusée. La seconde était une photographie satellite, prise récemment, de la même zone.

La raison de l'état d'excitation extrême de George McAlley était une tache en forme de crachat qu'on apercevait sur les deux images. La tache se trouvait sur l'un des deux glaciers du mont Ararat. Sur la première photo en noir et blanc, on la distinguait à peine, alors que ses contours étaient tout à fait nets sur l'autre. De surcroît, de grands pans de neige s'étaient abîmés par endroits dans de sombres et profondes crevasses, révélant clairement qu'une forme immense et concave se cachait dessous. Le réchauffement climatique avait considérablement érodé le glacier. Il ne parvenait plus à dissimuler l'objet. Pour George McAlley, il s'agissait là de l'ultime argument justifiant l'ascension de cette montagne turque haute de cinq mille mètres. L'entreprise allait coûter pas loin d'un million de dollars, mais la somme était déjà couverte, d'une part par sa propre confrérie, et d'autre part par divers ordres religieux poursuivant le même but : prouver que l'arche de Noé avait bel et bien existé, et qu'elle se trouvait enfouie sous les neiges éternelles du mont Ararat, exactement comme l'indiquait la Bible.

— Merci, mon Dieu, murmura George McAlley en sentant une vague d'orgueil lui gonfler la poitrine à la faire exploser.

Dieu l'avait choisi, lui, pour découvrir l'artefact le plus recherché du monde. Lui, et lui seul, allait prouver à tous ces hérétiques, pécheurs et incroyants que Dieu était aussi grand que la Bible l'avait de tout temps affirmé. Sa fierté se mêlait de morgue.

Il avait eu raison.

George McAlley avait besoin de laisser décanter la nouvelle avant de lancer la première communication. Pour préserver à tout le moins l'apparence de son calme légendaire, il devait absolument se concentrer et réfléchir sérieusement à la façon dont il allait s'exprimer. Bien qu'il ait rêvé ce moment des milliers de fois, il n'était pas bien sûr de savoir comment procéder. George McAlley commença par mettre de l'ordre dans ses idées.

Stockholm, aujourd'hui

Nova courait vers son bureau à l'association : Drottninggatan, Gamla stan et Götgatan. L'espace d'une seconde, elle envisagea de tourner dans Gamla stan, d'entrer dans ce qui lui servait de maison et de se réfugier sous sa couette. Mais, en faisant cela, elle serait seule à savoir ce qu'elle savait.

Seule dans le noir.

Quand Nova passa Slussen, l'Ecluse, douze minutes s'étaient écoulées ; d'habitude, elle mettait une demi-heure à faire ce trajet. Une rigole de sueur coulait le long de sa colonne vertébrale et mouillait le dos de la combinaison. L'air estival était chaud et étouffant, même aux heures censées être les plus fraîches de la nuit. La veille, Nova avait lu que l'hygrométrie était en ce moment exactement la même à Stockholm qu'en pleine forêt tropicale ; mais, à cet instant, elle n'était pas en état de remarquer les signes liés au changement climatique, comme elle le faisait habituellement. L'image qui restait fixée sur sa rétine occultait tout le reste.

La panique empoisonnait son organisme.

Sa respiration était douloureuse et saccadée.

Elle ne s'était pas retournée une seule fois, comme si cela devait l'aider à oublier. Mais comment pourrait-elle oublier ? Affolée, elle n'avait pas non plus remarqué la silhouette sombre de l'homme qui la suivait.

A présent, il l'avait presque rattrapée.

En temps normal, il se targuait d'être en meilleure condition physique que Nova, mais elle était propulsée par la peur et l'adrénaline. Elle arrivait à la hauteur de ce tronçon de Götgatan que les anciens avaient l'habitude d'appeler Fyllebacken, « la côte des Ivrognes ». Le nom était encore bien adapté aujourd'hui, mais, un lundi soir à cette heure tardive, les pubs étaient fermés et les rues désertes. Seules les maisons plusieurs fois centenaires surveillaient la fuite effrénée de Nova. Elles se tenaient, immobiles et muettes, de part et d'autre de la rue, avec leurs plaques en fer forgé et leurs grandes baies vitrées. Son sac à dos, pendu à l'une de ses épaules et retenu par sa main crispée, ballottait d'avant en arrière. Elle entendit des pas derrière elle et accéléra, mais il était déjà trop tard : l'homme avait agrippé les lanières du sac et l'arrêtait net.

Elle trébucha et tomba.

S'écorcha les mains.

Elle se roula en boule et donna des coups désordonnés avec les bras au-dessus de sa tête. L'homme, nettement plus fort qu'elle, les immobilisa en une prise solide, non sans avoir encaissé quelques coups. Quand Nova sentit que ses poignets étaient entravés, elle lâcha en un seul long hurlement toute sa terreur accumulée.

— Chut... Nova, arrête, lui ordonna l'homme en la secouant doucement.

Alors elle le reconnut.

La voix tendre qui tentait de la calmer appartenait à son ami Arvid. Ses lunettes étaient de travers, et sa barbe brune et clairsemée trempée de sueur. Arvid avait eu pour mission de surveiller la porte pendant que Nova était dans l'appartement. Elle l'avait complètement oublié. Elle n'avait plus eu qu'une idée en tête : se retrouver à l'abri entre les murs des locaux de l'organisation. Le cri se transforma en pleurs.

— Que s'est-il passé, Nova ? lui demanda Arvid avec inquiétude. Tu t'es fait surprendre ?

Il la remit sur ses pieds en constatant qu'elle n'arrivait à formuler qu'une suite de mots incompréhensibles, hachés de sanglots irrépressibles. A l'angle de la rue, deux femmes d'une trentaine d'années regardèrent Arvid d'un air furibond, pensant que Nova pleurait par sa faute. L'une d'elles demanda même à Nova en passant :

— Vous avez besoin d'aide ?

Nova secoua la tête et laissa Arvid l'emmener. Il l'avait soulagée de son sac à dos. Ils gravirent les derniers mètres de Götgatsbacken ; Arvid portait Nova plus qu'il ne la soutenait. En sa présence, Nova s'apaisa un peu. Il était l'une des rares personnes à avoir ce pouvoir sur elle.

Avant d'entrer dans le bâtiment, Arvid vérifia que personne ne les observait. Enfin, ils purent fermer la porte derrière eux.

Ils montèrent quelques marches et pénétrèrent dans les locaux de Greenpeace. Au lieu de prendre le couloir qui menait à l'espace bureau et à la cuisine, ils entrèrent immédiatement à droite, dans une petite salle de conférences baptisée « la cellule ». Ils ne voulaient surtout pas réveiller Stefan Holmgren, qui assumait la responsabilité des activistes de l'antenne suédoise de Greenpeace. Il passait fréquemment la nuit dans les locaux de l'organisation. Il ne devait pas apprendre ce qu'ils avaient fait ce soir.

La pièce formait un carré parfait et ressemblait à ces salles d'interrogatoire qu'on voit dans les séries B américaines. Le néon, beaucoup trop puissant, faiblissait d'intensité à intervalles réguliers. Le mobilier était un pur exemple de minimalisme et se résumait à une vieille table en plastique thermoformé et quatre chaises. Sous l'œil étonné du grand jeune homme qui les attendait dans la salle, Nova s'écroula sur une des chaises. Sa casquette tomba par terre, libérant la masse de dreadlocks blondes. Deux grosses mèches glissèrent sur son visage sans qu'elle s'en préoccupe. Derrière elle était accrochée une grande photo prise au Groenland du *Rainbow Warrior*, lors de l'un de ses voyages d'études pour constater l'effet des variations climatiques sur la banquise et les glaciers.

Chaque fois qu'il voyait cette spectaculaire photographie, Arvid ne manquait pas de faire remarquer qu'il avait été du voyage. La plupart des gens étaient impressionnés de savoir qu'il était monté à bord de ce bateau-culte, qui avait une telle valeur symbolique pour Greenpeace. Cette nuit-là, il n'y pensa pas.

Nova rassembla ce qui lui restait de forces pour bafouiller :

— Ils étaient là, ils étaient dans l'appartement.

Eddie, le jeune homme qui avait attendu leur retour dans les locaux de l'organisation, s'écria :

— Quoi, ils étaient chez eux ? Je ne comprends pas, on a surveillé l'immeuble tout l'après-midi. Et personne n'a répondu au téléphone non plus.

Il était roux et son visage constellé de taches de rousseur virait au rouge cuivré pendant les mois d'été, sans doute à cause de sa préférence pour la vie en plein air, éveillé ou endormi. Ses amis les plus proches lui donnaient parfois le surnom de « la Souche », depuis un incident survenu un jour où il s'était montré un peu trop enthousiaste lors d'un des fréquents exercices obligatoires à bord du *Greenpeace*. Il préférait d'ailleurs ce surnom à son nom de baptême : Eddie... comme l'antihéros britannique, atteint de myopie, qui s'était ridiculisé dans une compétition de saut à ski le jour de sa naissance. Il disait souvent que ses parents devaient manquer d'ambition à son égard pour lui avoir donné le prénom du plus mauvais sauteur à ski de tous les temps. Eddie « the Eagle » avait d'ailleurs été le premier et le dernier sauteur à ski à participer aux jeux Olympiques sous le drapeau anglais.

23

— Non, enfin si, ils étaient là, mais ils étaient morts.

Maintenant, c'était au tour des deux hommes d'avoir l'air effrayés.

— Comment ça, morts ? s'exclamèrent-ils en chœur.

— Ils étaient dans la chambre et...

Nova ne trouva pas les mots pour décrire l'infamie qu'elle avait vue.

— Ils étaient disposés comme s'ils... L'assassin doit être un grand malade.

— L'assassin ? Ils ont été assassinés ? s'écria Eddie, sa voix puissante faisant se recroqueviller Nova sur sa chaise.

Arvid passa un bras autour de ses épaules. Doucement, il lui posa la même question et obtint une réponse :

— Je suis certaine qu'ils ont été tués, affirma Nova. On ne peut pas mourir tout seul de cette manière-là, c'est impossible.

Alors elle raconta tout ce qui s'était passé, les taches de sang, la trace de main sur le montant de la porte, et la mise en scène qu'elle avait découverte sur le lit.

— Je vous l'avais dit, qu'on aurait dû laisser Arvid faire le coup ce soir, se plaignit Eddie.

— Ça ne les aurait pas empêchés d'être morts, répliqua Nova, un peu sèchement.

— Non, mais au moins tu n'aurais pas eu à les voir, fit remarquer Arvid.

Nova ne se sentait pas la force de lutter contre leur volonté de la protéger. En général, elle trouvait cela terriblement agaçant mais, ce soir, elle en avait besoin. Les événements de cette soirée marquaient le point culminant du pire mois de sa vie.

— Il faut qu'on appelle la police, déclara Eddie en pianotant nerveusement sur le bord de la table.

Il ressemblait à un chiot perdu sans collier. Bien qu'elle fût elle-même complètement bouleversée, Nova eut envie de le consoler et de lui dire que tout allait bien se passer.

— On ne peut pas, rétorqua Arvid en portant à son oreille un téléphone imaginaire : Allô, bonjour, j'appelle pour vous dire que nous sommes entrés par effraction chez le P-DG de Vattenfall et que nous avons trouvé monsieur et madame morts dans leur lit...

— Mais on ne peut pas les laisser comme ça sans rien faire ! protesta Nova.

— Imagine que la police pense que c'est nous, rétorqua Arvid.

— Attends, tu veux dire que...

Elle revit en pensée sa visite chez l'industriel et les mots qu'elle avait tagués sur le mur. Elle serait forcément soupçonnée.

Un silence tendu emplit la pièce. Sa question resta en suspens.

Les trois amis quittèrent les locaux de l'organisation trente minutes plus tard. Nova avait son ordinateur portable sous le bras. Depuis quelque temps, il avait la fâcheuse manie de planter mais elle espéra qu'il tiendrait le coup jusqu'à ce que le programme de la nuit soit mené à bien. Ils remontèrent la rue Höken, dont la partie inférieure était irrégulièrement asphaltée. A l'approche de Mosebacke, ils sentirent les pavés sous leurs pieds. La rue, à cet endroit, avait conservé son aspect du Moyen Age.

Il était un peu plus de une heure du matin. Elle avait déjà écrit le mail mais ne l'avait pas encore envoyé. Quand ils furent arrivés, Nova s'assit sur l'un des bancs. Les étoiles et la statue blanche se reflétaient dans l'eau du lac, dont le niveau était anormalement bas. Derrière Nova se découpait le majestueux porche jaune et gris qui servait d'entrée à la terrasse de Mosebacke. Cent trente ans auparavant, August Strindberg était passé sous ce porche et s'était installé à cette terrasse pour y écrire le premier chapitre de *La Chambre rouge.*

Nova alluma son micro-ordinateur.

— Classeponk, ça vous va ? demanda-t-elle aux deux autres.

Ils hochèrent la tête. Cela devrait leur garantir l'anonymat. Nova expédia le mail à la police par l'intermédiaire de l'un des milliers de réseaux sans fil non sécurisés qu'offrait la ville. Personne ne pourrait déterminer d'où l'information sur les meurtres était partie.

Honolulu, 12 septembre 2003

Le régulateur de vitesse était réglé sur soixante-dix kilomètres à l'heure. Le GPS de la Chrysler conduisait George McAlley directement à la salle de réunion où il devait tenir une conférence de presse. Il était parti de bonne heure. Il y avait peu de risques qu'il arrive en retard pour son rendez-vous avec la presse internationale. Il avait même le temps de changer ses pneus en route s'il venait à crever. Outre son intention de claironner haut et fort l'existence de l'Arche, la réunion avait un autre objectif : obtenir de l'aide pour surmonter les derniers obstacles avant d'arriver jusqu'à Elle.

La partie du mont Ararat où se trouvait l'Arche avait été réquisitionnée par l'armée turque comme zone militaire. George McAlley espérait que le coup de projecteur des médias constituerait un moyen de pression efficace pour lui en permettre l'accès. S'il y parvenait, plus rien ne pourrait l'arrêter. George McAlley avait l'argent, la connaissance et l'énergie. Sans parler de sa foi. Il poussa un long soupir satisfait.

Juste avant que la Chrysler prenne le virage en direction de la mer, George McAlley remarqua une voiture arrêtée sur le bas-côté. Une femme blonde d'une quarantaine d'années se tenait debout devant le capot ouvert et regardait le moteur d'un air perplexe. La scène semblait tirée d'un film, avec le cirque des montagnes en arrière-plan et une rangée de palmiers d'un vert intense. La femme leva la tête et agita la main en le voyant approcher. Bien que cela ne l'arrangeât pas, George McAlley n'était pas homme à laisser une femme dans la détresse. Surtout pas une jolie femme blanche à l'air respectable. Il ralentit et se gara.

La femme lui fit un sourire reconnaissant. Puis son expression changea.

Son attitude devint figée et froide.

Elle prit un revolver dans son sac à main et en dirigea le canon vers le visage de George McAlley.

— Sortez de votre voiture et posez les mains sur le toit, ordonna-t-elle avec un accent qu'il ne parvint pas à identifier.

Elle le fouilla, vida ses poches et en jeta le contenu par terre. Un téléphone portable, quelques reçus et un trombone tordu atterrirent dans l'herbe. George McAlley commença à se dire qu'il allait être en retard à sa conférence de presse et essaya de négocier :

— Je suis pressé. Si vous me laissez partir, je tire trois mille couronnes à un distributeur et je vous les donne. C'est tout ce qu'il y a sur mon compte.

La femme ricana et ouvrit la portière côté passager, sans quitter George McAlley des yeux. Elle sortit son attaché-case, le posa sur le capot de la Chrysler, l'ouvrit. Il contenait divers documents et cartes, parfaitement rangés et destinés à être distribués aux journalistes. Après y avoir jeté un coup d'œil, elle referma l'attaché-case et le mit sous son bras.

C'est alors que George McAlley commit l'erreur de sa vie.

Il fit un pas en direction de la femme et leva la main dans l'intention de la désarmer ; après tout, elle n'était qu'une faible femme et lui un vétéran de l'armée encore en parfaite condition physique. Il n'allait pas la laisser gâcher le moment le plus important de son existence.

Il n'alla pas plus loin.

Plutôt que de lui tirer dessus, elle le frappa au visage avec la crosse. Et ce avec une telle force que George McAlley en resta abasourdi. Le coup résonna dans sa tête. Il perdit l'équilibre.

Chancela. Tomba.

Sa joue avait éclaté. Sa chair était visible entre les lèvres de la plaie ouverte. Puis le sang se mit à couler, dans son oreille, sur ses cheveux blancs qui devinrent rouges. Ses pensées se heurtaient les unes aux autres. La route faisait des vagues devant ses yeux. A travers elles, il distinguait une paire de bottes chaussant des pieds solidement campés. La femme le regardait en penchant légèrement la tête, comme si elle essayait de la mettre dans le même axe que la sienne.

Il croisa son regard.

Et il eut peur pour sa vie.

Ce n'était pas juste un piratage routier. Il ne s'en sortirait pas avec des bavardages. Il essaya quand même.

— Mais qui êtes-vous au juste ?

Il n'entendit qu'un seul mot en guise de réponse. Il n'en fallait pas plus. Oh, mon Dieu, non, eut-il le temps de se dire.

Elle se pencha au-dessus de lui. Il essaya de s'enfuir en rampant. S'échapper. Partir loin.

Mettre le plus de distance possible entre lui et cette créature.

Mais ses mains et ses pieds refusaient de coopérer.

Elle saisit son épaule d'une main de fer. Et lui tira une balle entre les deux yeux.

La tête de George McAlley cogna par terre, son corps se pétrifia. A travers le minuscule trou qui perforait son front, le sang forma une petite rigole qui dégoulina jusqu'au goudron de la route et se mélangea avec ce qui restait de l'arrière de son crâne.

Une véritable exécution, constata la police quelques heures plus tard quand il fut découvert dans le fossé derrière son véhicule. Et ils ne croyaient pas si bien dire.

Stockholm, aujourd'hui

A la fin de la soirée, Nova avait été obligée de se séparer de ses amis. Après plusieurs heures de discussion tendue, les nerfs à vif, en buvant du café froid, ils n'étaient plus que des loques au bord de l'épuisement. Arvid et Eddie lui avaient tous les deux proposé de dormir chez eux, mais elle avait décliné leur invitation. Non pas qu'elle ne fût pas tentée, mais elle craignait de perturber la subtile dynamique de leur entente cordiale. Les deux hommes nourrissaient à son égard des sentiments qui dépassaient le strict cadre de l'amitié et elle ne souhaitait pas se mettre dans une situation ambiguë avec eux.

Elle se sentait bien, à l'abri de leur présence et de leur affection. Elle se réchauffait à la chaleur de leur admiration. Mais, avant tout, elle tenait à garder précieusement ses deux amis les plus proches. Particulièrement en cette période de sa vie. Alors que tout le reste allait de travers, ils étaient le filet qui l'empêchait de s'écraser au sol. Ils étaient la famille qu'elle n'avait jamais eue. Ils répondaient toujours présent. Même si elle savait que leur amitié à trois avait peu de chances de durer, elle préférait faire comme si. Elle avait trop besoin d'eux pour le moment.

Nova arrivait à Prästgatan. « Bienvenue en enfer », avait-elle l'habitude de dire aux rares amis qu'elle invitait chez elle. La phrase prenait dans sa bouche un double sens. D'une part, sa rue portait au Moyen Age le sympathique nom de « ruelle de l'Enfer », et d'autre part, son enfance n'était pas loin de mériter ce commentaire lapidaire.

Elle tourna à droite dans Storkyrkobrinken, à partir de Stora Nygatan, et l'un des pignons de la cathédrale ainsi que le palais du roi Gustave apparurent en arrière-plan. Les premières lueurs de l'aube se reflétaient dans les casseroles, les théières et les moules à gâteau en cuivre exposés dans la vitrine d'un antiquaire.

Nova poursuivit son chemin dans Prästgatan, passant devant la boutique Au Chien Moderne, dans laquelle on pouvait acheter absolument tout ce dont un chien avait besoin ; dans la vitrine étaient exposés une boîte contenant quatre minuscules chaussures en daim jaune, un gilet tricoté et une corbeille en flanelle beige agrémentée d'un coussin, d'un ciel de lit et d'un gros nœud en satin.

La porte de la maison de Nova, son embasement, ses fenêtres et ses volets étaient solides et peints en vert anglais. Les murs, eux, étaient brun clair, avec ici et là quelques briquettes apparentes. Certains la trouvaient simplement négligée, la mère de Nova la disait pittoresque. Un seul nom apparaissait en lettres fines sur la porte : Maître Elisabeth Barakel. Nova ne s'était pas préoccupée de changer la plaque. Elle était là d'aussi loin qu'elle pût se souvenir, et l'enlever aurait eu un caractère trop définitif. Elle ne s'en sentait pas la force dans l'immédiat.

Nova ouvrit la porte réticente. Les gonds grincèrent. Les quatre horribles gravures accrochées dans l'entrée l'accueillirent. Elle referma la porte et tenta de les ignorer, ce qu'elle avait fait toute sa vie, mais elle n'y parvint pas. Les gravures de William Hogarth, sur le thème des quatre étapes de la cruauté, lui rappelaient trop crûment ce qu'elle avait vu plus tôt dans la soirée : des boyaux, des yeux énucléés, des chiens, des os. Le regard des morts et des sacrifiés lui brûlait la nuque.

Un sentiment de rage monta dans son ventre. Elle se retourna en hurlant.

Les tableaux pendaient au mur avec l'air de la provoquer, lui jetant au visage la laideur des hommes et leur vulnérabilité face au mal. Nova ne supportait plus de les voir. Elle décida qu'elle ne tolérerait pas de les garder comme comité d'accueil une journée de plus. Elle s'approcha du quatrième tableau, qui représentait la dissection d'un criminel. Avec toute la force qui lui restait, elle l'arracha du mur et le jeta au sol des deux mains. Le verre se fendit et se brisa. Les orbites vides du cadavre la regardaient toujours. Nova se jeta sur la gravure nue et la déchiqueta. Elle se coupa la main avec un morceau de verre mais ne remarqua pas le sang qui giclait de la plaie. Les trois autres subirent le même sort. L'entrée fut bientôt jonchée de cadres brisés, de débris de verre et de lambeaux de ce qui avait été le travail du plus célèbre peintre satirique d'Angleterre.

Nova se releva à bout de souffle et s'appuya contre le mur.

Ce ne fut qu'à ce moment-là qu'elle remarqua la blessure qu'elle avait à la main. Elle regarda sa paume écarlate comme s'il s'était agi de celle de quelqu'un d'autre, puis la pressa avec son autre main pour arrêter l'hémorragie. La plaie allait se refermer et cicatriser très vite, elle le savait. Sa mère lui avait toujours dit qu'elle avait hérité d'une bonne capacité de cicatrisation ; il n'y avait pas de quoi pleurnicher.

Quand elle se fut un peu calmée, Nova observa avec étonnement le résultat de sa crise de folie destructrice. Un grand sentiment de vide et de paix avait remplacé la fureur qui l'habitait. Elle ne regrettait rien. Quand elle était petite, ces tableaux lui donnaient des cauchemars. Il lui était même arrivé de faire pipi dans son lit parce qu'elle n'osait pas sortir de sa chambre pour aller aux toilettes, sachant qu'ils l'attendaient. En grandissant, elle avait appris à les haïr, eux et tout ce qu'ils représentaient. A présent, plus personne ne pouvait l'empêcher de vivre à sa guise. Il n'y avait plus personne pour lui reprocher quoi que ce soit ou faire d'elle autre chose que ce qu'elle voulait être. L'anéantissement des tableaux n'était qu'un début.

Nova était libre.

Enfin presque. Il y avait les événements de la nuit qui la liaient pieds et poings. Les images dans sa tête étaient aussi claires et détaillées que les gravures qu'elle avait détruites. Bientôt, la police retrouverait ses traces dans l'appartement, mais les mèneraient-elles jusqu'à elle ?

Elle ne toucha pas au désordre de l'entrée, monta dans sa chambre d'un pas lourd. Le soleil matinal s'insinua dans la ruelle sombre et tenta timidement d'éclairer la façade de la maison. Nova se jeta sur son lit et ne vit jamais la lumière vaincre l'ombre. Elle s'endormit immédiatement.

Amanda était connue pour être le seul inspecteur de police à s'entraîner au tir en talons hauts. A ce moment précis, elle était extrêmement loin de l'image qu'elle avait réussi à se bâtir au cours de ses quinze années dans les forces de l'ordre. Elle s'était arrêtée dans les toilettes et, accrochée au lavabo, elle était en train de vomir tout son petit déjeuner. Porridge et compote de pommes mélangés aux sucs gastriques éclaboussaient la porcelaine blanche. Il ne restait plus de demi-écrémé ce matin, et elle échappa au moins au goût acide du lait caillé.

Elle remarqua une fente dans la partie supérieure des W-C. Les murs étaient tapissés avec un papier peint moucheté de taches d'une couleur indéterminée. Au-dessus du lavabo, quelqu'un avait gravé « nique la police ». Il était 8 h 30 du matin et Amanda n'avait qu'une envie : retourner se coucher.

Merde à la gastro, merde au boulot, merde à tout, se répétait-elle en se rinçant le visage à l'eau fraîche.

Amanda se sentait un peu mieux à présent que son estomac était vide, mais le miroir lui renvoya une mine de déterrée : ses yeux étaient rouges, son visage livide, et ses cheveux bruns raides et ternes. Elle aurait dû depuis longtemps être au volant de sa voiture, mais elle ne pouvait tout de même pas risquer de vomir en plein commissariat. Cela aurait fait très mauvais effet.

L'eau froide avait atténué sa nausée et enlevé quasiment tout son maquillage. Elle se sentit capable de sortir des toilettes sans être obligée d'y retourner aussitôt. En général, elle évitait de se montrer sans maquillage, mais à la guerre comme à la guerre. Elle s'essuya les mains sur son jean, arrangea sa veste de couleur pastel, respira un grand coup et sortit.

La chaleur du mois d'août la frappa de plein fouet quand elle quitta son lieu de travail, au numéro 37 de Bergsgatan. Ses vêtements lui collaient à la peau et elle eut un moment de défaillance. Le soleil grillait le trottoir qui longeait le grand hôtel de police de Kungsholmen et les talons d'Amanda soulevèrent un petit nuage de fine poussière, qui vint se coller à ses mollets humides de transpiration, y laissant une traînée sale. La Golf rouge était garée à quelques mètres et la climatisation de la voiture l'arracha à une journée étouffante. Aussitôt qu'elle mit le contact, la voix de Madonna dans un enregistrement des années 1980 emplit l'habitacle. Amanda venait de s'acheter le disque *Like a Virgin*, pour la deuxième fois de sa vie. La première fois, il s'agissait d'un trente-trois tours en vinyle, mais il y avait longtemps qu'il était rayé et qu'elle avait perdu son électrophone.

Une fois le problème de la température résolu, Amanda put faire face au deuxième problème de sa journée : comment allait-elle annoncer à la fille de la femme qui s'était tuée en rentrant dans une station-service que les conclusions de l'enquête avaient révélé qu'elle s'était endormie au volant. Pourquoi avait-elle accepté cette astreinte de nuit ? Si elle avait refusé, elle n'aurait pas eu à s'occuper de cette affaire. Malheureusement, l'argent ne pousse pas sur les arbres, se dit Amanda en soupirant, tout en se préparant à ce qui allait forcément être une confrontation.

La fille en question avait violemment repoussé l'hypothèse que sa mère ait pu s'endormir en conduisant, et plus encore celle d'un suicide. Vraisemblablement parce qu'elle ne pouvait pas accepter l'idée que sa mère soit responsable de la mort de plusieurs personnes, conclut Amanda. Mais aucun indice ne permettait de croire qu'il en allait autrement. Le médecin légiste avait identifié le cadavre très abîmé de la femme à partir d'un signalement fourni par sa fille : une tache de naissance en forme d'asperge sur la cuisse, un tatouage au bras effacé au laser, et une incisive cassée mais soignée. Il n'était pas utile qu'un proche de la victime voie le corps dans l'état où il se trouvait. Le médecin légiste avait également pu constater que la mère n'avait été ni droguée ni empoisonnée. L'examen de la carcasse de la voiture n'avait rien donné non plus. Vingt pour cent des accidents de la route avaient pour cause la fatigue des conducteurs, et l'hypothèse était d'autant plus plausible que l'accident s'était produit le soir, après une longue journée de travail. Mais, pour un proche, c'était sans doute difficile à accepter.

Le quartier de Gamla stan était un véritable labyrinthe de ruelles en sens unique. Amanda tentait de se rappeler le chemin de la maison de la fille. La nausée était revenue et engourdissait ses neurones. Résultat, il fallut du temps à Amanda avant de retrouver son chemin et de se garer sur le trottoir, à l'angle de la rue. Prästgatan était trop étroite pour qu'on puisse y stationner sans bloquer totalement la circulation. Une femme portant un sac en tissu écossais protesta vivement. Amanda lui marmonna vaguement quelque chose à propos d'une enquête de police. La femme s'adoucit et céda le passage ; elle n'était pas du genre à gêner le travail des représentants de l'ordre, ah ça non !

Amanda constata que le nom de la mère figurait sur la porte. Barakel. Elle se demanda d'où venait ce nom de famille. Il n'y avait pas de sonnette. Elle frappa violemment. Aucun son ne venait de la maison. Amanda essaya de regarder à l'intérieur mais ne vit rien à travers la fente des rideaux tirés. Tout à coup, la porte s'ouvrit et elle se trouva face à Nova, qui la dévisageait. Elle avait quelque chose de changé. Amanda s'était demandé, lors de leur dernière rencontre, pourquoi elle dissimulait sa beauté derrière un épais maquillage noir, des bottes grossières et des anneaux dans le nez. Aujourd'hui, elle était sans maquillage et vêtue d'une combinaison orange. Mais beaucoup de femmes auraient payé cher pour avoir ses pommettes hautes et son regard d'un bleu intense. Elle avait les yeux cernés, le teint brouillé et l'air fatiguée. Amanda s'efforça de ne pas trop fixer la cicatrice blanche qui courait d'une oreille à l'autre sur son cou. Elle avait sans doute l'habitude de la dissimuler sous du fond de teint, car Amanda ne l'avait pas remarquée auparavant.

Une odeur acide de transpiration atteignit les narines de l'inspectrice. Son ventre réagit immédiatement et le contenu imaginaire de son estomac exigea de remonter à la surface.

— Je peux utiliser vos toilettes ? demanda-t-elle, un peu crispée.

— Sans blague ? lui répondit Nova avec une moue sceptique. Vous sonnez à ma porte pour aller aux chiottes ?

— Non, mais ce serait sympa de me laisser y aller. Tout de suite.

Nova hésita, regarda le hall d'entrée, puis de nouveau Amanda. Elle haussa les épaules et s'effaça. Amanda entra rapidement dans la maison et faillit trébucher sur un amas de verre brisé, de carton et de cadres. Nova avait dû se faire cambrioler, eut-elle juste le temps de se dire avant de se précipiter dans les toilettes.

Bien que presque rien n'atterrît dans la cuvette, les spasmes soulagèrent un peu sa nausée. Amanda se rinça soigneusement la bouche et croisa son reflet dévasté dans le miroir. Il faut absolument que je prenne un congé maladie, se dit-elle avant de ressortir pour parler à Nova.

— J'ai dû manger un truc que je n'ai pas digéré, expliqua-t-elle à la jeune femme, qui devait avoir environ vingt ans de moins qu'elle.

Nova ne répondit pas mais regarda Amanda d'un air compatissant. Elle semblait tout de même légèrement sur la défensive.

— Qu'est-ce qui s'est passé ici ? demanda Amanda en montrant du menton le sol jonché de débris, et en poussant un cadre brisé du bout du pied.

— J'ai fait le ménage, répondit Nova, laconique.

— J'aurais dit l'inverse.

Nova ne releva pas et attendit la suite, sans un mot. Amanda examina le vestibule. Les murs irréguliers, avec leurs creux et leurs bosses, révélaient des siècles de rénovations successives. Aucun tableau n'y était accroché, mais plusieurs trous laissés par des clous arrachés indiquaient qu'il n'en avait pas toujours été ainsi. A ses pieds, elle admira le joli carrelage de mosaïque. Amanda devina que, bien que de style ancien, il avait été posé récemment. Elle se tourna de nouveau vers Nova, certaine à présent qu'elle n'obtiendrait aucune explication concernant les dégâts.

— Je suis venue vous parler de votre mère, dit-elle.

Le langage corporel de Nova changea ; visiblement le sujet l'intéressait.

— Nous avons décidé de clore l'enquête. Rien n'indique qu'il s'agisse d'autre chose que d'un tragique accident.

— Mais vous n'arrivez pas à piger que ma mère était incapable de se suicider ! C'est totalement impossible.

— Ecoutez, Nova, votre mère… enfin, votre mère… a pu s'assoupir, ou avoir un instant de distraction. C'est arrivé à plein d'autres gens avant elle.

— Mais ça ne pouvait pas lui arriver à elle. Vous ne la connaissiez pas. Elle n'était pas du genre à se laisser distraire.

— Je comprends ce que vous ressentez, mais on n'a aucun indice.

— Alors ce que je dis n'a pas de valeur ?

Amanda eut un geste pour exprimer son impuissance.

Nova fit un pas sur le côté lui signifiant qu'elle pouvait s'en aller. Ses yeux étaient plus sombres qu'à l'ordinaire, et ses sourcils froncés.

Amanda remarqua que sa sortie était surveillée par une caméra de contrôle installée dans l'angle du plafond. Pas idiot, mais pas courant, pensa-t-elle. J'imagine que, s'ils ont les moyens de posséder une maison à Gamla stan, ils doivent aussi avoir des objets de valeur. Le dernier détail qu'Amanda observa, au moment où Nova refermait la porte, fut sa paume. Elle était enflée et ensanglantée. Amanda pouvait difficilement se permettre de sonner encore une fois pour en demander la raison. Il y a un truc qui ne va pas du tout, se dit-elle en se demandant si elle saurait un jour de quoi il s'agissait.

L'accident s'était produit un mardi, tard dans la soirée.

La police n'était arrivée sur les lieux que quelques heures plus tard. La plaque d'immatriculation du véhicule avait résisté aux flammes du violent incendie, mais le corps était déchiqueté et partiellement brûlé. Il était à peu près méconnaissable. Tout à fait son genre, avait pensé Nova, de quitter cette vie dans une gigantesque explosion et d'embarquer quelques victimes innocentes avec elle, les deux employés de la station-service et un nombre important de pigeons attirés par l'odeur des poubelles remplies à ras bord qui se trouvaient à l'angle de la rue. Ils avaient volé en cercles, comme des torches vivantes, avant d'aller s'abattre un peu plus loin dans une tentative de fuite désespérée. L'odeur de chair brûlée flottait encore dans l'air quand Nova s'était rendue sur place le lendemain. Elle n'avait rien voulu savoir des autres victimes. Elle n'en avait pas la force. En revanche, elle avait cherché à savoir comment sa mère avait pu rentrer tout droit dans une station-service à cent quarante kilomètres à l'heure. La police avait parlé de dépression et de suicide. « Impossible ! » avait répliqué Nova. Apparemment, on ne l'avait pas écoutée.

L'enquête préliminaire n'avait fourni aucune piste et la thèse finale était qu'elle s'était endormie au volant. Nova n'était pas convaincue du tout et pensait plutôt que la voiture devait avoir un vice caché. A moins que les mauvaises actions de sa mère ne l'aient finalement rattrapée. Elle avait marché sur tant de cadavres.

Et, à présent, c'était à son tour de finir en cadavre.

Par la fenêtre, Nova vit la femme policier disparaître au coin de la rue. Elle était devant la table de travail de sa mère, assise dans le vieux fauteuil en cuir usé, pour la première fois de sa vie. L'interdiction avait toujours été tacite. Le bureau était privé et aucun intrus n'y était admis. Même pas Nova.

Et, bien qu'elle fût depuis deux semaines maintenant l'unique propriétaire de la maison de Gamla stan, elle n'était toujours pas à son aise dans cette pièce. Comme si deux yeux lui brûlaient la nuque. Nova s'ébroua pour chasser la désagréable sensation et alluma l'ordinateur. Elle avait tout d'abord envisagé de se débarrasser du PC dernière génération. Comme ça, personne ne pourrait la forcer à s'occuper des affaires de sa mère. Mais, quand son propre portable avait montré des signes de faiblesse, elle s'était dit qu'il serait stupide de jeter les deux.

La procédure de verrouillage apparut à l'écran. Bien sûr, elle pouvait télécharger un programme sur le Net pour casser les codes d'accès, mais cela prendrait du temps. Elle pouvait aussi appeler Arvid et lui demander de résoudre le problème. Il était imbattable pour tout ce qui avait trait à l'informatique, mais il aurait fallu lui donner des explications. Elle s'arrêta un moment en pensant à lui. Elle aurait bien aimé avoir Arvid à ses côtés. Partager ses problèmes avec lui. Mais tout était tellement compliqué. Tellement difficile à expliquer. Elle renonça à composer son numéro et décida, comme toujours, de se débrouiller seule.

Elle commença par tester plusieurs mots de passe : le numéro de la maison, celui de la plaque minéralogique de la voiture et leur code postal. Cela ne donnait rien. Nova regarda autour d'elle : une bibliothèque pleine de livres occupait tout un mur ; les autres étaient garnis de gravures du goût morbide qui avait été celui de sa mère ; juste au-dessus de l'ordinateur était suspendu un cadre dans lequel était inscrit un passage de la Bible :

Genèse, VI, 17
Pour moi, je vais amener le déluge, les eaux, sur la terre, pour exterminer de dessous le ciel toute chair ayant souffle de vie : tout ce qui est sur la terre doit périr.

La citation avait toujours été là ; Nova ne s'était jamais demandé pourquoi. Elle ne pensait pas que sa mère fût pieuse et se disait qu'il s'agissait sans doute d'un vieux souvenir qu'elle avait conservé. Ou peut-être d'un rappel de l'unique préoccupation qu'elles avaient eue en commun : leur intérêt pour le changement climatique.

Le fait même que sa mère, infatigable carriériste, ait eu une opinion sur l'effet de serre ou la montée du niveau des océans avait beaucoup surpris Nova. Une association d'idées tenta de se frayer un passage dans sa tête. Elle avait récemment été confrontée à une autre citation de la Genèse. Elle refusa d'y penser. Elle devait effacer le souvenir de ce qu'elle venait de vivre. Elle entra le mot de passe : Genèse, VI, 17. L'ordinateur réagit immédiatement. Code correct. Elle s'apprêta à éliminer tous les dossiers et fichiers du PC. Elle n'avait aucune envie de fouiller dans les secrets de sa mère. S'il contenait des informations sur ses clients, ça lui était égal. Ils me poursuivront peut-être en justice, se dit Nova, mais je refuse de fouiner là-dedans. Elle cliqua sur « Mes documents ». L'écran resta parfaitement vide. Pas un seul fichier n'apparut.

Nova réessaya et obtint le même résultat. Après un moment de réflexion, elle se remit à chercher, se disant que sa mère avait pu les ranger ailleurs. Mais le PC ne contenait rien. Pas même un programme en dehors de l'installation de base de Microsoft.

Quelqu'un l'avait intégralement nettoyé.

Ayant fait ce constat inquiétant, Nova se mit à regarder autour d'elle. Quelqu'un était entré chez elle et avait effacé absolument tout ce qui se trouvait dans l'ordinateur de sa mère.

Mais qui a pu faire ça ? se demanda-t-elle.

Elle éteignit l'ordinateur et se leva brusquement. Je n'en peux plus, se dit Nova en descendant au rez-de-chaussée.

La cuisine était la pièce que Nova préférait mais aussi celle qui l'intriguait le plus. Elle s'approcha de la vieille cuisinière pour mettre de l'eau à chauffer.

Tout ici avait l'air ancien, et elle savait que ça l'était vraiment. Les casseroles étaient toutes en vieille fonte, et la table de cuisine en chêne massif portait les cicatrices de coups de couteau et les traces de cocottes brûlantes laissées par plusieurs générations. Les bols en grès, les moules et les rouleaux à pâtisserie étaient ce qui l'étonnait le plus. Qui avait utilisé ces ustensiles, et comment étaient-ils arrivés dans cette cuisine ? Ni sa mère ni elle ne cuisinaient. La cuisine était pour Nova une sorte de zone libre où elle se réfugiait justement parce que sa mère y entrait rarement.

En attendant que l'eau chauffe, Nova remplit une passoire de thé chai et la posa au-dessus d'une grande tasse à motifs fleuris, de style anglais. Puis elle la remplit à ras bord d'eau bouillante et quitta la pièce pour s'échapper dans un monde onirique. Il y avait dans la cave un vieux canapé poussiéreux, devant un grand meuble de télé datant des années 1980. Nova sélectionna avec soin quelques DVD : elle mit de côté *Buffy contre les vampires*, *2 Fast 2 Furious* et *X-Men*, et opta finalement pour *Mission impossible 3*. Tom Cruise ne parviendrait sans doute pas à la consoler mais il lui changerait les idées pendant deux heures ; elle adorait regarder des films d'action.

Ensuite, il faudrait qu'elle s'attaque à sa propre vie.

Mais, pour l'instant, elle se sentait incapable de réfléchir à quoi que ce soit. Elle prit une grande gorgée de thé, appuya sur « lecture » et s'écroula sur le canapé.

Amanda prit son portable avec l'intention d'appeler son chef à la brigade criminelle pour lui demander un congé, mais un message de la PJ la coupa dans son élan.

— Tu peux aller à Drottninggatan ? On a une patrouille là-bas qui a un double homicide sur les bras.

L'excitation remplaça immédiatement son envie d'aller se coucher. Je tiendrai bien encore un peu, se dit-elle en quittant Gamla stan à tombeau ouvert. Elle trouva l'adresse facilement. Deux voitures de police étaient garées devant l'immeuble et un agent en uniforme surveillait l'entrée. Quelques curieux flânaient sur les lieux, mais il n'y avait pas encore d'attroupement à proprement parler. L'employé du fast-food voisin, un garçon d'une vingtaine d'années, semblait s'intéresser plus au travail de la police qu'à ses clients.

Amanda attrapa sur le siège passager son dernier achat, un sac de chez Dior qui lui avait coûté un mois de salaire. Son petit luxe à elle : une fois par an, elle s'offrait un sac de grande marque.

D'une rapide pression sur sa clé, elle verrouilla sa voiture et se dirigea vers la porte. Elle ne reconnaissait pas le jeune flic en faction. Elle lui sourit gentiment et déclina son identité avant de demander :

— On sait quelque chose ?

— Mmoui, deux… ou plutôt trois cadavres dans l'appartement de Josef F. Larsson. P-DG de Vattenfall.

Amanda émit un sifflement appréciateur.

— Une grosse légume alors. Trois corps ? Je croyais qu'on avait un double meurtre.

— Le troisième est un chien. Dernier étage, dit l'homme en levant la tête vers le haut de l'immeuble, évitant de croiser le regard d'Amanda.

Il n'avait aucune envie de lui décrire la scène de crime.

Amanda entra dans le bâtiment. L'ascenseur était vieux et poussif, mais ses problèmes d'estomac rendaient l'escalier inenvisageable. Elle se laissa transporter lentement jusqu'en haut. Là, elle tomba sur un deuxième cordon de police. Une vieille femme surveillait le palier par sa porte entrebâillée. Elle portait dans les bras un petit caniche gris. Elle sourit à Amanda, qui lui répondit d'un hochement de tête avant de pénétrer dans l'appartement d'en face. Amanda savait d'expérience que les voisines de palier pouvaient s'avérer aussi gênantes qu'utiles, mais il valait mieux tout de même les avoir de son côté.

L'enquête technique était en cours. Elle se présenta à un homme d'une trentaine d'années, le visage ravagé de cicatrices d'acné, qui la salua avec un demi-sourire. Tout le monde a entendu parler du vieux singe que je suis, se dit Amanda en lui rendant son salut. Elle n'avait aucune idée de son nom à lui. En revanche, elle connaissait parfaitement la personne qui arrivait à présent : Moïse Hammar, lutteur et médecin légiste, aussi improbable que pût paraître le cumul de ces deux casquettes. Un autre vieux singe, pensa Amanda.

On pria les deux nouveaux venus de se rendre tout de suite dans la chambre à coucher ; la police scientifique n'avait pas encore terminé ses relevés dans le reste de l'appartement. Amanda regarda autour d'elle les meubles lourds et précieux, mais non dénués de goût, qui constituaient l'aménagement. Ce n'était pas le travail d'un décorateur professionnel. On sentait la personnalité des occupants. Elle avait une passion pour les émissions de décoration qui envahissaient ces derniers temps la grille des programmes télé. Elle savait faire la différence entre le raffinement classique et la tyrannie esthétique des architectes d'intérieur d'aujourd'hui. Sur le miroir du hall, le mot **ASSASSINS** avait été écrit en grands caractères rouge sang.

— On m'a donné beaucoup de noms différents dans ma vie, mais jamais celui-là, se dit-elle en regardant son propre visage souligné par le substantif sans équivoque. Moïse observa l'inscription de plus près. L'homme aux cicatrices le devança :

— De la peinture en bombe.

Moïse le remercia d'un hochement de tête et ils entrèrent dans le salon. Une jolie pièce si l'on faisait abstraction des mots **SALAIRE DU CRIME,** sur le dossier du canapé, et **DIRTY THIRTY,** sur le mur. La lumière du soleil jouait avec les particules de poussière que l'écran du téléviseur Bang & Olufsen attirait à lui. Une succession de taches diffuses au sol guidait leurs pas. M. Acné juvénile, toujours serviable, expliqua :

— Ça, en revanche, c'est du vrai sang.

— Il semblerait que quelqu'un ait eu des griefs contre nos victimes, fit remarquer Amanda.

— Oui, le meurtrier avait visiblement envie de revendiquer son mobile, renchérit Moïse en indiquant l'inscription sur le mur.

— Et Dirty Thirty, quelqu'un sait ce que ça veut dire ? demanda M. Acné.

— C'est une liste de centrales atomiques néfastes à l'équilibre climatique, expliqua Moïse. Et le propriétaire de l'appartement était P-DG de la plupart d'entre elles.

— Le meurtrier devait quand même être un peu dérangé, dit Amanda.

— Ça ne fait aucun doute, annonça M. Acné en désignant la porte vers laquelle conduisaient les traces de sang. Gravement malade dans sa tête, je dirais !

Amanda se baissa pour examiner les taches de sang de plus près. Son estomac remonta instantanément dans sa gorge. Elle se releva et déglutit péniblement. L'excitation qu'elle ressentait toujours devant une nouvelle affaire criminelle ne suffit plus à contenir sa nausée. Le mouvement trop brusque provoqua un vertige et elle dut s'appuyer contre le mur. Aussitôt que le malaise fut passé, elle se redressa. Mais c'était déjà trop tard. Moïse la regardait avec inquiétude :

— Tu es sûre que ça va ? Tu es livide.

— Ça va, je me suis juste relevée un peu vite, répondit-elle pour noyer le poisson.

L'air dubitatif, Moïse haussa les épaules et poursuivit sa route vers le lugubre secret qui restait à découvrir. Amanda était trop malade pour admirer sa nuque de taureau, qui, en temps normal, la fascinait. Elle adorait ses mains et son cou, mais, ce jour-là, son instinct sexuel était verrouillé par son état général.

Devant la porte de la chambre, les experts avaient dessiné une silhouette au sol. L'odeur diffuse de la mort fit place à une autre, forte et agressive. Avant même que son cerveau l'ait identifiée, son estomac réagit. Les sucs gastriques qui s'y accumulaient depuis une heure remontèrent à la surface, un spasme la plia en deux.

Amanda regarda autour d'elle avec affolement. La pire chose qu'elle puisse faire était de vomir sur une scène de crime, d'abord parce qu'elle était une femme et que ce signe de faiblesse saperait son autorité, ensuite parce qu'elle risquait ainsi d'effacer des indices essentiels. Elle n'avait même pas encore vu les cadavres. Il était trop tard pour ressortir de l'appartement. Amanda agit d'instinct, ouvrit son nouveau sac et vomit à l'intérieur. Moïse la regarda faire. Quand elle eut fini, il dit :

— Tu t'es juste relevée un peu vite, hein ? Tu ne crois pas que tu devrais être dans ton lit ? Tu as la grippe ?

Pour échapper à la vision répugnante, Amanda referma son sac, comme s'il n'y avait rien de plus normal que de rendre son déjeuner dans la dernière création en maroquinerie d'un grand couturier français, et le remit sur son épaule. Puis elle acquiesça :

— Oui, ça a commencé hier. Je ne sais pas si j'ai mangé un truc que je n'ai pas digéré, ou si j'ai autre chose.

— Alors tu as décidé de venir contaminer tous tes collègues ? répliqua Moïse sur un ton de reproche que démentait son regard soucieux de bon praticien.

Amanda prit un air coupable et mit une main devant sa bouche, comme pour protéger les autres de ses microbes.

En voulant monter au grenier, Nova se dit qu'il y avait de gros avantages à avoir une mère paranoïaque. Toute la maison était équipée d'alarmes antivol et de caméras de surveillance. Si un intrus avait réussi à désactiver l'alarme, elle pourrait au moins le voir sur les vidéos. En plus de la caméra de l'entrée, trois autres étaient installées dans la pièce où sa mère conservait ses œuvres d'art les plus précieuses. Nova avait pris le relais et classait chaque semaine les films de surveillance.

Elle ouvrit la trappe du grenier et fit descendre l'échelle. Il n'y avait pas d'autre moyen d'y accéder. Arrivée en haut, elle regarda autour d'elle. D'un côté était entassé le bric-à-brac de plusieurs générations : des caisses poussiéreuses empilées les unes sur les autres, plusieurs tapis enroulés sur eux-mêmes et coincés sous une table à trois pieds. Un lustre élégant éclairait le capharnaüm. C'était un endroit parfait pour cacher tous les trésors qui n'avaient pas leur place dans les autres parties de la maison. La lumière se reflétant dans les pampilles de cristal révélait, dans un autre coin de la pièce, un équipement sophistiqué. Il s'agissait d'un système de vidéosurveillance comprenant un DVR et son moniteur intégré. Derrière cette installation se trouvait une bibliothèque, où des livres vieux de plusieurs siècles partageaient leurs étagères avec les DVD contenant les dernières semaines enregistrées par les quatre caméras infrarouges.

Un nuage de poussière s'éleva du dossier du vieux fauteuil de bureau quand elle s'assit devant l'ordinateur. Avant de se concentrer sur l'informatique, elle jeta un coup d'œil sur un tabouret dans l'angle.

47

C'était là qu'elle devait s'asseoir quand sa mère l'envoyait
« au coin ».

Elle avait passé des heures assise sur ce siège inconfortable à regarder le mur devant elle. Un jour, elle
avait levé les yeux, ce qui lui avait valu plusieurs
semaines d'interdiction de sortie et un certain nombre
de gifles. Juste au-dessus se trouvait une trappe. A
l'âge de douze ans, elle avait grimpé par les étagères
de la bibliothèque jusqu'à la toiture. Le vent d'automne
avait rafraîchi ses joues et la vue sur les toits de
Gamla stan avait rempli son cœur d'un violent sentiment de liberté. Depuis là-haut, une échelle commu-
niquait avec l'immeuble voisin. Malheureusement, sa
fugue lui avait coûté plus cher qu'elle ne lui avait
apporté de plaisir.

Nova revint à ce qu'elle était en train de faire. Elle
bougea la souris et la page d'« identification » s'afficha
de nouveau sur l'écran noir. Sa mère lui avait donné
les codes d'accès deux ans auparavant. Elisabeth
Barakel devait s'absenter pendant plusieurs semaines
et il fallait bien que quelqu'un change les DVD pendant ce temps-là. Elle était rentrée bronzée et ravie
que Nova se soit acquittée avec succès de sa tâche.
Depuis lors, Nova avait fréquemment eu l'occasion
de s'occuper de cette mission. Au début de chaque
mois, tous les enregistrements étaient entreposés dans
un coffre à la banque, par mesure de précaution.
Nova avait le sentiment que sa mère souhaitait surtout lui cacher le plus possible ses activités.

Les quatre films de la semaine étaient rangés sur le
bureau de l'ordinateur. En général, seuls ces fichiers-
là étaient utilisés. Nova fit défiler les enregistrements
l'un après l'autre en accéléré et suivit ses propres
mouvements à la vitesse du lapin Duracell. Peut-être
à cause de son état de fatigue et d'affaiblissement
généralisé, elle ressentit soudain un malaise. Elle crut
que son imagination lui jouait des tours lorsqu'elle vit
une ombre qui se déplaçait dans les pièces, alors

qu'elle savait qu'elle avait été seule dans la maison toute la semaine. Trois autres DVD étaient posés sur l'étagère, en attente d'être visionnés. Nova leva la main avec l'intention de les lire, comme elle venait de le faire pour les quatre enregistrements contenus dans le disque dur.

Sa main resta en suspens.

Pourquoi n'y avait-il que trois disques ? Elle fronça les sourcils, refit le calcul et, effectivement, il aurait dû y en avoir quatre. Elle prit les trois DVD et regarda les dates.

Il en manquait un.

Il manquait l'enregistrement de la semaine de l'accident. Nova se souvenait très bien de l'avoir daté et rangé sur l'étagère. Il est vrai que, cette semaine-là, elle avait fonctionné en pilotage automatique, la mort de sa mère l'ayant comme anesthésiée. Mais elle l'avait fait. Elle en était sûre. Elle se rappelait avec précision chaque minute qui s'était écoulée après l'annonce du drame.

Et, à présent, le film n'était plus là.

Cela signifiait que quelqu'un était entré dans la maison.

Quelqu'un qui savait ce qu'il cherchait. Quelqu'un avait pris l'objet à l'endroit où Nova se trouvait maintenant.

A cet endroit précis.

Nova frissonna et jeta un coup d'œil inquiet vers le tas de meubles, où un criminel aurait facilement pu se cacher. Les ombres étaient immobiles. Elle ferma la session de l'ordinateur et descendit l'échelle précipitamment.

La mise en scène de cette chambre à coucher était sans aucun doute la plus horrible scène de crime qu'Amanda avait eu l'occasion de voir en quinze ans de travail dans la police. Pas à cause de la pourriture ou de la quantité de sang répandue. Les cadavres avaient l'air normal de gens qui, très récemment encore, déambulaient dans la rue avec le cœur battant et le cerveau en activité. Malgré les fortes chaleurs, la décomposition des corps n'était pas notable. C'étaient la souillure délibérée des cadavres et leur position soigneusement étudiée qui faisaient froid dans le dos. Si l'enfer existe, il ressemble à ça, se dit-elle en regardant les yeux écarquillés de la femme. Quelle était la dernière chose que ces yeux avaient vue ?

Même si Amanda savait que la bouche grande ouverte faisait partie du processus naturel de la mort, elle ne pouvait pas s'empêcher de penser que cette bouche s'était immobilisée sur un dernier hurlement d'horreur. Les mâchoires s'étaient rigidifiées à la limite de leur capacité d'écartement.

Amanda ne voulait pas quitter les lieux avant d'avoir fini son travail. Moïse avait insisté pour qu'elle rentre chez elle, mais en vain. Maintenant, c'était à lui d'examiner les victimes.

— Ils sont morts depuis au moins douze heures, dit-il. La rigidité cadavérique est complète.

Il fit le tour du lit avec précaution, le sol étant presque totalement couvert de sang.

— Ils sont probablement morts ici, précisa-t-il avec un geste circulaire englobant la chambre.

— Tu en es sûr ? s'étonna Amanda.

— Je serai plus catégorique après l'autopsie.

Amanda observa la mise en scène grotesque, évidemment sexuelle, née d'un esprit malade. La femme était nue et allongée sur le ventre. Un coussin glissé sous son corps soulevait ses fesses. Le berger allemand était couché sur elle, les boyaux répandus sur le dos de sa maîtresse et enroulés autour de son cou. L'homme, dont le visage était ridé, portait encore sa chemise et sa cravate, mais le bas de son corps était nu. Il était étendu à côté de la femme et de l'animal. On aurait dit qu'il était en train d'essayer d'enfoncer son pénis amputé dans la bouche de la femme. Le miroir au plafond multipliait par deux l'atroce tableau et en exacerbait les détails.

Profanation... Il n'y avait pas d'autre mot pour décrire ce qui s'était déroulé dans cette chambre. Ignoble profanation.

— Il faut vraiment avoir la haine pour faire une chose pareille, souligna Amanda.

— Ou être totalement dépourvu de sentiments, lui répondit Moïse. Tout cela a l'air tellement élaboré, comme la composition d'un tableau.

Amanda ne voyait pas le rapport avec une œuvre d'art mais se dit que sa remarque avait été dictée par l'humour morbide et totalement incompréhensible caractéristique des médecins légistes. Tout à coup, son regard tomba sur une inscription sur le mur : Genèse, VI, 4, qui lui fit oublier sur-le-champ ce que Moïse venait de dire.

— Dis donc, toi qui t'appelles Moïse, tu dois savoir ce que ça veut dire ?

— Ce n'est pas parce que je m'appelle Moïse que je connais la Bible par cœur. Mais en fait, je me souviens avoir lu ce verset-là il y a très longtemps. Si ma mémoire est bonne, le chapitre VI parle de l'arche de Noé. Mais je n'en suis pas tout à fait sûr.

— Je vérifierai en arrivant au bureau.

— Tu ferais mieux de rentrer te soigner, non ?

— Oh, je vais juste jeter un coup d'œil sur Internet, j'en ai pour deux minutes.

Quand elle fut sortie sur Drottninggatan, Amanda eut une terrible envie de boire un Coca-Cola. Ça devrait soulager ma nausée, se dit-elle en imaginant un verre bien glacé, rempli à ras bord de la boisson pétillante. Le soleil, qui lui tapait sur la tête, rendait cette pensée plus attrayante encore. En arrivant, elle avait remarqué un Seven-Eleven de l'autre côté de la rue. Elle y entra et commanda un Coca. Pas un Coca light, comme à son habitude ; aujourd'hui, il lui fallait toutes les calories que son organisme serait capable d'absorber. Heureusement, elle avait un billet de vingt couronnes dans sa poche ; hors de question d'ouvrir son sac maintenant pour constater l'étendue des dégâts.

Elle prit le gobelet en plastique et s'assit près de la fenêtre pour reprendre des forces et recouvrer ses esprits. Son estomac accepta la boisson sans protester. Après quelques minutes, elle se sentit mieux.

Tout en constatant que sa pensée devenait plus claire et que sa nausée s'atténuait, elle regarda dehors. Ses yeux parcoururent distraitement la façade de l'immeuble d'en face. C'est alors qu'elle remarqua une silhouette qu'elle connaissait bien. C'était le corps massif de Moïse, qui se découpait à la fenêtre du cinquième étage. On voyait parfaitement le lieu du crime depuis cette table. Elle réalisa ce que cela impliquait. Il pouvait y avoir un témoin quelque part. Même la porte de l'immeuble était visible depuis cet endroit.

Amanda se dirigea vers le jeune homme boutonneux qui lisait *Le Journal de Mickey* derrière son comptoir. Elle lui montra sa carte de police et lui demanda :

— Qui travaillait ici hier soir ?

Avec nervosité, il referma hâtivement son magazine, le fit tomber par terre en essayant de le poser sur le comptoir. Amanda avait l'habitude de voir les gens s'affoler dès qu'ils se trouvaient en présence d'un flic et elle fit son possible pour ne pas lui montrer qu'elle avait remarqué le tremblement de ses mains.

— C'est moi qui étais de garde hier soir, pourquoi ?

— Vous n'auriez pas par hasard remarqué quelque chose d'anormal dans la maison d'en face ? Plus précisément au dernier étage.

— Euh, non. Je ne vois que le rez-de-chaussée d'ici, répondit-il en regardant vers la vitrine.

Amanda suivit son regard et constata qu'il disait vrai.

— Et vous ne vous approchez jamais de la fenêtre ?

L'employé boutonneux fit non de la tête.

— Je suis toujours assis là, précisa-t-il en désignant le tabouret derrière le comptoir.

— Parlez-moi un peu des clients d'hier soir. Il y avait des gens à la table près de la vitre ? lui demanda Amanda.

Il réfléchit un instant, repoussa une mèche grasse de son front, et dit finalement :

— Ouais, il y a une nana de la Televerket qui est restée un bon bout de temps.

— Vous voulez dire une employée de Telia, le corrigea l'inspectrice.

— Mouais, c'était peut-être Telia qui était écrit sur le dos de sa combinaison. Enfin elle était orange en tout cas.

Une combinaison orange, pensa Amanda, où ai-je vu cela récemment ?

Elle continua à poser des questions :

— Elle a payé par carte ?

— Non, en espèces. Elle a pris un café et une part de pizza, répondit l'employé en montrant le comptoir, où étaient effectivement exposées plusieurs spécialités végétariennes.

— Vous l'aviez déjà vue ?

— Non, jamais. Ah, au fait, elle avait une casquette sur la tête.

Au mot « casquette », Amanda se souvint où elle avait vu une combinaison orange. Sur Nova. Nova portait une combinaison orange quand elle l'avait rencontrée ce matin.

Nova regardait le mur. Il était nu, si l'on faisait abstraction du poster de Greenpeace représentant le *Rainbow Warrior*, le même que celui qui se trouvait dans la « cellule ». Arvid avait beaucoup insisté pour qu'elle ait un exemplaire de l'affiche chez elle et, comme elle n'avait rien d'autre sur les murs de sa chambre, elle l'y avait accroché. Sa porte était fermée à clé et elle était assise sur son lit, qu'elle n'avait pas pris la peine de faire. Elle avait peu de meubles, et c'étaient ceux de sa chambre d'enfant. Son couvre-lit traînait sur le sol, roulé en boule. Un gros mouton de poussière avait élu domicile dans l'un de ses plis. Marilyn Manson prêchait sur la chaîne hi-fi :

I am not a slave to a God that doesn't exist.
I am not a slave to a world that doesn't give a shit.

Je ne serai pas esclave d'un Dieu qui n'existe pas.
Je ne serai pas esclave d'un monde qui s'en fout.

Nova ne s'était pas douchée. La combinaison, qu'elle n'avait toujours pas enlevée, puait la transpiration. C'était le cadet de ses soucis. Elle n'en avait même pas conscience.

Je ne peux pas rester assise là à ne rien faire, songeait-elle, il faut que je trouve un plan. La situation n'était pas facile à démêler. Le manque de sommeil faisait tourner les pensées en boucle dans sa tête. Elle n'osait pas la poser sur l'oreiller et se détendre. Je ne peux pas rester ici, se dit-elle. Elle en était là de ses projets quand son portable se mit à sonner.

— Nova Barakel ? demanda d'une voix grave un homme d'un certain âge.

— Mmm, répondit Nova.

— Je m'appelle Nils Vetman. J'étais l'avocat de votre mère.

Nova pensa tout d'abord que l'homme mentait. Puis elle admit que même les avocats pouvaient avoir besoin d'un avocat.

— Je suis en possession de son testament, poursuivit-il.

— Je ne savais pas qu'elle avait fait un testament, dit Nova, un peu surprise.

Nova ne pouvait imaginer que sa mère ait pu penser à sa propre mort. Elle avait toujours donné l'impression de se croire immortelle.

— Elle ne vous en a jamais parlé ? enchaîna Me Vetman pour dire quelque chose.

— Que contient-il ? le coupa Nova.

— D'après le testament, je ne peux vous en communiquer le contenu que de vive voix et en présence de l'autre bénéficiaire.

Nova mit un petit moment à réaliser ce que l'avocat venait de dire. A sa connaissance, sa mère n'avait aucune autre famille proche.

— Et qui est-ce ? demanda-t-elle.

— Une fondation du nom de FON.

— Pourquoi elle, de quoi s'occupe-t-elle ?

— Je suis désolé, je l'ignore. Mais si vous voulez me voir, je peux vous donner un rendez-vous demain.

Nova resta un moment immobile après avoir raccroché. Ses relations avec sa mère avaient été tout sauf simples. Est-ce que cette histoire d'héritage était une ultime manière de la punir ? Voulait-elle lui montrer que, même morte, c'était elle qui décidait ? Nova sentit monter en elle une bouffée de rage. Et la colère lui redonna du courage. Elle rassembla un tas de vêtements, déverrouilla sa porte et jeta un coup d'œil dans le couloir, qui était aussi vide et silencieux que ces dernières semaines. Elle le traversa au pas de course, entra dans la salle de bains et ferma la porte derrière elle à double tour.

Les faïences, dans plusieurs nuances de gris, et les vasques carrées donnaient à la pièce une atmosphère asiatique. A l'inverse du reste de la maison, la salle de bains avait été entièrement modernisée et elle était beaucoup plus grande que dans la plupart des maisons de la vieille ville. Une fuite d'eau avait contraint la mère de Nova à faire des réparations et, quand elle décidait de s'occuper des choses, elle ne le faisait pas à moitié. Elle avait installé à la fois une douche et une baignoire d'angle avec jacuzzi. Nova s'était souvent demandé pourquoi une baignoire alors qu'aucune d'elles ne prenait de bains. A vrai dire, même si elle répugnait à l'admettre, Nova avait très peur de l'eau. Se doucher et se laver ne lui posaient pas de problème, mais, dès qu'elle était confrontée à une masse d'eau plus importante, elle renâclait. Elle ne possédait même pas de maillot de bain.

Elle enleva la combinaison, qu'elle jeta dans la poubelle, rassembla ses dreadlocks en chignon et fit couler l'eau jusqu'à ce qu'elle soit juste tiède mais surtout pas chaude. Le soleil était déjà haut dans le ciel et promettait une journée aussi torride que la précédente. Elle ne voulait pas l'entamer à moitié congestionnée. Nova entra dans la douche et laissa l'eau effacer la transpiration et la peur. Une idée était en train de prendre forme dans sa tête. Tout d'abord, elle devait se réapproprier la maison. Ainsi y aurait-il un endroit au moins où elle se sentirait en sécurité. Mais la maison serait-elle encore à elle demain ? Ou plutôt : deviendrait-elle sa maison un jour ?

Quand Nova eut réglé le mitigeur au plus froid, sa décision était prise. Jusqu'à la rencontre avec l'avocat, elle ferait comme si la maison lui appartenait. Elle avait souvenir d'un cours au lycée dans lequel elle avait appris qu'elle était légalement propriétaire de la moitié du patrimoine mobilier et immobilier de sa mère. Ce qui signifiait qu'il y avait de bonnes chances qu'on lui laisse la maison, qui était payée depuis longtemps. Elle sortit de la douche, rafraîchie, et le corps vibrant d'une nouvelle énergie. Elle s'habilla rapidement. L'impression sur son tee-shirt noir brillait dans le miroir : «Who the fuck is Armani ? » Nova laissa ses cheveux attachés. Elle dissimula la longue cicatrice qui barrait son cou sous une épaisse couche de fond de teint. Elle avait toujours l'impression d'effacer le souvenir en même temps que la trace. C'était devenu une habitude. Ainsi, elle échappait aux regards et aux questions. On lui épargnait les commentaires et la compassion. Elle n'avait plus besoin d'y penser. Elle n'avait plus envie d'y penser.

La cicatrice disparue, Nova était prête. Elle allait reconquérir la maison.

Armée d'un des clubs de golf de sa mère, elle remonta au grenier. Elle débrancha rapidement l'ordinateur et les divers câbles reliés aux caméras. Aux étages inférieurs, le câblage était dissimulé dans les plinthes, mais, dans le grenier, les fils couraient à même le sol. Le plus compliqué fut de rendre la nouvelle installation le plus discrète possible. Heureusement, le câble était assez long pour atteindre sa chambre. Elle allait y installer son propre poste de vidéosurveillance ; ce n'était peut-être pas l'emplacement le plus stratégique de la maison, mais c'était celui dans lequel elle se sentait en sécurité.

Quand l'ordinateur fut en place et en état de marche, Nova descendit dans la bibliothèque, qui avait une fenêtre sur rue et donnait dans l'entrée. Elle déplaça une chaise et grimpa dessus pour atteindre la caméra actuellement dirigée vers le mur aux gravures. Elle la fit pivoter de quatre-vingt-dix degrés, de façon à filmer désormais la place devant l'entrée de la maison à travers la fenêtre. Nova avait lu quelque part qu'il était illégal de surveiller un lieu public. *Ils n'auront qu'à me poursuivre en justice*, pensa-t-elle pour la deuxième fois en haussant les épaules. Elle posa le club à côté de la porte d'entrée et alla se réfugier dans sa chambre.

Amanda avait du mal à respirer quand elle ouvrit la porte de son domicile, au numéro 1 de Södermalm. Elle avait le front couvert de sueur mais sa nausée avait disparu. Sans prendre le temps de retirer ses chaussures, elle traversa la pièce pour ouvrir les baies vitrées. Deux grandes respirations lui firent retrouver son calme. Son appartement donnait sur une petite cour intérieure à la végétation luxuriante, avec une serre dans un angle. Presque toute la végétation de la ville de Stockholm était aujourd'hui jaune et desséchée, mais la courette d'Amanda restait à l'ombre jusqu'au soir, et le soleil impitoyable n'était pas encore parvenu à griller son petit bout de jardin. Des fougères poussaient dans les coins et la mousse prospérait. L'air y était presque frais.

Amanda se retourna et envoya valser ses escarpins. L'un d'entre eux traversa par la voie des airs les vingt-six mètres carrés du studio et atterrit comme prévu dans la penderie. L'autre rebondit sur la bibliothèque et finit sa course bruyamment sur le clavier de l'ordinateur. Amanda ne se donna pas la peine d'aller le ranger, elle remua ses orteils qu'elle venait de libérer du carcan de ses collants en nylon.

—Ensuite, son regard se porta à nouveau sur l'ordinateur. Le verset de la Bible, il fallait qu'elle aille sur un moteur de recherche obtenir des précisions. Ce qu'elle lut ne l'éclaira pas beaucoup.

Genèse, VI, 4.

Les Nephilim vivaient sur la terre en ce temps-là – et aussi plus tard – quand les fils de Dieu s'accouplèrent avec les filles des hommes et leur donnèrent une progéniture. Ils étaient les héros des temps anciens, et leur gloire était grande.

Qu'est-ce que cela a à voir avec la mort d'un industriel coté en Bourse ? se demanda Amanda. Ses réflexions furent interrompues par un haut-le-cœur.

Un spasme violent.

Elle s'appuya au bureau et gémit.

Nova fut arrachée à son sommeil agité par des coups à la porte. Elle regarda ce que lui envoyait la caméra de surveillance de la bibliothèque. Une image instable d'Arvid et Eddie occupait l'écran du moniteur.

Nova soupira, rassurée.

Son jean collait à ses cuisses à cause de la chaleur et elle sentait qu'elle avait le visage gonflé et des poches sous les yeux. Les bienfaits de la douche froide avaient depuis longtemps disparu. Son portable indiquait 18 h 15. Elle sortit lentement de son lit. Les coups augmentèrent de volume, lui signifiant qu'elle devait se dépêcher. Elle descendit ouvrir.

Nova fit entrer ses amis, claqua la porte derrière eux et poussa soigneusement tous les verrous. Arvid et Eddie la regardaient d'un air surpris. Ils furent encore plus étonnés quand ils pénétrèrent dans le hall et découvrirent le spectacle affligeant qu'offraient les tableaux en miettes sur le sol.

— Mais qu'est-ce qui s'est passé ici ? lui demanda Arvid.

— J'en avais marre de ces gravures, répondit Nova.

— Oui, je vois ça, ironisa Eddie. On ne pourra pas t'accuser de faire les choses à moitié.

Arvid se retint une seconde puis éclata de rire. Les deux autres l'accompagnèrent immédiatement.

— Je dois avouer que je ne les aimais pas beaucoup non plus, réussit-il à placer entre deux accès de fou rire.

Nova ne parvenait plus à se calmer. Quand elle vit qu'ils s'étaient mis à la regarder bizarrement, elle essaya d'exprimer son soulagement :

— C'est génial que vous soyez là. Il s'est vraiment passé trop de trucs.

— On s'en doutait, c'est pour ça qu'on est venus voir comment tu allais, dit Arvid.

Ce dernier posa une main protectrice sur l'épaule de Nova ; elle sentit la chaleur de sa paume et se détendit.

— C'est pas seulement à cause de ce qui s'est passé cette nuit, avoua-t-elle.

Elle se tourna vers l'escalier. Eddie et Arvid la suivirent jusqu'à sa chambre sans poser de questions ; ils savaient d'expérience que Nova ne s'expliquerait que quand elle en aurait envie. Mais lorsque Eddie vit les images de surveillance qui défilaient sur le moniteur, il s'impatienta :

— Bon, tu nous racontes, oui ou non ?

Et Nova raconta.

— Tu en es absolument certaine ? lui demanda Arvid. Peut-être que ta mère avait stocké ses documents sur un disque dur externe ? Et tu ne crois pas que tu as pu emporter le CD qui manque dans ta chambre ou quelque chose comme ça ?

— Je suis sûre de ce que je dis, lui répondit-elle, un peu agacée, avant de réfléchir : Enfin, je crois.

Nova les regarda l'un après l'autre mais vit qu'ils n'avaient pas l'air convaincus. Elle se détourna vers le moniteur. Finalement, ils se retrouvèrent tous les trois assis sur son lit, les yeux rivés sur l'écran de surveillance, où il ne se passait absolument rien.

— Et que vas-tu faire ? demanda Arvid en tripotant ses trois poils de barbe.

— Je ne sais pas, dit Nova, je ne sais même pas s'il y a quelque chose à faire. Vous en pensez quoi, vous ?

Tous les trois restèrent un moment plongés dans leurs réflexions. Nova attendit en vain une réponse. Au bout d'un long silence, Eddie se souvint tout à coup de ce qu'il avait apporté dans son sac à dos.

— Ils les ont trouvés, au fait, annonça-t-il en leur montrant l'*Aftonbladet*.

C'était en première page : « Assassinat brutal du P-DG de Vattenfall par des militants écologistes ».

— C'est parfait ! s'exclama Nova. Nous qui voulions attirer l'attention sur Vattenfall et nous faire de la publicité !

— Non, c'est complètement raté, au contraire, répliqua Arvid. On parle de nous mais le message n'est pas le bon. Là on est les méchants et eux sont les victimes.

— On n'aurait jamais dû y aller, soupira Eddie. On aurait dû suivre la procédure habituelle.

— Tu sais bien que ça n'avance pas si on suit les règles. On en a parlé cent fois. La fin du monde arrivera avant que les politiques se bougent le cul.

Quand Nova tendit la main pour attraper le journal, Arvid remarqua la longue croûte qui s'écaillait déjà sur sa paume. Arvid lui attrapa le poignet et inspecta la plaie de plus près.

— Qu'est-ce que tu t'es fait ?

Nova retira vivement sa main.

— Je me suis coupée avec le couteau à pain l'autre jour, mentit-elle.

Arvid baissa la tête, blessé par sa réaction. Mais Nova savait qu'aucun d'eux n'accepterait de croire que la coupure datait du matin même, et elle ne se sentait pas la force d'entamer une polémique. Elle avait au moins appris cela au fil des années. Elle préféra changer de sujet et lut l'article à haute voix.

— Alors, si je comprends bien, ils pensent que c'est la même personne qui a tagué les murs et tué ces gens, résuma Eddie, préférant ignorer l'irritabilité de Nova. Tu penses avoir laissé des indices qui pourraient prouver que tu y étais ?

Nova, renfrognée, ne dit rien. Et puis elle lança, acide :

— J'ai vomi, si vous voulez tout savoir. C'était franchement dégueulasse.

— Je pense qu'on en aurait fait autant, la consola Arvid.

Amanda, installée dans l'unique fauteuil de son appartement, admirait la silhouette de Moïse. Il cuisinait, découpant des légumes et du poulet en petits morceaux, et son grand gabarit avait du mal à se mouvoir dans le minuscule coin-cuisine. Il jura en se cognant pour la troisième fois à un des placards. Amanda avait proposé de prendre le relais, mais il l'avait rembarrée :

« Tu dois te reposer, j'ai dit. »

Amanda avait renoncé et le laissait maintenant se débrouiller seul avec ses couteaux émoussés et son aménagement peu fonctionnel. Elle savait qu'il avait raison. Même si elle avait du mal à l'admettre, elle commençait à s'inquiéter. Tout le monde pouvait avoir un peu la nausée de temps en temps, mais ce coup de poignard dans l'estomac, qui la pliait en deux régulièrement, ne ressemblait à rien qu'elle eût connu jusque-là. Elle n'en avait pas parlé à Moïse pour éviter qu'il ne la conduise immédiatement aux urgences. Elle adorait se faire bichonner à la maison.

— Sais-tu que le bouillon de légumes guérit presque tous les maux d'estomac ? dit Moïse entre deux carottes.

— Ah oui ? C'est médicalement prouvé ? lui demanda Amanda en riant.

— D'après ma grand-mère.

Moïse jeta les légumes dans la plus grande casserole qu'il pût trouver et s'attaqua méticuleusement au poulet. Etre médecin légiste lui confère toutes sortes de talents, se dit Amanda. Elle préféra penser à autre chose, craignant que certaines associations d'idées ne lui coupent l'appétit. De manière générale, elle préférait ne pas trop penser au travail de Moïse. Ils se rencontraient souvent sur les scènes de crime, mais, pour sa part, elle aurait été tout à fait incapable de découper des cadavres à plein-temps. Pour Amanda, la profession de Moïse restait résolument incompréhensible.

— C'est prêt dans une demi-heure, annonça-t-il en s'essuyant les mains avec un torchon.

Arvid jura en ouvrant le carton de nourriture que venait de livrer le Chinois du coin de la rue. La première chose qu'il avait vue dedans était celle qu'il détestait le plus. Des lamelles grises semblaient le narguer en surface de la préparation.

Des champignons.

Il poussa un gros soupir et entreprit de les enlever un par un. Ils ne figuraient pas au menu. Sinon, il n'aurait jamais commandé ce plat-là. L'un après l'autre, les petits morceaux atterrirent dans la poubelle. Arvid prenait même soin de ne pas les toucher avec ses doigts. Depuis sa plus tendre enfance, il détestait les champignons. La peur de marcher dessus dans les bois avait peu à peu évolué en un dégoût irrépressible. La moitié logique de son cerveau lui disait qu'il souffrait d'une phobie, mais l'autre moitié justifiait son aversion en affirmant que les champignons étaient la plus répugnante création de l'univers. Comment une personne normalement constituée pouvait-elle manger des champignons ou même les manipuler ?

Quand il l'eut méticuleusement débarrassée de chaque parcelle de l'ingrédient exécré, Arvid emporta la nourriture avec lui et s'installa devant le bureau parfaitement rangé ; l'écran d'ordinateur était brillant et dépoussiéré, les crayons triés par couleurs et les feuilles d'imprimante sagement empilées dans le tiroir. Au-dessus du bureau, plusieurs étagères contenaient des archives informatiques classées par ordre alphabétique. Il faisait le ménage tous les matins, une habitude qu'il avait prise sur le *Rainbow Warrior II*. Chaque matin, à 8 heures, tout l'équipage nettoyait l'intérieur du navire ; les toilettes, les sols, les portes et les murs étaient récurés soigneusement. Il était indispensable de maintenir à bord l'hygiène, qui laisse vite à désirer sur un bateau. Arvid était aussi responsable de l'état de la cloche. Elle venait du premier *Rainbow Warrior* et possédait une grande valeur symbolique. Revenu à terre, Arvid avait conservé la même discipline sévère envers lui-même et cela lui convenait.

Il se mit à manger lentement tout en regardant le fichier ouvert sur l'écran. Il s'agissait d'une liste commençant par le nom Vattenfall. Le deuxième était SAS, le logo de Scandinavian Airlines. C'était leur propre recensement des Dirty Thirty. S'inspirant de celle de Greenpeace, Nova, Arvid et Eddie avaient établi leur propre liste de coupables de crimes contre l'environnement. Puis ils leur avaient déclaré la guerre. Ils ne pensaient pas que la question puisse être résolue à temps par les voies légales. Il fallait agir avant qu'il soit trop tard. Ensemble, ils avaient voté pour la méthode dure et largement débordé du cadre de l'organisation officielle afin d'accélérer les choses.

Ça n'avait pas marché comme prévu, tout était allé de travers. Pourtant, bien qu'il s'inquiétât pour Nova, Arvid n'était pas totalement mécontent du résultat.

Après tout, Josef F. Larsson n'avait eu que ce qu'il méritait.

En amour comme à la guerre, tout était permis.

A présent, Arvid avait l'intention de se battre sur le front amoureux justement. Il voulait redonner le sourire à Nova. Et il ne voyait pas ce qui pourrait lui faire plus plaisir que de le voir poursuivre leur combat commun.

— Sale SAS, me voilà ! claironna-t-il dans sa belle chambre bien rangée d'Årsta, forçant sur son accent suédois.

Nova n'eut pas beaucoup à marcher pour atteindre l'étude de Nils Vetman. Elle se demanda si sa mère l'avait choisi uniquement parce qu'il exerçait dans le quartier. La Stora Gråmunkegränd, « grand-rue des moines gris », était en fait une toute petite ruelle qui allait de Västerlånggatan jusqu'à l'eau. Lors d'une de ses rares périodes communicatives, sa mère lui avait expliqué que la rue portait le nom de Gråmunkegränd parce que, jadis, elle se terminait par un pont qu'empruntaient les moines pour rejoindre leur île. Le pont avait disparu depuis des siècles, et l'île avait été rebaptisée par les nobles et les chevaliers qui s'y étaient installés après les hommes de Dieu.

La maison de couleur bordeaux était l'une des plus anciennes de Gamla stan. Elle vit qu'elle avait été récemment chaulée. Plusieurs plaques sur la porte indiquaient que Nils Vetman n'était pas le seul avocat à y avoir élu domicile. Avant d'appuyer sur l'interphone, Nova se regarda dans la plaque en cuivre. Sa cicatrice ne se voyait pas, son mascara n'avait pas coulé et ses dreadlocks étaient en place.

Elle sonna discrètement. La porte s'ouvrit dès qu'elle s'annonça, et une voix éraillée la pria d'entrer. La propriétaire de la voix était assise à l'accueil. Elle tapait frénétiquement sur un clavier tout en regardant Nova. La cinquantaine, un tailleur gris étriqué, un chignon serré sur la nuque et des lunettes au bout du nez, elle ressemblait à une caricature d'assistante juridique.

— Café ou thé ?

— Vous n'auriez pas de l'eau plutôt ?

Voyant la secrétaire sortir une bouteille de Ramlösa, elle précisa :

— De l'eau du robinet, je préfère.

En temps normal, Nova aurait ajouté que la production d'eau minérale en Suède générait quinze mille transports routiers et trente-trois mille tonnes de carbone par an, mais elle laissa tomber pour cette fois. Que la terre soit affligée de perturbations climatiques ou dévastée par une bombe atomique, cette femme-là était programmée pour donner aux clients ce qu'ils voulaient. Essayer de la changer maintenant était une cause perdue.

Munie de son verre d'eau, Nova fut conduite dans le bureau de Nils Vetman. Il était carrelé de terre cuite comme beaucoup de ces maisons datant du XVIIIe siècle, mais il avait de belles proportions et sentait l'argent et la réussite ; des toiles originales ornaient les murs ; des livres reliés de cuir garnissaient la bibliothèque. Nils Vetman lui-même trônait derrière un gigantesque bureau en chêne massif. Amplificateur d'ego, se dit Nova en découvrant l'homme à la tête en forme de poire. Malheureusement, la table surdimensionnée soulignait sa petite taille plus qu'elle n'inspirait du respect pour sa personne. Ses cheveux blond cendré tiraient sur le gris. Ses petits yeux bridés étaient vifs et curieux. Il désigna une chaise libre d'un geste de la main. L'autre siège destiné aux visiteurs était déjà pris. Nova ne put s'empêcher de regarder son occupant une seconde de trop. Il était blond lui aussi, mais pas d'un blond fade. Ses yeux étaient bien écartés l'un de l'autre et presque bleu marine. Il était difficile de lui donner un âge mais son costume coupé sur mesure indiquait la réussite professionnelle. Bel homme, pensa Nova, mais pas séduisant. Je me demande s'il est homo ?

Avant qu'elle atteigne sa chaise, l'homme se leva et tendit la main.

— Je m'appelle Peter Dagon. Je représente la FON.

Il observait Nova des pieds à la tête, comme s'il cherchait à apprendre quelque chose sur elle. A la fois gênée et flattée de son intérêt évident, elle leva inconsciemment la main vers son menton pour dissimuler sa cicatrice.

Il y avait quelque chose de familier dans les traits de Peter Dagon. Elle supposa qu'elle avait vu sa photo dans un journal. Elle était certaine de ne l'avoir jamais rencontré auparavant.

— Je vous souhaite la bienvenue, commença Nils Vetman. Comme vous le savez, nous sommes réunis ici pour l'ouverture du testament d'Elisabeth Barakel.

Il eut un regard de compassion en direction de Nova et poursuivit :

— Elisabeth Barakel a souhaité partager ses biens entre sa fille, c'est-à-dire vous, Nova, et la fondation FON, représentée ici par Peter.

Nova allait demander quelles étaient les activités de la FON quand Nils Vetman reprit :

— Nous parlons d'un patrimoine représentant cinquante-trois millions de couronnes répartis comme suit : un immeuble à Gamla stan en biens immobiliers et un portefeuille d'actions pour ce qui est des biens mobiliers. La valeur des actions a été évaluée selon la cotation d'hier. Ces biens doivent être répartis en deux parts égales.

Nova eut un instant d'absence pendant lequel seul le chiffre cinquante-trois tournait en boucle dans sa tête.

— J'ai bien entendu cinquante-trois millions ?

— C'est exact, j'ai ici tous les documents. Il s'agit principalement de titres sur les marchés suédois et asiatique.

L'avocat tendit à Nova et à Peter deux copies de relevés de comptes-titres. Nova feuilleta les documents et essaya de les lire, mais elle était incapable de se concentrer. Cinquante-trois millions. Elle n'avait même pas réussi à calculer combien faisait ce chiffre divisé par deux. Ce qu'elle savait, c'est que la somme était énorme. Certes, Nova n'avait jamais manqué d'argent dans son enfance, mais elle avait toujours pensé qu'il venait des nombreuses heures de travail que fournissait sa mère. Cinquante-trois millions, se répéta-t-elle.

Nils Vetman avait recommencé à parler :

— Elisabeth souhaitait que Nova conserve la maison. Elle a été estimée à une valeur de treize millions, œuvres d'art et meubles compris. Il en découle donc que Nova héritera de la maison et de son contenu ainsi que de la somme de treize millions et demi en valeurs boursières, et que la FON aura pour sa part vingt-six millions et demi en actions. Puis-je vous demander à quel endroit je peux transférer ces avoirs ?

Nova n'avait jamais possédé plus d'argent que le montant de la bourse qui lui était allouée chaque mois pour ses études de philosophie à l'université. Elle n'était évidemment titulaire d'aucun compte-titre pour y virer ces actions. Compte-titre, box, coffre ? Elle ne savait même pas où on gardait les valeurs boursières quand on en possédait.

— Il faut que je voie cela avec mon chargé de compte, dit-elle prudemment. Je vous communiquerai mes coordonnées bancaires demain.

La réunion s'acheva là. Peter Dagon laissa au juriste les informations dont il avait besoin. Puis il prit congé avec autant de politesse et d'attention qu'au début du rendez-vous. Nova, qui reprenait à peine ses esprits, resta assise.

— Vous avez d'autres questions ? lui demanda Nils Vetman.

— Oui, vraisemblablement, mais rien qui me vienne spontanément, répondit Nova avec franchise en se levant de sa chaise.

— Vous m'appelez quand vous voulez.

Nova hocha la tête en guise de remerciement et s'apprêtait à quitter le bureau quand elle se rappela ce qui la tracassait tout à l'heure.

— De quoi s'occupe la FON ?

— Peter a parlé d'une association à but non lucratif. Je n'en sais pas plus.

— Je peux avoir son numéro de téléphone ?

— Je regrette, mais ces coordonnées sont confidentielles.

Nova sortit précipitamment du bureau, devant une assistante étonnée. A l'extérieur, elle vit une grosse Mercedes garée sous l'enseigne du club de jazz Stampen. Aux XVIIᵉ et XVIIIᵉ siècles, le club était encore une église. Les calvinistes français qui y célébraient des offices austères se seraient retournés dans leurs tombes s'ils avaient vu leur temple transformé en boîte de nuit. La Mercedes, qui était garée avec deux roues sur le trottoir et les deux autres sur les pavés, démarra. Nova croisa le regard de Peter Dagon dans le rétroviseur. Il ne la quitta pas des yeux en accélérant le long de la ruelle. Les gestes que fit Nova pour le retenir furent vains.

La voiture disparut à l'angle de la rue. Plutôt louche, tout ça, se dit Nova.

Au-dessus de sa tête se balançait mollement l'enseigne représentant un oiseau en queue-de-pie jouant du saxophone.

Amanda se réveilla au beau milieu de l'après-midi. Elle avait essayé de partir travailler à plusieurs reprises dans le courant de la journée, mais cela s'était révélé impossible. Dès qu'elle passait le pas de sa porte, elle était obligée de retourner aux toilettes en courant. Je disperse ma bile comme un chat marque son territoire, avait-elle pensé. Pour finir, elle avait été obligée de se faire porter pâle auprès de son chef, qui ne lui avait pas caché sa surprise. Depuis la dernière fois que c'était arrivé, il s'était passé cinq ans, et le commissariat avait connu deux restructurations et un changement de commissaire principal. L'inspectrice qui s'entraînait au tir en talons hauts n'était jamais malade. Ça n'allait pas avec son personnage.

Et voilà qu'elle était vautrée sur son lit à regarder une reproduction de Marc Chagall. Moïse la lui avait offerte en lui disant que le personnage du tableau avait le même nom que lui, ce qui l'obligerait à penser à lui chaque matin en se réveillant. Amanda ne trouvait aucune ressemblance entre ce Moïse cornu et maigre et son Moïse à elle. Je me demande pourquoi Chagall a peint des cornes à Moïse, se dit-elle. Les pensées d'Amanda flottaient comme le personnage du tableau.

Elle était un peu moins nauséeuse mais terriblement fatiguée. La sonnerie du téléphone lui vrilla les tympans. Elle répondit et se débrouilla pour déléguer quelques-unes de ses nombreuses tâches.

Si je ne peux pas tenir sur mes jambes, je peux toujours travailler couchée, décida Amanda. Elle se remémora péniblement les événements de ces derniers jours. Elle réorganisa dans sa tête tous les détails qui, connectés entre eux, pouvaient lui fournir une piste. Pour décider de ce qu'elle devait faire du plus improbable d'entre eux, la combinaison orange, elle dut s'asseoir dans son lit et allumer son ordinateur portable.

Confortablement adossée à une pile d'oreillers, elle chercha Nova Barakel sur Internet. C'était un tir dans le brouillard, mais ce qu'elle trouva la fit se redresser à nouveau :

Stockholm, Suède – Une vingtaine de militants écologistes, membres du mouvement Greenpeace, ont manifesté aujourd'hui dans le centre-ville de Stockholm, s'invitant à l'assemblée générale annuelle de la société Vattenfall. Ils souhaitaient protester contre les nouveaux investissements de la compagnie dans les énergies réputées polluantes. Chaque participant à la convention s'est vu remettre un ravissant paquet vert contenant un morceau de charbon accompagné du message :

« Difficile de garder les mains propres en manipulant du charbon. »

« Nous voulons exhorter Vattenfall à se tourner vers les sources d'énergie alternatives. Vattenfall projette d'investir plus que jamais dans l'énergie fossile ou atomique et ne croit pas aux énergies renouvelables, alors qu'une large majorité du peuple suédois, qui d'une certaine manière possède la société Vattenfall, marque une nette préférence pour ces nouvelles énergies », déclare Nova Barakel, militante de Greenpeace.

La lecture de l'article parvint à faire ramper Amanda hors de son lit en direction de la salle de bains. Le mot « salle de bains » était quelque peu prétentieux. Il s'agissait en fait de W-C dans lesquels elle avait fait récemment installer une pomme de douche. Elle s'écroula sur la lunette des toilettes et laissa l'eau tiède couler longuement sur son corps et ses cheveux. Le fait de se sentir propre lui donna l'impression d'être un peu moins malade. Amanda se fit violence pour fermer le robinet et prit une serviette à l'extérieur afin d'enlever la buée sur le miroir. Celui-ci lui renvoya une version maigre et épuisée de son visage. Avec un peu de maquillage, on devrait te redonner figure humaine, se dit-elle en allant s'habiller dans l'unique pièce dont elle disposait. Il fallait qu'elle retourne voir Nova au plus vite.

Comment nuire le plus efficacement possible à la compagnie Scandinavian Airlines ? se demandait Arvid tout en rangeant ses crayons par ordre de taille au lieu du dégradé de couleurs précédent. Toucher à leur site ? Non, ça ne changerait pas grand-chose, puisqu'on peut quasiment tout faire par téléphone. En plus, ils pourraient facilement réparer. Le téléphone, évidemment ! C'est là-dessus que je dois intervenir. Arvid sentait l'excitation lui chatouiller l'estomac. Il avait souvent pensé à créer un virus exponentiel qui affecterait le réseau de téléphonie mobile, mais il n'avait pas encore osé. Cette fois, il disposait d'une occasion exceptionnelle de le faire et il savait d'ores et déjà comment procéder.

Cette sacrée grenouille va enfin se montrer sous son vrai jour, se dit-il en pensant à la sonnerie la plus populaire de ces dernières années, la mélodie « Crazy Frog ». Une grenouille débile chantant un air encore plus débile : c'est comme ça qu'il l'aurait décrite aux rares Suédois à ne pas la connaître. Tout de suite après la sortie de la première version du tube, une infinité d'autres avaient suivi. Arvid chercha la plus connue du moment, et la mit à la troisième place sur la top-liste de l'un des principaux fournisseurs. Il ne pouvait pas imaginer de thème plus approprié que « The Final Countdown » pour accompagner le premier virus grave de la téléphonie mobile suédoise.

Ensuite, Arvid chercha le code de la sonnerie « Crazy Frog » sur un site russe, qu'il visitait chaque fois qu'il avait besoin d'informations auxquelles on n'avait normalement pas accès. Il téléchargea la mélodie, fredonna le thème tout en travaillant, mais en boycottant le « bip-bip » niais par lequel concluait le batracien, qui, d'ailleurs, ne figurait pas dans la version européenne. Quand il eut terminé, il téléchargea le code du Trojan Horse DP Stealer. A. Ce cheval de Troie était bien connu des informaticiens, ainsi que des experts Internet, parce qu'il parvenait avec succès à remplacer dans les téléphones portables le logiciel servant de base de données au répertoire et à l'utiliser à d'autres fins. Il allait maintenant servir également les intentions belliqueuses d'Arvid.

En surfant sur le site de SAS, il trouva plusieurs numéros de téléphone permettant de joindre la compagnie : le service commercial pour les vols nationaux et celui qui gérait les vols internationaux, ainsi que le numéro de l'accueil des bureaux de l'administration. Lequel vais-je choisir ? se demanda-t-il. Après tout, pourquoi choisir puisque je peux les prendre tous les trois ?

Quelques heures plus tard, il avait terminé. Il avait créé un virus à trois fonctions : il s'envoyait automatiquement par MMS à tous les contacts du téléphone portable contaminé, il transférait au hasard tous les appels entrants et sortants à l'un des trois numéros de SAS, et il téléchargeait la sonnerie « The Final Countdown » sur le portable en question. Le seul inconvénient était qu'il ne pouvait contaminer que les téléphones dernière génération. Il se consola en se disant que quelques centaines de téléphones touchés suffiraient à saturer les lignes de la compagnie aérienne de communications parasites. Le fait que les gens soient obligés d'appuyer sur OK pour installer la sonnerie, apparemment envoyée par une connaissance, n'inquiétait pas Arvid. S'ils étaient assez stupides pour répondre à des mails en provenance du Nigeria ou pour ouvrir les pièces jointes de courriels venant de n'importe où, ils n'hésiteraient pas une seconde à presser une touche sur leur téléphone. *Expressen* n'ayant jamais publié d'article sur les virus menaçant la téléphonie mobile, le danger n'était pas encore inscrit dans la conscience collective.

Après le battage qu'il y avait eu dans la presse, ces dernières années, sur le site de téléchargement The Pirate Bay, le choix du moyen de diffusion allait de soi. Les sites de téléchargement pirates étaient tous devenus plus ou moins légaux. Arvid envoya la sonnerie, ainsi qu'un lien vers The Pirate Bay, à un serveur intrus et peu sécurisé. Immédiatement, le virus suivit les liens récemment programmés, et, quelques heures plus tard, il avait remonté la liste des cent programmes de téléchargement les plus utilisés du Net.

Nova entendit un bruit sourd en provenance de la porte d'entrée. Elle alla consulter l'écran de surveillance. Le facteur venait de faire tomber une grosse enveloppe dans la boîte aux lettres. Plusieurs plis moins volumineux lui succédèrent. Je commence à être aussi parano que ma mère, se dit Nova. Avant même d'avoir achevé sa pensée, elle réalisa qu'elle l'était peut-être avec raison. Sa mère avait-elle peur ? Y avait-il une relation entre sa mort et tout ce qui arrivait à Nova ces temps-ci ? L'accident n'en était peut-être pas un, conclut-elle. Etait-elle en danger elle aussi ? Quelqu'un était entré chez elle, en tout cas.

Elle frissonna de nouveau à cette idée.

Nova fit un effort pour se débarrasser de ses funestes réflexions. Je dois juste faire attention, décida-t-elle en descendant l'escalier pour aller prendre le courrier.

Sur le haut de la pile, elle trouva une liasse de factures. Fortum, Telia et ComHem, put-elle lire sur les enveloppes. Elle en fit un petit tas. Rien qu'à les voir, elle se sentait stressée. Nova n'avait aucune idée de la façon dont on tenait un budget. C'était sa mère qui s'occupait de ces choses-là. Cela attendrait... Elle les fourra dans le tiroir de la table qui se trouvait dans l'entrée. Quinze autres factures y étaient déjà entassées.

Nova préféra se concentrer sur la grosse enveloppe marquée du tampon de Nils Vetman. Son nom était joliment calligraphié au recto. Sûrement l'écriture de la secrétaire. Elle ouvrit le paquet et en sortit une épaisse liasse de documents. Le testament, qui venait en premier, remplissait une demi-page et ne recelait aucune surprise. Elle feuilleta timidement les quatre-vingt-treize pages de l'inventaire de succession qui l'accompagnait. Elle n'avait aucune habitude de ce genre de papiers. Mais à qui pourrait-elle demander conseil ? Elle ne pouvait en aucun cas révéler à ses amis qu'elle était soudain devenue multimillionnaire. C'était hors de question.

Finalement, elle arriva aux relevés de transferts d'actions sur son compte et celui de la FON. Mais pourquoi étaient-ils obligés d'utiliser une feuille par titre ? Nova ne pouvait s'empêcher de se demander quel pourcentage de la forêt suédoise était sacrifié au monde de la finance au détriment de l'équilibre climatique. « Comment osons-nous montrer du doigt les autres pays quand seulement cinq pour cent de l'ancienne forêt suédoise sont encore debout ? Parler de gestion durable est un mensonge ! » affirmait généralement Nova dans ses discours.

Tout en dessous de la pile se trouvait une liste des œuvres d'art et des meubles faisant partie de la succession. Son regard s'arrêta sur l'estimation des gravures de Hogarth représentant les quatre étapes de la cruauté humaine. Quinze mille couronnes. Elle pensa au nombre de choses qu'elle aurait pu faire avec cet argent : acheter cinquante-cinq chèvres pour venir en aide à des femmes d'Afrique, cinq cents mètres carrés de forêt tropicale à Bornéo, ou engager des sages-femmes pour assister trente naissances en Sierra Leone. Puis elle réalisa ce que signifiait le tas de feuilles qu'elle avait à la main. Vingt-six millions et demi de couronnes ! En comparaison, quinze mille était une somme ridicule. Et la satisfaction qu'elle en avait tirée valait bien cette somme.

La liasse lui fit penser aux factures qui s'empilaient dans le tiroir. C'était une sensation déplaisante de ne pas maîtriser les choses. Elle avait l'impression que son incompétence devenait plus évidente au fur et à mesure que les papiers s'amoncelaient. Elle se ressaisit. Elle devait être capable de gérer cette situation. Il suffisait qu'elle le décide. Un problème isolé pouvait se résoudre. L'inventaire dans une main et les factures dans l'autre, elle alla s'installer dans le bureau. Un simple coup d'œil sur la bibliothèque et elle vit ce qu'elle cherchait. Quatre ouvrages lui seraient utiles : *Introduction à la comptabilité et principes de gestion financière*, *Succession et héritage*, *Comprendre la Bourse* et *Les Marchés financiers*.

Nova s'installa en tailleur sur le tapis et étala les livres et les documents devant elle. Elle commença par lire les index de chaque livre, ce qui lui permit de défricher les divers sujets. Ensuite, elle les parcourut chacun page par page. Elle n'avait jamais eu besoin de prendre de cours de lecture rapide. Dès le début de sa scolarité, on avait constaté qu'elle avait un talent rare : elle était capable de mémoriser une page pendant que les autres retenaient une phrase.

Quarante minutes plus tard, elle était prête et relut l'inventaire. Cette fois, elle comprit ce qu'elle avait sous les yeux. Courtage, liquidités et valeur du portefeuille étaient maintenant pour elle des notions qui avaient un sens.

Elle s'accorda plus de temps pour comprendre quel type d'actions elle possédait. Elle ne connaissait pas la moitié des noms des sociétés dont elle était actionnaire, mais elle décida de commander tous leurs bilans comptables. Quand elle eut parcouru les deux tiers des pièces, elle tomba sur trois mots qui retinrent son attention. A la place de l'acronyme FON, le nom du bénéficiaire était écrit en toutes lettres : Friends of Nephilim. Nova fit tourner le dernier vocable dans sa bouche : Ne-phi-lim. Le terme lui sembla familier mais elle ne parvenait pas à se rappeler où elle l'avait entendu auparavant. Peut-être sa mère l'avait-elle prononcé devant elle. Les yeux rivés sur le mot, elle alla s'asseoir devant l'ordinateur et l'alluma.

Sa première recherche sur Google la fit atterrir sur le site d'un groupe de rock gothique. Je ne pense pas que ma mère ait versé vingt-six millions et demi de couronnes à leur fan-club, se dit en souriant Nova, elle savait à peine faire marcher la chaîne hi-fi. En tapant Nephilim sur Wikipédia, elle trouva divers articles et lut le premier :

Les Nephilim sont des individus ou des créatures cités dans la Bible. On peut lire dans la Genèse, VI, 4 :

Les Nephilim vivaient sur la terre en ce temps-là – et aussi plus tard – quand les fils de Dieu s'accouplèrent avec les filles des hommes et leur donnèrent une progéniture. Ils étaient les héros des temps anciens, et leur gloire était grande.

Le mot Nefilim ou Nephilim signifie « les anges déchus ». On ne sait que peu de chose sur ces « Nephilim » ou « créatures divines » ou encore « fils de Dieu ». D'après certaines œuvres judaïques apocryphes, les Nephilim seraient le fruit de l'accouplement croisé entre des « créatures divines » et des êtres humains.

Je ne vois vraiment pas ce que tout cela a à voir avec ma mère, pensa Nova après cette lecture.

Des coups violents retentirent au rez-de-chaussée.

Nova retourna dans sa chambre pour voir qui frappait. C'était cette inspectrice, Amanda. Elle a vraiment une sale gueule, se dit Nova en voyant les yeux cernés de la femme. Le visage livide d'Amanda offrait un contraste frappant avec ceux, bronzés et reposés, des habitants de Stockholm. Soudain, Nova eut peur. Une nouvelle visite de la police n'augurait rien de bon.

— Je croyais que vous aviez clos l'enquête, dit-elle en ouvrant la porte.

— L'enquête dont vous parlez est effectivement close, répondit Amanda. Je viens pour autre chose.

Nova sentit une crispation dans son estomac. La moindre des courtoisies eût été de faire entrer Amanda, mais elle ne le fit pas. Moins la conversation durerait, mieux cela vaudrait. Sa main posée sur la poignée se mit à trembler.

— Je voudrais savoir ce qui est écrit au dos de votre combinaison orange.

Nova chercha désespérément une réponse. Ses pensées voletaient dans sa tête comme un essaim d'insectes et elle ne parvenait pas à en arrêter une seule. Nier, nier en bloc fut la seule solution qu'elle put trouver :

— Je ne vois pas de quelle combinaison vous parlez, dit-elle en adoptant une expression aussi neutre que possible.

— Celle que vous portiez la dernière fois que vous m'avez ouvert cette porte, répliqua Amanda avec impatience.

— Ah, celle-là ! Je l'ai jetée. C'était un vieux truc que je mettais pour faire le ménage.

— Je ne vous ai pas demandé si vous l'aviez jetée mais ce qui était écrit sur son dos.

— Rien.

— Il n'y avait aucune inscription sur le dos de cette combinaison ?

— C'est ça.

Amanda poussa un gros soupir et se passa la main sur le front avec lassitude.

— Savez-vous qui est Josef Larsson ?

Le pouls de Nova s'accéléra. Elle essaya de toute sa volonté de garder un visage impassible.

— Non, répondit-elle tout en pensant : Ne dis rien, ne dis rien, ne dis rien.

Amanda sortit un bout de papier journal de sa poche et le déplia. C'était l'article dans lequel Nova parlait de Vattenfall.

— Et ça, vous connaissez ? la questionna Amanda, de plus en plus agacée.

— Oui, ça, je l'ai déjà vu, lui concéda Nova.

— Où étiez-vous le 15 août ?

— Dans les locaux de Greenpeace, sur Götgatan.

— Toute la journée ?

— Oui.

— Et le soir ?

— J'étais là-bas le soir aussi, j'avais un rapport urgent à rendre.

— Quelqu'un peut le confirmer ?

— Oui, mes collègues Arvid et Eddie.

Amanda ne voyait pas ce qu'elle pourrait demander de plus mais elle nota au passage ce que Nova n'avait pas fait : elle avait omis de demander à Amanda pourquoi elle venait frapper à sa porte et poser toutes ces questions.

Lilian Torstensson entra, à 7 heures précises, dans le bureau qu'elle partageait avec ses deux collègues. Elle se lançait chaque jour le défi d'être devant son téléphone à la seconde précise où le standard ouvrait, et, ce jour-là, elle avait réussi.

Les deux femmes qui se trouvaient dans la pièce lui sourirent et hochèrent la tête en guise de salut, mais elles n'eurent pas le temps d'échanger un mot avant que les trois lignes se mettent à sonner simultanément. OK, c'est ce genre de journée ! se dit Lilian en soulevant le combiné pour répondre.

— Allô ! Je pourrais parler à Linnéa ? demanda une voix très jeune et un peu hésitante.

— Je crains que vous ne vous soyez trompée de numéro, répondit Lilian, vous êtes au comptoir des ventes de SAS.

— Ah, je suis désolée, entendit-elle tout doucement au bout de la ligne.

Et la communication fut coupée.

Deux secondes plus tard, la ligne sonnait à nouveau. Cette fois, elle entendit une voix de femme qui parlait à toute vitesse en français.

— Je ne suis pas chez Jean-Pierre ?

— *I'm sorry, I don't understand French*, répondit Lilian qui ne comprenait pas un mot.

— Qui est à l'appareil ?

— *Do you speak English ?* demanda Lilian, essayant à nouveau de communiquer avec son interlocutrice.

Mais un simple clic la récompensa de ses efforts. En levant la tête, elle comprit que ses collègues avaient reçu exactement le même genre d'appels. Quelque part dans le couloir, elle entendit le thème idiot de « The Final Countdown ». Pff, et ça se croit adulte, se dit Lilian.

Nova regardait une montagne de petits pains exposés à côté de la caisse au café Cinnamon. Un délicieux parfum de viennoiseries à peine sorties du four enveloppait les clients du salon de thé. Des pains de toutes les formes, blancs et complets, fines baguettes et grosses miches, étaient entassés sur les grilles. Sur le comptoir, beignets aux framboises, cookies au chocolat et muffins à la confiture d'airelles attendaient d'être achetés et dévorés. Cannelle ou cardamome ? Nova eut le temps de se poser trois fois la question avant que la jeune vendeuse lui demande avec un accent finnois chantant :

— Qu'est-ce que ce sera ?

Nova, qui venait de s'arrêter sur cardamome, répondit :

— Une pâtisserie à la cardamome et une tasse de thé chai.

Après coup, elle se dit que c'était un excellent choix. En fait, c'était exactement de cela qu'elle avait envie. Pendant que la jeune fille préparait le thé, Nova alla saluer Arvid et Eddie, qui occupaient déjà l'une des vingt tables du café. C'était leur quartier général : Nova habitait Gamla stan, Arvid Årsta et Eddie Mälarhöjden. Non seulement Cinnamon se trouvait à égale distance des trois endroits, mais c'était la meilleure et la plus prisée de toutes les pâtisseries de Stockholm.

Nova remarqua qu'Arvid portait de nouvelles lunettes. Elle n'aurait pas su dire pourquoi, mais elles le faisaient paraître plus mûr. Sa barbe courte avait été retaillée récemment. Nova trouva qu'il sentait bon. Il portait un grand pull-over avec un motif tribal. Nova le regarda un peu plus attentivement. Il avait quelque chose de changé. En mieux. Elle se força à détourner le regard et à prendre un air aussi normal et nonchalant que possible, les yeux baissés sur la table qu'il partageait avec Eddie.

Quand elle eut récupéré sa boisson, Nova alla s'asseoir avec eux sur la banquette contre le mur. Avant de leur parler, elle regarda autour d'elle. Le salon de thé était presque vide si l'on faisait abstraction des deux hommes tatoués installés à une table assez éloignée. OK, se dit Nova, des tatouages de la House of Pain, typiques des Hells Angels, ça va, on est du même monde. Elle savait que, même s'ils entendaient leur conversation, ils n'iraient pas la répéter aux flics.

— La police est revenue me questionner, confia Nova à voix basse, la bonne femme m'a posé des questions sur ma combinaison orange.

Ses amis se penchèrent pour entendre ce qu'elle disait.

— Comment est-ce qu'ils ont su pour la combinaison ? demanda Eddie en tripotant nerveusement un bouton qui se cachait parmi ses taches de rousseur.

— Je l'avais sur moi quand l'inspectrice est venue me voir la première fois. Elle avait débarqué de bonne heure, je n'étais pas réveillée, se défendit-elle.

— Mais comment savent-ils qu'ils doivent chercher quelqu'un avec une combinaison orange ? s'étonna Arvid.

Nova haussa les épaules.

— Et qu'est-ce que tu lui as raconté ? s'inquiéta Eddie.

— J'ai dit que je l'avais jetée.

Nova se souvint qu'elle avait mis la combinaison dans la poubelle mais qu'elle n'avait pas encore sorti le sac. Il faut que j'y pense dès que je rentre, se dit-elle.

— On a intérêt à faire profil bas, c'est pas bon tout ça, constata Eddie.

Son bouton était devenu une petite plaie sanguinolente. Il se mit à tripoter sa tasse à la place.

— Elle m'a demandé ce que je faisais ce soir-là et je lui ai parlé de vous. Si elle vient vous voir, vous vous tenez à ce qu'on a dit au départ, et vous niez tout le reste, d'accord ?

Les deux hommes hochèrent la tête en guise de réponse.

Arvid, qui, le plus souvent, menait les débats, restait anormalement silencieux. En fait, aucun d'entre eux ne prononça un mot pendant un long moment. Ils sirotaient leurs boissons et Nova leur donna à chacun la moitié de la croûte de son gâteau. Finalement, Arvid se jeta à l'eau :

— Je ne savais pas que la police était sur notre piste. Désolé, j'ai lancé un virus dans le système informatique de SAS.

— Tu as fait quoi ? s'écria Eddie, affolé, soudainement écarlate sous ses taches de rousseur.

— Je pensais qu'on allait continuer la liste comme on avait prévu et j'avais une si bonne idée que je voulais la tester. Tout leur standard va exploser et ils vont se retrouver dans la pire situation de « déni de service » de tous les temps.

— Tu as fait quoi exactement ? demanda Nova, intéressée, même si elle trouvait qu'il aurait dû leur en parler avant.

Si ça n'avait tenu qu'à elle, elle aurait tout laissé tomber et jeté la fameuse liste aux oubliettes. Mais ce qui était fait était fait, et, en général, Arvid savait ce qu'il faisait quand il touchait à un ordinateur. Nova était donc beaucoup moins inquiète qu'Eddie. Elle ne voyait d'ailleurs pas comment la police pourrait établir le lien entre une attaque de virus et le meurtre du P-DG de Vattenfall. Après tout, la société SAS n'avait eu que ce qu'elle méritait.

Certes, « le transport aérien n'était responsable que d'environ dix pour cent des émissions de gaz à effet de serre sur le territoire suédois, mais le secteur était en forte progression », dixit Nova Barakel quand elle abordait le sujet en public. En revanche, le dioxyde de carbone était lâché dans l'atmosphère à une altitude élevée, ce qui avait une incidence bien plus grande sur le dérèglement climatique qu'une pollution équivalente au ras du sol. Leurs avions étaient vieux, ils menaient une politique commerciale visant à multiplier les vols et donc à augmenter l'impact du transport aérien sur l'environnement. Les salauds, pensa Nova en écoutant attentivement comment le virus téléphonique d'Arvid allait les attaquer.

Amanda était, comme d'habitude, ailleurs que dans son propre bureau. Elle évitait d'y passer trop de temps. Cela lui avait valu un certain nombre de plaisanteries au cours de ses années dans la maison. Son chef lui conseillait régulièrement de garder un GPS dans son sac en permanence, de façon qu'on puisse la retrouver quand on avait besoin d'elle. Amanda ne comprenait pas ce besoin de proximité physique. Elle avait un portable auquel elle répondait presque toujours, c'était déjà pas mal à son avis.

Pour l'instant, elle était penchée sur l'épaule de Kent, l'un de ses plus grands collaborateurs, tant en termes de taille que d'intelligence. Ils regardaient ensemble l'écran de son ordinateur. Elle s'en voulait de ne pas avoir lancé une recherche sur Nova plus tôt.

— Merde, fut le seul mot qui lui vint quand elle eut fini de lire la fiche de police.

— Putain, enchérit Kent.

Nova avait déjà tué.

A l'âge de quinze ans, elle avait déjà pris une vie. Les statistiques dans ce domaine disaient deux choses : la première était qu'il n'y avait quasiment jamais eu de tueuse en série en Suède, la deuxième qu'on avait rarement observé de cas de meurtrière récidiviste. Mais Nova pouvait faire mentir les statistiques, elle avait tué et était capable de recommencer.

Avec une extrême brutalité de surcroît. Amanda avait ce qu'il lui fallait pour l'instant.

Nova Barakel allait désormais devenir le centre de son enquête. Kent était de son avis.

Ils n'allaient plus la quitter d'une semelle.

Nova n'eut aucune difficulté à trouver des vêtements noirs dans sa garde-robe. Le problème était d'en trouver qui soient adaptés à la circonstance. Même si elle ne croyait pas qu'il y aurait grand monde à l'enterrement de sa mère, elle ne voulait pas faire preuve de mauvais goût. Malgré leurs désaccords, Nova nourrissait à l'égard de sa mère un profond respect confinant à la crainte. Tous les vêtements à motif de têtes de mort étaient à exclure. Elle chassa de son esprit l'image du crâne de sa mère.

Finalement, elle opta pour un pantalon noir de coupe droite et un pull-over beaucoup trop chaud pour la saison. On fait ce qu'on peut, se dit Nova en rangeant dans son sac une bouteille remplie d'eau du robinet pour se désaltérer en chemin.

Elle s'inspecta dans le miroir avant de sortir, et décida d'enlever son piercing à la langue ainsi que les anneaux qu'elle avait au nez et dans un sourcil. Elle ne garda que deux de ses nombreuses boucles d'oreilles. Après tout, c'est la dernière fois que je vois ma mère, songea Nova, et s'il y a une chose qu'elle n'aimait pas, ce sont bien mes bijoux. Elle se fit une petite note mentale pour se rappeler de remettre le clou dans sa langue dès qu'elle serait rentrée. Elle n'avait aucune envie de se faire repercer ce trou-là. Elle rassembla ses dreadlocks en un chignon respectable et, pour finir, s'assura que sa cicatrice ne se voyait pas. Elle remonta le col du pull à tout hasard.

Nova regretta son choix vestimentaire à la seconde où elle ouvrit la porte, mais elle n'avait plus le temps de se changer. Le soleil tapait fort et sans pitié. Ça va être terrible, constata-t-elle en sortant la bouteille, qui était encore froide mais pas pour longtemps. J'espère que l'église est fraîche, au moins.

Elle avait organisé les obsèques davantage en fonction de ses goûts personnels que de ceux de sa mère. Le testament ne donnait aucune indication quant à l'enterrement lui-même et Nova avait choisi l'église qu'elle préférait. Elle n'avait pas eu la force de penser à autre chose lors de la réunion avec l'entrepreneur des pompes funèbres. Ce n'est qu'une fois tout organisé qu'elle avait réalisé que sa mère aurait peut-être préféré un enterrement civil. De toute façon, c'était trop tard.

Nova tourna dans la rue Trångsund et vit apparaître la cathédrale et son clocher. Les parties les plus anciennes de l'église dataient de l'époque de Birger Jarl, mais elle avait subi tant de restaurations et d'extensions que ce qui restait de la construction d'origine ne subsistait que dans la partie nord du clocher. Ce n'étaient ni la façade baroque ni la proximité qui avaient déterminé le choix de Nova, mais l'architecture gothique de la nef. S'il doit y avoir des églises, au moins qu'elles soient cool !

Quand elle était petite, la cathédrale n'avait pas seulement été un lieu de culte à ses yeux. Les jours où elle n'avait pas envie de rentrer chez elle, elle y avait passé de nombreuses heures à rêver parmi les peintures et les sculptures. Sa préférée était celle de saint Georges et le dragon, datant du XIVe siècle. Dans la poitrine de la statue en bois se trouvaient d'authentiques reliques de Georges lui-même et de deux autres saints, envoyées par le pape en 1300 et quelques.

Nova adorait s'asseoir sur une pierre tombale surélevée et admirer la statue. Parfois, elle s'imaginait qu'elle était le beau chevalier en armure dorée, et, d'autres fois, elle se projetait dans le rôle du dragon avec sa carapace et ses griffes. Elle ne se voyait jamais à la place de la princesse. Au contraire, elle et ses moutons imbéciles lui gâchaient le spectacle.

Elle s'était souvent demandé qui étaient les gens qu'on avait enterrés sous ses fesses. Sur la pierre étaient gravés ces mots : *Cette sépulture appartient à Monsieur le Négociant Anders Rothstein, sa chère épouse et ses héritiers directs, 1754.* Elle n'avait jamais compris cette histoire d'héritier direct. Quelle drôle d'idée de quitter cette vie avec juste l'étiquette d'« héritier direct » ! Nova était elle aussi une héritière à présent, mais elle espérait vivement que ce ne serait pas écrit sur sa tombe.

Elle passa le porche et traversa rapidement l'anté-glise, où, jadis, les hommes posaient leurs armes avant d'entrer. Puis elle ouvrit la grande porte peinte dans un pastel mauve rehaussé de dorures. Au-dessus de la porte brillaient les caractères hébreux signifiant Dieu, JHVH, au milieu d'un motif représentant le soleil.

Elle s'immobilisa, stupéfaite. L'église était bondée.

Et toute l'assemblée était vêtue de noir en hommage à sa mère.

D'abord, Nova ne reconnut personne parmi ces innombrables visages ; puis elle en distingua quelques-uns qu'elle avait déjà vus. L'avocat Nils Vetman était assis au bout d'une rangée. Elle fut étonnée de voir le médecin légiste, Moïse Hammar, sur l'un des premiers bancs. Nova pensait qu'il n'avait jamais vu sa mère de son vivant, et elle-même ne l'avait croisé que quelques minutes, quand il lui avait demandé sa description pour l'identification. Un bedeau intercepta Nova dans l'allée :

— Vous êtes la fille ?

Nova hocha la tête et se laissa conduire jusqu'au pied de l'autel. Dans le chœur se dressait le chandelier à sept branches posé sur son socle de marbre. Il devait faire plus de quatre mètres de hauteur. On installa Nova au tout premier rang. Plusieurs membres de sa famille éloignée s'y trouvaient déjà et lui accordèrent un regard de compassion. Elle ne les avait jamais rencontrés auparavant et n'avait nulle intention de faire leur connaissance maintenant. Elle leur sourit sans rien dire et ils semblèrent s'en accommoder.

Alors qu'elle s'apprêtait à s'asseoir, elle remarqua encore un visage connu. Tout au fond de l'église, Peter Dagon s'appuyait à l'un des piliers de la nef. Sa tenue était impeccable, avec une touche d'élégance britannique. Il fit à Nova un signe discret. Lui, elle s'attendait plus ou moins à le voir. Quand quelqu'un vous lègue vingt-six millions et demi, la moindre des choses est de venir à son enterrement. Cette fois, elle avait la ferme intention de lui parler.

Nova était arrivée juste à temps. Le prêtre commençait la célébration. Elle n'écouta pas vraiment ce qu'il disait, mais la foule de gens présents la fascina. Elle se tortillait dans tous les sens pour essayer de deviner qui ils pouvaient être. Elle finit par y renoncer et fixa son regard sur le cercueil. Elle se souvint que le modèle s'appelait « Pourquoi ». Il était en chêne, teinté noir, très simple. Maman l'aurait sans doute jugé trop moderne, se dit Nova, mais moi je le trouve joli. Il avait coûté treize mille couronnes. Nova n'avait pas regardé l'étiquette pour connaître le prix, mais pour vérifier qu'il avait été fabriqué dans le respect de l'environnement. « Ce cercueil est garanti ISO 14001 », lui avait affirmé l'entrepreneur des pompes funèbres. Une couronne de roses, cultivées localement, était posée dessus.

La seule chose que sa mère avait précisée dans son testament était qu'elle désirait être incinérée. Si Nova avait eu le choix, elle n'aurait pas laissé sa mère partir dans un gros nuage de carbone. Elle avait lu dans le *Svenska Dagbladet* qu'une crémation classique libérait cinquante kilos de gaz à effet de serre dans l'atmosphère. La méthode la plus écologique était, à sa connaissance, d'être mis en terre dans une boîte en carton sous un arbre et de retourner ainsi dans le cycle naturel de l'univers. L'idée plaisait bien à Nova : se fondre progressivement dans la nature au lieu d'être entreposée pour l'éternité sous une croix dans un cimetière. Autant pour la paix de son âme que pour des raisons écologiques.

Le prêtre avait fini son sermon. Nova sentit que quelqu'un lui donnait un petit coup de coude dans les côtes. Elle leva la tête et comprit qu'en sa qualité de parente la plus proche de la défunte on attendait d'elle qu'elle prenne la tête de la procession pour aller dire adieu à la morte. Elle marcha jusqu'au cercueil, une rose à la main. Elle savait qu'elle était supposée faire ses adieux à sa mère en pensée, mais c'est l'esprit vide qu'elle resta un instant immobile, les yeux baissés, avant de poser la rose sur le cercueil. Vingt minutes plus tard, Peter Dagon mit la dernière fleur sur la montagne de végétaux coupés. C'était un lis blanc.

Lorsque la cérémonie fut terminée, on retint Nova à la porte de l'église pour les condoléances. Elle n'avait pas organisé de réception après l'office, ne pensant pas qu'il y aurait quelqu'un à recevoir. Elle en eut un peu honte dans un premier temps, mais ce sentiment fit bientôt place à une grande concentration. Elle se devait de faire bonne figure face à tous ces gens qui défilaient devant elle. Enfin, l'église fut vide et Nova vidée. En prenant congé du prêtre, elle réalisa qu'elle n'avait pas vu sortir Peter Dagon.

Elle marmonna quelque chose à propos d'une boucle d'oreille égarée et retourna à l'intérieur pour la chercher. Peter Dagon avait disparu. La cathédrale était vide, abstraction faite de la dépouille de sa mère.

Nova but quelques gorgées de son eau devenue tiède. La température dans l'église était supportable, mais, après avoir marché quelques centaines de mètres en plein soleil, elle était en nage. Le pull-over collait à son dos. Elle faisait tache parmi les touristes vêtus de shorts et de tee-shirts bariolés. Elle accéléra le pas en approchant de chez elle, d'abord pour se précipiter sous une douche fraîche, ensuite pour s'éloigner plus vite de ce qui venait de se passer. La foule l'avait déroutée et laissée perplexe. Elle avait besoin de solitude pour digérer l'événement.

Elle croisa un groupe de gamines arborant rouge à lèvres rose et sacs de marque. Elles parlaient toutes en même temps des réjouissances de la soirée à venir.

On aurait dit qu'elles allaient à un bal costumé dans des vêtements qui avaient plus l'air d'avoir été achetés avec le compte épargne retraite de leur mère que dessinés pour des adolescentes. Comment pouvaient-elles construire toute leur vie sur des codes dictés par la société de consommation, alors qu'il se passait des choses si graves sur cette planète ? Idiotes, gâtées et toujours en groupe. Des oies ! En temps normal, Nova les aurait toisées avec mépris mais, aujourd'hui, elle était déstabilisée. Elle mit inconsciemment une main sur sa cicatrice et se hâta vers le havre de sa maison.

Enfin rentrée, elle verrouilla soigneusement la porte, puis monta l'escalier et se rendit tout de suite dans la salle de bains. En enlevant son pull, elle aperçut la combinaison orange dans la poubelle. Il faut que je me débarrasse de ce truc, se dit Nova en faisant un nœud au sac. Pour être sûre de ne pas oublier, elle redescendit et le posa à côté de la porte d'entrée.

Elle revint vite dans la salle de bains et entra dans la douche. Le jet tiède lui fit du bien. L'eau effaçait la sueur qui coulait dans son dos. Au fur et à mesure que la température de son corps baissait, sa tête se remettait à fonctionner.

Elle était seule maintenant.

Sa mère l'avait quittée pour toujours. Elle n'avait plus de racines. Il n'y avait plus qu'elle maintenant, et cette vieille maison. De son père, elle n'avait aucun souvenir. Sa mère lui avait raconté qu'il était mort avant sa naissance. Malgré les suppliques de sa fille, elle n'avait jamais voulu lui en dire plus.

Quand elle était petite, Nova essayait de se l'imaginer ; il était directeur de cirque, policier ou pompier, selon ses jeux ou ses rêves. Lors d'un de ses rares moments de sentimentalisme, sa mère lui avait révélé qu'elle avait hérité de ses yeux. Alors parfois, Nova se plantait devant la glace en se demandant à quoi il avait pu ressembler, plongeant dans son propre regard en tentant de reconstituer le reste du visage de son papa.

Elle avait fouillé partout, mais n'avait jamais trouvé la moindre photographie. « Je les ai brûlées pour pouvoir oublier », lui avait dit sa mère. Et Nova l'avait maudite un millier de fois pour cela.

Et, maintenant, ils étaient partis tous les deux. Mais qui étaient tous ces gens dans la cathédrale ? Nova avait essayé au moment des condoléances de poser quelques questions discrètes, mais elle n'avait obtenu que des réponses vagues comme : « Nous sommes de vieux amis, il fut un temps où nous nous voyions davantage. » Cela ne l'avait pas beaucoup renseignée. Pendant toute l'enfance de Nova, Elisabeth Barakel n'avait quasiment jamais reçu de gens à dîner, ni parlé de quiconque. Nova attrapa le gant de toilette et secoua la tête. De toute façon, elle n'avait jamais rien compris à sa mère.

Morte, elle demeurait un mystère encore plus insondable.

Nova se sentait petite face à toutes ces grandes questions. Toutes ses racines arrachées et, pour seul repère, une maison à Gamla stan. Une larme, puis une deuxième vinrent se mélanger au jet de la douche. Nova se laissa glisser le long de la paroi, l'eau ruisselant sur son corps recroquevillé.

Seule.

« Je vais bousiller ce tas de ferraille », jura Amanda en donnant un coup de pied à la photocopieuse du troisième étage. Le voyant rouge indiquant un bourrage papier lui clignotait au visage avec l'air de se moquer d'elle. C'était la troisième fois en cinq minutes.

Dans sa colère, Amanda n'avait pas remarqué qu'elle était observée.

Elle ramassa à la hâte son rapport à moitié copié, et il lui échappa des mains. Les feuillets se répandirent sur le linoléum. S'il ne s'était agi de documents classés confidentiels, elle les aurait laissés là et serait partie.

Elle fut obligée de se mettre à quatre pattes et de rassembler les papiers à la va-vite. Quand elle se fut relevée, elle les jeta violemment dans le tiroir réservé aux rapports qu'on incinérait pour s'assurer qu'ils ne tombent pas dans de mauvaises mains. Bien fait pour eux ! pensa-t-elle en faisant demi-tour pour quitter la pièce.

Elle se retrouva nez à nez avec Moïse. Il souriait, amusé. Ils étaient si près l'un de l'autre que leurs souffles se mêlèrent. La colère d'Amanda fondit comme neige au soleil. Sans prononcer un seul mot, il sortit de sa poche une carte magnétique en plastique qu'il lui tendit. Un numéro à trois chiffres était imprimé sur la carte en lettres d'or. Elle savait parfaitement de quoi il s'agissait.

— 20 heures, lui dit-il simplement.

Sans attendre sa réponse, il se retourna et partit. Amanda écouta le son de ses pas qui s'éloignaient dans le couloir.

— Sale prétentieux, lança-t-elle à haute voix, avec sur les lèvres un sourire enchanté qui démentait l'insulte.

Deux jours passèrent avant qu'Arvid ait des nouvelles de son virus par la presse. *Dagens Nyheter* avait fait un papier mentionnant un dysfonctionnement insolite du standard de SAS. Les clients se plaignaient de ne pas réussir à joindre la compagnie aérienne. Les services techniques de SAS mettaient en cause les opérateurs téléphoniques, les accusant de mal orienter les appels. Il ne semblait pas y avoir de solution immédiate en vue ; SAS affirmait que le problème ne concernait ni la capacité de leur standard téléphonique ni l'importance en nombre de leur personnel commercial. Les opérateurs, quant à eux, réfutaient toute critique et répondaient qu'ils ne pouvaient en aucun cas être tenus responsables du nombre d'appels que recevait SAS.

L'après-midi du même jour, *Expressen* en fit sa une, avec un reportage sur les voyageurs inquiets qui ne parvenaient pas à joindre Scandinavian Airlines. Plusieurs abonnés avaient été interviewés dans les aéroports. On avait appris de source sûre que les avions décollaient sans passagers, alors que de nombreux voyageurs avaient été dans l'impossibilité d'acquérir leur billet.

L'action en Bourse chuta de onze pour cent.

Le feuilleton journalistique se poursuivit toute la journée : il y eut un article sur des utilisateurs de réseaux mobiles qui se plaignaient que tous leurs appels atterrissent chez SAS. Bien entendu, les opérateurs incriminés se défendaient en rétorquant qu'ils n'y pouvaient rien si leurs abonnés ne savaient pas composer un numéro de téléphone correctement. Quels crétins, se disait Arvid, ils ont tout sous les yeux et ils ne comprennent rien.

Ce n'est que le soir que les médias commencèrent à avoir vent des véritables raisons de ce qu'on appelait déjà « l'affaire SAS ». *Aftonbladet* publia une interview de Per Hellqvist, expert en virus au sein de l'entreprise Symantec, leur principale source en matière de sécurité informatique. Il fut le premier à citer la cause du problème. « Cabir est malheureusement un virus auquel nous allons devoir faire face de plus en plus souvent, avait-il déclaré au quotidien du soir. Au fur et à mesure que la technologie va évoluer dans le domaine de la téléphonie mobile, nous devrons nous habituer à ce type d'attaque. Celui qui a conçu Cabir a visiblement pour but de nuire à la société SAS. En revanche, il est tout à fait minable de se servir des téléphones portables de personnes innocentes pour le faire. »

L'article continuait avec les mises en garde habituelles : toujours faire ses mises à jour, avoir un bon antivirus et ne pas cliquer sur des pièces jointes dont on ne connaissait pas l'expéditeur. Evidemment, le gars en profite pour vendre ses programmes antivirus, pensa Arvid. Minable toi-même !

La moquette rouge était constellée de trèfles couleur or, l'escalier en marbre poli. Amanda prit appui sur la rambarde pour monter au deuxième étage du Grand Hôtel. La première fois qu'elle était venue, elle s'était sentie un peu perdue. En sa qualité d'inspecteur de police, elle était parfois allée dans de tels endroits, mais à titre privé, jamais. Elle n'avait rien contre le luxe mais ne parvenait pas à comprendre pourquoi Moïse lui donnait rendez-vous à l'hôtel. Au début, elle croyait qu'il était marié. Ses amies en étaient convaincues. Elle avait abandonné cette idée après un coup de fil aux impôts. Il n'était pas marié, n'avait pas d'enfants et vivait seul à une adresse située à Gamla stan.

« Une petite amie, il a une petite amie », avaient alors déclaré en chœur les copines. Là, Amanda avait opté pour la méthode directe et lui avait posé la question.

« Absolument pas, avait répondu Moïse. J'ai juste honte de mon appartement. C'est une affreuse garçonnière. Je ne parviens pas à me décider à y faire un peu de ménage. »

Au bout de quelques mois, Amanda s'était habituée à ne le voir que chez elle ou à l'hôtel. Elle trouvait finalement l'arrangement à sa convenance, tant qu'il payait la chambre. Et, s'il y avait une chose qui semblait ne jamais le préoccuper, c'était bien l'argent. Amanda avait beau soupçonner la famille Hammar d'avoir de la fortune, elle n'avait jamais posé la question. La générosité de Moïse en était une preuve suffisante.

Amanda arriva à la dernière marche épuisée, plus du tout en condition. Elle dut attendre un instant d'avoir retrouvé son souffle. Elle n'avait aucune envie de frapper à la porte en haletant comme un saint-bernard en plein désert. Ça gâcherait son arrivée et réduirait à néant l'effet de la lingerie fine qu'elle avait achetée pour l'occasion.

Moïse ouvrit la porte vêtu d'une robe de chambre marquée du sigle de l'hôtel. Le parfum de sa peau fraîchement douchée lui chatouilla les narines. Une goutte d'eau, coulant de ses cheveux mouillés le long de son cou, accrut encore son désir. Sans même lui dire bonjour, elle se lova contre lui. Par-dessus son épaule, elle vit que les lourds rideaux blancs étaient tirés devant la fenêtre. Pour les protéger des rayons du soleil, les fauteuils raffinés avaient été recouverts de housses décorées d'animaux dorés et ailés. Une tapisserie sobre de couleur mousse garnissait leurs sièges et leurs dossiers. C'était la chambre favorite d'Amanda et Moïse le savait. Elle ferma les yeux, jouit de l'instant. Elle sentait les larges paumes de Moïse glisser le long de son dos.

Tout à coup, elle se dégagea brusquement et lui enleva le peignoir pour admirer son corps. Chacun des muscles avait un but et une fonction. Malgré sa masse, pas un centimètre ne paraissait inutile ou superflu. Le corps de Moïse était bâti pour la lutte, chaque détail servait sur le ring. Il était fort, beau.

Et dénudé pour elle.

Jan Mattson avait dû interrompre la semaine de vacances qu'il passait avec sa femme et ses quatre filles. Comme à son habitude, il avait discuté avec le personnel de bord pendant presque tout le vol qui le ramenait de l'île Maurice. Le reste du temps avait été employé à réfléchir au meilleur moyen de résoudre le problème de surcharge du standard téléphonique. Ce n'était qu'à son arrivée à l'aéroport d'Arlanda qu'on lui avait remis les données du problème. Il avait fallu que le premier virus grave de la téléphonie mobile attaque justement la société SAS, société dont il avait pris la direction depuis six mois seulement. On l'avait prévenu que le boulot serait dur, mais il n'avait pas imaginé qu'il aurait à affronter trois avaries sur leurs Dash 8-Q400 et quatre grèves du personnel navigant, avec pour résultat des clients mécontents et une mauvaise presse.

Et voilà qu'il était apparemment devenu impossible de joindre la compagnie. Seule la vente de billets par Internet fonctionnait encore. Même si l'argent n'était pas sa motivation première, Jan Mattson ne pouvait s'empêcher de se consoler dans les moments difficiles en songeant à son salaire annuel de dix millions de couronnes. Dans la situation actuelle, on ne lui laisserait même pas le temps d'y penser, il allait devoir faire ce pour quoi on le payait : régler le problème. Sa première mesure avait été de modifier le numéro de téléphone de la compagnie. Une conférence de presse débutait dans une heure afin d'en informer le public. Il était assis à son bureau, où il prenait connaissance du mail des équipes techniques, qui avaient d'ores et déjà réglé les questions pratiques. Avant la réunion, il devait faire un saut chez lui à Ostermalmstorg, se doucher et se changer. Les plages de l'île Maurice lui manquaient déjà.

Il s'apprêtait à partir quand on frappa à la porte de son bureau. Un grand jeune homme, avec des cheveux noirs ébouriffés, entra avant d'y avoir été convié. Sur son tee-shirt, noir également, le mot UNDE-CIMBER était inscrit en lettres anguleuses. Jan regarda avec surprise l'intrus et son accoutrement inadapté, avant de lui demander :

— Oui ?

— Je suis l'informaticien.

Alors Jan se rappela la question qu'il avait évoquée avec sa secrétaire, avant de partir en congé.

— Ah, je vois. C'est vous qui m'avez installé le téléphone ?

— Ouais, il y a un problème ?

— Je suis gaucher.

— Ah bon ? dit le garçon en fronçant les sourcils, avec l'air de ne pas comprendre.

— On ne vous a pas mis au courant apparemment ! Il faut que j'en parle à ma secrétaire avant, alors.

Le jeune informaticien commença à se tortiller, légèrement inquiet, mais il répliqua malgré tout :

— OK, mais je ne vois pas bien le rapport avec le téléphone !

— De toute évidence, je ne peux pas avoir le combiné à droite de l'ordinateur, n'est-ce pas ?

— Pourquoi ? Le fil est trop court ?

— Ecoutez, ce n'est pas mon domaine. Je veux juste que mon téléphone soit à gauche.

L'informaticien s'approcha de Jan, souleva le téléphone et le plaça du côté gauche de l'écran du PC, puis il demanda :

— Vous pensiez à un truc dans ce goût-là ?

— Voilà, merci, c'est beaucoup mieux, répondit Jan, lui indiquant que l'entretien était terminé en s'emparant de son attaché-case et en sortant rapidement du bureau.

Dans la rue, sa Volvo noire attendait déjà.

Perdu dans ses pensées, Jan Mattson retint la porte sur la rue pour un individu qui entrait dans son immeuble au même moment que lui. En revanche, il prit l'ascenseur tout seul. Des pas rapides résonnaient dans la cage d'escalier. S'il avait eu moins de soucis, Jan se serait dit qu'à une époque sa condition physique lui permettait encore d'en faire autant. A présent, il n'entretenait plus que son cerveau, en jouant aux échecs. Pour ce qui était du corps, il avait renoncé. Il s'était promis de se remettre au sport une fois à la retraite.

Pour l'instant, il ne pouvait penser qu'à son travail. Il avait rendez-vous avec les journalistes tout à l'heure et il devait trouver le moyen de les calmer. Il se montrerait dynamique et rassurant. C'était le leitmotiv de tous les communiqués de presse qu'il avait eu à réaliser en période de crise. De plus, dans ce cas précis, il avait besoin de la presse pour diffuser le nouveau numéro le plus largement possible. Tout reposait sur ses épaules.

L'ascenseur s'arrêta. Jan Mattson sortit et prit son trousseau de clés dans la poche de son pantalon. La porte blindée possédait trois verrous qu'il ouvrit l'un après l'autre. Sitôt la porte ouverte, il se pencha pour éviter d'activer le détecteur de présence et pianota le code d'accès sur le boîtier fixé au mur. Il n'eut pas le temps de se retourner pour prendre son sac de voyage sur le seuil. Quelqu'un le poussa à l'intérieur, la tête la première.

Il tomba sur le carrelage de l'entrée sans amortir la chute avec ses mains.

La porte fut claquée violemment derrière lui. Il n'eut même pas le temps d'avoir peur.

La pièce dans laquelle était assis Nils Vetman n'avait aucune fenêtre. Elles avaient été murées plusieurs décennies auparavant. Il en ignorait la raison, mais cela servait ses desseins à merveille. Les murs du sous-sol, grossiers et solides, dataient du XVe siècle. Ils étaient debout depuis six cents ans et tiendraient vraisemblablement encore autant. Il n'existait pas grand-chose qui pût traverser ces murs-là. Nils Vetman pouvait être sûr de n'être ni vu ni entendu. Après avoir fait divers essais et expériences, il se sentait en sécurité. Nils Vetman n'aimait pas les surprises et veillait en règle générale à les éviter. Les secrets étaient faits pour être gardés.

Devant lui se trouvait un iMac avec un écran plat vingt-sept pouces. A la différence des ordinateurs de son bureau, visibles par tous, celui-là était peut-être le plus rapide de Stockholm. Il était récent et contenait autant de gigaoctets qu'il était possible d'en contenir. Nils Vetman se passait et se repassait un film à l'écran. Il voulait s'assurer de son montage. Au ralenti, il voyait Nova ouvrir sa jolie bouche et dire d'une voix monstrueusement déformée par la vitesse de projection :

« Il faut que ces salauds aient ce qu'ils méritent, on n'a qu'à attaquer directement les patrons. Ce sont eux les vrais responsables. »

Il coupa le film juste après cette phrase, qui en disait bien assez long. Pendant qu'il rangeait le DVD, avec ses mains gantées, il se posait des questions sur ce qu'il était en train de faire. Notre situation est-elle à ce point désespérée que nous soyons contraints d'en arriver là ? Oui ! fut la réponse qui lui vint spontanément. Il n'avait plus le choix. Tous les coups étaient permis.

Après tout, nous n'avons jamais eu de scrupules auparavant, pensa-t-il en riant tout seul. Nous avons fait bien pire. Il inscrivit le nom de l'inspecteur de police sur l'enveloppe en grandes lettres bien calligraphiées.

Amanda ne pensait plus qu'à une chose : la mozzarella. Du fromage chaud et collant, dégoulinant sur une rondelle de tomate et une tranche de pain blanc. Elle avait déjà dépassé cinq restaurants sans trouver ce qu'elle cherchait mais espérait que l'enseigne rouge vif, avec une publicité Espresso, proposerait, en plus du bon café, les crostinis dont elle rêvait. Elle pénétra dans le coffee-shop de Hornsgatan. Bingo ! se dit-elle en voyant le comptoir réfrigéré regorgeant non seulement de diverses sortes de focaccias, mais également de plusieurs variétés de pâtes fraîches : tortellinis à la sauge, gnocchis fourrés aux champignons et rigatonis à l'émincé de volaille.

Pas étonnant que j'aie si faim, pensa-t-elle, je n'ai pratiquement rien mangé depuis plusieurs jours. Amanda sentait la salive lui envahir la bouche. La sonnerie de son portable vint lui rappeler que la terre continuait de tourner. Sa chasse à la nourriture lui avait fait oublier qu'elle était de garde. On l'informa rapidement du dernier meurtre de la capitale : Jan Mattson, P-DG de Scandinavian Airlines, venait d'être trouvé mort. Apparemment, il ne s'était pas rendu à une conférence de presse qu'il devait tenir le matin même. Quand son directeur commercial, désespéré, avait cherché à le localiser, il avait pu déterminer que Jan Mattson avait débarqué d'un avion à Arlanda, qu'il était passé à son bureau pour y récupérer des papiers, qu'ensuite il avait parlé au téléphone à plusieurs personnes pendant son trajet en voiture jusqu'à son appartement à Ostermalmstorg, et que depuis plus personne ne l'avait vu ni entendu.

Le directeur commercial avait réussi à joindre son épouse, qui s'inquiétait à l'île Maurice, et à apprendre qu'un voisin disposait des clés de l'appartement et du code de l'alarme. On avait trouvé la porte verrouillée mais l'alarme désactivée.

Jan Mattson était à l'intérieur.

Il n'était pas complet. C'était ainsi que l'avait décrit son collaborateur et c'était tout ce qu'on avait obtenu de lui avant qu'il craque. Une voiture de police avec deux hommes à bord était déjà en route. Deux meurtres en une semaine, se dit Amanda, ça ne pouvait pas être un hasard.

En temps normal, elle se serait déjà mise en route mais, aujourd'hui, il n'en était pas question avant d'avoir demandé à la serveuse :

— Ça prend combien de temps de faire chauffer une focaccia mozzarella et jambon de Parme ?

La façade imposante de l'immeuble écrasait Nova de sa hauteur alors qu'elle gravissait les marches de la bibliothèque municipale. Elle passa les tourniquets et poursuivit son ascension par le magnifique escalier de marbre. Les rayonnages de livres se succédaient étage après étage. Enfin, elle arriva à la rotonde, le cœur de l'édifice. Les murs étaient couverts de livres, mais au milieu de la salle ne se trouvaient que des ordinateurs et divers pupitres de renseignement. Une vieille institution qui avançait dans le nouveau millénaire, la connaissance sous tous ses aspects.

Cette fois, Nova n'était pas venue pour consulter les ordinateurs mais pour trouver quelqu'un susceptible de la guider dans ses recherches de livres et de documents. Quand elle allait à l'université, elle avait suivi un cours appelé « Ethique de la recherche et de la science ». Elle avait découvert, à cette occasion, qu'on pouvait obtenir l'aide d'un bibliothécaire pendant trente minutes sans bourse délier. Elle avait décidé d'en profiter. La veille, elle avait envoyé un mail indiquant qu'elle souhaitait obtenir des renseignements exhaustifs sur les Nephilim.

Le bibliothécaire, un homme d'une cinquantaine d'années arborant une grosse barbe, l'attendait devant les photocopieuses, sous les escabeaux en bois. Nova suivit des yeux les échelles le long des murs. Galeries et étagères pleines de livres se succédaient sans fin. Son regard revint vers le bibliothécaire, à qui elle se présenta. Le visage de ce dernier s'éclaira, et il la conduisit jusqu'à une pièce où il la fit entrer.

Une table et deux chaises en plastique occupaient presque tout l'espace. Quand le bibliothécaire y ajouta un chariot de livres, il ne resta plus de place du tout. Une troisième personne dans cette pièce exiguë, et la promiscuité atteindrait les limites du supportable. Nova n'avait pas encore eu le temps de s'asseoir que le barbu lui racontait déjà avec enthousiasme tout ce qu'il avait déniché. Il lui montra les livres un par un, et elle avait à peine le temps de mémoriser ce qu'il disait : il avait eu beaucoup de mal à trouver des informations sur les Nephilim, mais Nova avait sous les yeux absolument tout ce que la bibliothèque avait à proposer sur le sujet. Il rayonnait d'autosatisfaction.

Quand il eut fini de lui résumer les différents ouvrages, il la laissa seule. Elle inspira profondément et s'empara du premier volume sur la pile. C'était un gros dictionnaire, l'*Encyclopaedia Judaica*, volume douze. Nova tourna les pages jusqu'à « Nephilim » et lut :

La Genèse, VI, 1-2 raconte que les « fils de Dieu », c'est-à-dire des individus d'origine divine ou angélique, prirent femmes parmi les humains. C'est à cette époque et aussi plus tard que les Nephilim apparurent sur la terre. Dans certains textes apocryphes de la période du Second Temple, cette narration succincte fut élaborée et interprétée différemment. Les anges furent décrits comme rebelles envers Dieu : séduits par les charmes des femmes humaines, ils succombèrent et apportèrent toutes sortes de vices sur terre. Ils enfantèrent des géants cruels et violents ; le Déluge fut la punition de leurs fautes.

Nova relut le texte pour mieux en saisir la signification. Elle se fit un petit résumé : la progéniture des anges déchus était responsable du Déluge. C'étaient eux qu'on appelait Nephilim. Tout cela n'a aucun sens, se dit Nova. A la rigueur, elle pouvait trouver logique qu'on baptise une fondation qui s'occupe de bienfaisance d'un nom évoquant des anges déchus, mais il n'y avait sans doute rien de plus à chercher là-dessous. Et, pourtant, quelque chose troublait Nova. Elle avait le souvenir d'avoir récemment entendu parler du Déluge. Où était-ce ? Qu'est-ce qui lui semblait si familier ? Elle mâchouilla son crayon, avant de se rappeler qu'il appartenait à la bibliothèque et de constater qu'il portait déjà des traces de dents. Nova fit une grimace de dégoût et le posa à bonne distance pour être sûre de ne pas recommencer.

Cette petite distraction réactiva ses neurones : c'était chez elle, accrochée au mur, qu'elle avait vu une citation biblique faisant référence au Déluge. Ça ne peut pas être un hasard, pensa Nova, mais je ne comprends pas du tout ce que ça veut dire.

La première chose que vit Amanda en pénétrant dans l'appartement fut une montagne de courrier. Elle mit des gants et le feuilleta. Ils envisageaient de déménager et de mettre en vente le huit-pièces dans l'entrée duquel elle se trouvait. Le prix n'était pas indiqué. Son regard balaya l'agencement de l'appartement et s'arrêta sur les termes inscrits sur une des portes : « Salon des Messieurs. » Un salon pour les messieurs ? Qu'est-ce que c'est que ça ? Elle se représenta une pièce avec une cheminée et des hommes, ressemblant à Winston Churchill, en train de fumer de gros cigares dans de profonds fauteuils en cuir noir. Je me demande où se trouve le Salon des Dames, pensat-elle. La cuisine, peut-être ?

Amanda reposa les lettres et les prospectus et examina l'entrée. Un vase avec son bouquet de fleurs trônait devant un miroir. Une visite devait avoir lieu sous peu, ou venait d'être faite. Les propriétaires étant en vacances, quelqu'un d'autre avait mis ces fleurs dans l'entrée. Amanda nota de contacter l'agent immobilier. Sur le mur était accrochée une photo accueillante où posait Jan Mattson lui-même, tenant sa charmante épouse par l'épaule d'un geste protecteur. Devant eux étaient assises quatre petites filles âgées de cinq à dix ans. Des enfants qui allaient bientôt apprendre que leur père avait été assassiné. C'était le plus dur. Dans la mesure du possible, Amanda essayait d'éviter d'avoir affaire aux enfants concernés par ses enquêtes. Alors qu'elle les plaignait bien plus que les victimes adultes, elle se sentait incapable de communiquer avec eux. Comme elle n'avait ni frères, ni sœurs, ni enfants, elle n'avait jamais appris à leur parler. Elle abandonnait généralement cette tâche à son collègue Kent, qui, pour une raison ou une autre, semblait s'entendre avec les enfants, quel que soit leur âge.

Et puis Amanda vit les taches sur le sol.

Des traînées rouges qui disparaissaient à l'intérieur de l'appartement. Une paire de lunettes à monture carrée était tombée près de la porte. L'un des verres était cassé. Troublée, Amanda se demanda ce que le directeur commercial, qui pleurait toujours dans l'appartement du voisin, avait voulu dire par : il n'était pas complet. Elle faillit prier l'un des policiers en faction de l'accompagner mais se ravisa. Son amour-propre et sa réputation en souffriraient. Elle respira un grand coup et suivit la trace qui conduisait dans la pièce que le descriptif de l'agence immobilière appelait la salle à manger ; une grande table en chêne massif était entourée de huit chaises recouvertes de cuir ; au mur était accrochée une toile représentant une armada allant au combat toutes voiles dehors, sur une mer déchaînée. Dans un coin se trouvait une desserte sur laquelle était posée une soupière vide en argent massif.

La trace rouge contournait la table et continuait en direction de la porte opposée. Amanda la suivit et entra prudemment dans le Salon des Messieurs. Comme prévu, le mobilier comprenait plusieurs fauteuils crapauds groupés autour d'une cheminée. Il ne manquait que les messieurs et leurs cigares. Le maître de maison, lui, pendait nu à une corde fixée au plafond. Amanda mit quelques secondes avant de digérer la vision qu'offrait cette pendaison. Elle avait souvent vu des gens pendus, avec ou sans aide extérieure, mais, cette fois, le spectacle était bien différent. Un gros crochet était enfoncé dans le crâne du mort et attaché à la corde. Un couteau avait été profondément fiché dans son œil gauche. Quant au droit, il fixait Amanda d'un regard vide. L'abdomen de la victime était ouvert et ses intestins s'en déversaient pour former un tas sur le parquet. Les lèvres de la plaie ressemblaient à deux répugnantes tranches de lard, irriguées de veinules sanguinolentes.

Bien que la scène qu'elle avait sous les yeux fût très différente de celle qu'elle avait découverte chez le P-DG de Vattenfall, elle n'avait aucun doute sur le fait qu'il s'agissait du même meurtrier. La cruauté et la volonté d'humilier caractérisaient les deux crimes. Moïse avait parlé d'œuvre d'art sur le meurtre précédent ; Amanda comprenait maintenant ce qu'il avait voulu dire. Les détails différaient mais l'ensemble produisait le même effet. Comme Monet ou Picasso, l'auteur y avait apposé sa touche personnelle. Le message ultime était la dégradation et la souillure de l'individu.

Profanation, pensa Amanda à nouveau. Elle entendit un sifflement dans son dos.

Elle sursauta mais parvint à se contrôler et à se retourner calmement. Moïse était là. Après avoir surmonté sa frayeur, elle se sentit considérablement soulagée de ne plus être seule avec le cadavre. Et tout particulièrement heureuse que ce soit Moïse qui vienne la rejoindre.

— Mon Dieu, s'écria-t-il, mais qu'est-ce que c'est que ce délire ?

Il semblait presque épaté.

— Je n'en sais rien, lui répondit Amanda, mais il va falloir qu'on mette la main sur ce salopard avant qu'il recommence.

— Tu es sûre que c'est la même personne ?

— Oui, même si je ne peux pas le prouver. Pas encore, en tout cas. J'espère que vous allez me trouver quelque chose, toi ou l'équipe scientifique.

Moïse hocha la tête d'un air grave. Puis il observa la scène macabre avec attention.

— Tu sais, ça me fait penser à quelque chose, dit-il.

— Je suis d'accord, il y a des points communs avec l'appartement de Josef Larsson.

— Non, ce n'est pas ce que je voulais dire. J'ai vu ça ailleurs.

— Tu veux dire sur une autre scène de crime ?

— Non. Je ne crois pas. C'est autre chose.

Moïse s'approcha précautionneusement du corps. Il entreprit d'en faire le tour avec lenteur, sans le toucher. A mi-chemin, il confirma :

— Tu as raison, c'est le même tueur.

Amanda marcha dans les pas de Moïse et vit ce qu'il voyait. Dans le dos de Jan Mattson, on avait gravé : Genèse, VI, 4.

La même référence biblique que chez le P-DG de Vattenfall.

Le sang dans la plaie commençait à coaguler.

Après qu'Amanda eut tourné pendant dix minutes, une voiture se décida à quitter sa précieuse place de stationnement sur la Folkskolegatan. Elle gara habilement sa Golf dans le petit espace libre et coupa le moteur. Avant de sortir de la voiture, elle vérifia avec fébrilité si elle avait eu des appels sur son portable. Il était 20 heures et personne ne lui avait téléphoné.

Les effluves du restaurant indien parvinrent à ses narines. Elle fit une grimace et se mit à respirer par la bouche. L'odeur de vieille huile de friture avait pris le pas sur le parfum puissant des épices.

Quand elle fut assez loin pour que ses poumons n'aient plus que l'air pur de l'été à respirer, elle se dit qu'elle devait manger quelque chose. Elle n'avait pas très faim, mais le bon sens l'emporta et elle changea de cap pour se diriger vers la pizzeria au lieu de rentrer directement chez elle. La chaleur des fours la heurta de plein fouet. A l'extérieur, il faisait chaud, mais, dans le restaurant, la température était insoutenable. Sa première réaction fut de s'enfuir, mais elle se força à rester. Le menu était toujours le même : des pizzas, des kebabs et des salades. En général, elle commandait une salade de crevettes à emporter. Aujourd'hui, ses yeux furent irrésistiblement attirés par les pizzas.

— *Ciao, bella*, qu'est-ce que ce sera ? lui demanda l'homme à la caisse.

Depuis onze ans qu'elle habitait le quartier, Amanda savait que l'endroit était tenu par des Yougoslaves. Je me demande pourquoi ils tiennent à se faire passer pour des Italiens, pensa-t-elle. Les pizzas se vendent mieux ? C'est plus facile pour draguer ? A voix haute, elle répondit :

— Une quatre fromages.

Le pizzaïolo était déjà en train de façonner la pâte. Elle vérifia à nouveau sur son téléphone si elle n'avait pas manqué d'appel. Personne. L'attente se transforma en agacement ; Moïse avait dit : « Je t'appelle plus tard. » Amanda en avait déduit qu'ils se voyaient ce soir. Et il était déjà 20 h 30.

Alors qu'elle montait l'escalier de son immeuble, le succès de la décennie 1980, « Girls Just Wanna Have Fun » de Cindy Lauper, s'éleva de son téléphone. Le carton en équilibre sur une main, elle plongea l'autre dans sa veste pour attraper son portable. Elle eut du mal à cacher sa déception quand elle entendit la voix de Kent qui l'appelait pour lui dire qu'elle trouverait sur son bureau un dossier contenant tout ce qu'il y avait à savoir sur l'appartement de Jan Mattson. Derrière lui, elle entendait un bébé pleurer.

— Zut ! La petite s'est réveillée. Il faut que je te laisse, lui dit-il précipitamment avant de raccrocher.

Amanda regarda le portable dans sa main en réfléchissant. Enfin, elle se décida : après tout, on est des adultes et ça fait plusieurs années qu'on est ensemble. Elle envoya un SMS à Moïse qui disait simplement : « Câlin ». Elle garda les yeux fixés sur l'écran du téléphone mais ne vit arriver aucun accusé de réception. Elle entendit la porte sur la rue qui claquait et se pencha au-dessus de la rambarde pour voir qui était entré. Le mouvement suffit à renverser le carton de pizza, qui se mit sur la tranche puis effectua un vol plané impeccable avant de dévaler l'escalier à toute vitesse. Il finit sa course contre une porte un étage plus bas. Il a atterri à l'envers, constata Amanda avec un gros soupir. Elle regarda son portable à nouveau. Toujours pas d'accusé de réception. Elle descendit chercher le carton et le coinça sous son bras. C'est en tapant des pieds avec irritation qu'elle gravit les dernières marches jusqu'à son appartement.

Amanda fut réveillée au milieu de la nuit par le silence et le vide. Le portable reposait sur l'oreiller à côté d'elle. Le réveil lui indiqua qu'il était 3 h 05. Pas un appel, pas un SMS. Un carton de pizza ouvert gisait par terre. De gros morceaux de fromage figé étaient encore collés au couvercle.

Nova montait lentement l'escalier mécanique du métro. C'était l'automne, il faisait sombre.

Le froid était glacial. Elle frissonna et resserra son manteau autour d'elle. Elle ne regardait pas derrière elle, mais elle savait qu'elle était suivie. L'escalier mécanique allait de moins en moins vite. Nova commença à monter les marches. Puis elle se mit à courir. L'escalier semblait ne jamais vouloir prendre fin. Il n'y avait pas de contrôleur à la barrière. Elle ne pouvait demander de l'aide à personne.

Il approchait.

Nova courait toujours.

Elle lâcha son sac pour courir plus vite. La panique se déchaîna dans son corps. La terreur explosa dans sa tête.

Il faisait nuit noire. Toutes les maisons étaient fermées et aucune lumière ne brillait à leurs fenêtres. Les appels au secours de Nova se noyèrent dans le bruit des gouttes de pluie qui martelaient le pavé. Elle glissa sur un tapis de feuilles mortes, tomba sur les genoux et s'écorcha les mains.

Il était juste derrière elle.

Nova ne parvenait pas à se relever, elle rampa à quatre pattes.

Il était au-dessus d'elle, maintenant, et essayait d'arracher ses vêtements. Elle sentit une lame contre sa gorge et se figea.

— Bouge pas, sale pute, feula-t-il contre son oreille.

Elle obéit. Sans chercher à se défendre, elle le laissa la tourner vers lui.

Son regard rencontra deux yeux noirs et froids. Comme une proie, elle resta paralysée. Le visage de l'homme était caché sous un bas de femme qui écrasait son nez et gênait sa respiration. Comme ça, il est aussi tordu dehors que dedans, se dit-elle. Il se débattait avec ses habits. Son corps lourd la clouait au sol. Elle sentait son dos trempé par la flaque dans laquelle elle était couchée. Le froid la pénétrait jusqu'à la moelle.

Les mains de son agresseur trituraient ses seins nus et leur faisaient des bleus qui resteraient sans doute visibles pendant plusieurs semaines. Alors, quelque chose au fond d'elle se réveilla. Ça venait de son estomac et ça montait dans sa gorge.

Nova cria si fort que l'homme se releva brusquement :

— Salopard !

Elle profita de l'instant de surprise pour enfoncer deux doigts dans ses yeux aussi fort qu'elle le put. C'était comme si quelqu'un d'autre avait pris possession de son corps pendant qu'elle regardait ce qui se passait. Le temps s'écoulait avec une infinie lenteur et elle percevait chaque détail. L'homme poussa un hurlement, pressa le couteau plus fort contre le cou de Nova. La lame traversa la peau et entama la gorge. Et puis l'homme dut lâcher l'arme pour mettre ses mains sur ses yeux, ne pensant plus qu'à sa douleur.

Nova ne se contenta pas de fuir.

Au lieu de cela, elle se releva, une main sur sa blessure. Le sang coulait sur ses vêtements. Sa fureur venait de trouver son carburant. L'homme était accroupi avec les mains sur ses yeux. Le premier coup de pied l'atteignit à la mâchoire, l'autre dans le ventre. Il était maintenant couché par terre. Ça ne freina pas Nova. Ses coups de pied redoublèrent. Elle frappait comme une enragée et ne s'arrêta que lorsqu'elle se mit à tituber et tomba.

Et la chute n'en finissait pas.

L'asphalte bondissait à sa rencontre et elle n'avait même plus la force d'amortir le choc avec ses mains.

Quand son corps toucha le sol, elle ouvrit les yeux et vit le plafond de sa chambre. Elle était toujours essoufflée. Elle avait fait un cauchemar. Encore un. Au début, elle pensait qu'avec le temps il cesserait de la hanter. « Avec le temps, va, tout s'en va », disait la chanson, mais le temps ne changeait rien pour elle. Bien sûr, elle était très vite sortie de l'hôpital, après à peine deux jours de soins, au grand dam des médecins et malgré leurs protestations. Mais les cicatrices psychologiques étaient restées. Ce n'était pas la tentative de viol qui pesait le plus lourd dans sa mémoire, mais la conscience d'avoir tué un homme. Le tribunal avait parlé de légitime défense quand les juges avaient prononcé le non-lieu en faveur de la jeune fille de quinze ans qui comparaissait devant eux. Mais Nova, elle, savait qu'elle aurait pu s'arrêter de frapper bien avant.

Elle avait tué un homme. Et, bien qu'il appartînt à la lie de l'humanité, il n'était pas facile de vivre avec ce souvenir.

Nova mit deux heures à se rendormir.

Amanda travaillait à son bureau, au numéro 37 de Bergsgatan. Les murs avaient une couleur moutarde post-soixante-huitarde. La pièce était carrée et basse de plafond. Malgré tous ses efforts, elle n'était jamais parvenue à la rendre agréable. Le tableau qu'elle avait accroché au mur y semblait déplacé. Le plaid rouge qu'elle avait jeté sur le fauteuil des visiteurs ne faisait qu'accentuer son aspect dur et inconfortable. Le portrait de famille de ses cousins avait pour seul effet de stigmatiser le fait qu'elle-même travaillait trop et n'avait pas de vie privée.

Bref, Amanda n'aimait pas son bureau, alors qu'elle travaillait soixante heures par semaine. Mais elle avait cessé depuis longtemps de s'en soucier et la fourmilière du commissariat de Kungsholmen était devenue sa maison. Amanda n'avait pas choisi d'entrer dans la police pour l'architecture du lieu. D'ailleurs, préférant travailler sur le terrain, elle y passait le moins de temps possible.

Sur sa table étaient empilés des rapports et des photos des deux scènes de crime. Elle avait tout épluché avec soin. Il ne manquait que les conclusions scientifiques de l'institut de recherche criminelle et le rapport d'autopsie. Moïse était apparemment débordé ces temps-ci.

Elle était en train de réfléchir à ce qu'elle venait de lire. Ils avaient isolé de l'ADN à partir des vomissures à proximité de la première victime. Les techniciens de l'identification n'avaient trouvé ni cheveux ni empreintes, hormis ceux appartenant aux propriétaires des lieux. Toute la famille de Jan Mattson était en vacances à l'île Maurice, quant à la femme de Josef

F. Larsson, elle était aussi morte que lui. L'épouse était-elle la cible ? se demanda Amanda. Non, vraisemblablement pas... Pourtant, on ne peut pas exclure complètement cette théorie. On est peut-être dans un drame de ménage à trois ? Mais alors, pourquoi toutes ces références bibliques ? Et pourquoi les slogans écologistes ne se trouvaient-ils que chez Josef F. Larsson et pas chez Jan Mattson ? Nova a-t-elle réellement quelque chose à voir avec tout ça ?

Amanda n'était pas vraiment sûre que Nova soit une tueuse en série. Son passé avait prouvé qu'elle était capable de tuer, mais c'était en situation de légitime défense. Amanda avait appris à ne pas juger les gens sur leur apparence ou sur leurs piercings. La jeune femme cachait quelque chose, c'était évident, et elle possédait une combinaison orange. Nova ne se montrait pas coopérative et Amanda manquait d'éléments pour élaborer une théorie. Elle n'obtiendrait pas de mandat de perquisition sur la base d'une combinaison orange et d'une démonstration de technique d'autodéfense vieille de quatre ans. Nova s'était défendue contre un violeur et elle avait eu raison de le faire. Dans la presse du soir, elle avait même été donnée en exemple. Sous un pseudonyme. Son vrai nom n'avait jamais été divulgué.

Amanda décida de téléphoner au policier qui s'était occupé de l'affaire du viol, Klas Granquist. Elle prit le combiné et composa le numéro, mais tomba sur un répondeur ; elle soupira, déçue, et laissa un message.

Bon, et maintenant, je fais quoi ? se demanda-t-elle en fouillant dans les piles de rapports qui s'amoncelaient sur son bureau. Elle tomba sur un compte rendu d'enquête de porte-à-porte indiquant que la voisine de palier de Josef F. Larsson avait entendu quelque chose. Ou plutôt, si Amanda avait bien compris, son caniche avait entendu quelque chose. Tu parles d'une piste ! se dit-elle. Mais je suppose que je ferais bien d'aller interroger ce caniche.

En sortant, Amanda jeta un coup d'œil dans son casier. Elle y découvrit une grosse enveloppe qu'elle examina attentivement. Elle était en papier recyclable brun, ne portait le cachet d'aucune société ni le nom de l'expéditeur. Le nom et l'adresse avaient été écrits à la main d'une écriture soignée. Amanda ouvrit l'enveloppe avec précaution. Les lettres anonymes envoyées à la police pouvaient contenir toutes sortes de choses désagréables. Celle-ci ne renfermait qu'un DVD.

Amanda se dirigea vers un ordinateur séparé du réseau, qui se trouvait dans le couloir et ne servait qu'à surfer sur le Net ; malgré les antivirus, personne n'avait le droit d'aller sur Internet depuis les autres postes. Tout en respectant le règlement, comme tout le monde, elle estimait que les règles de sécurité au sein de la police étaient draconiennes. Elle aurait pu y passer outre, mais elle n'avait pas envie de s'exposer aux remontrances du service de sécurité.

Quand elle inséra le DVD dans l'ordinateur, Windows Media Player se mit en route automatiquement. Une image instable apparut à l'écran. Amanda comprit tout de suite qu'il s'agissait de l'enregistrement d'une caméra de surveillance. Elle en avait visionné des centaines au cours de sa carrière. Celui-ci parvint à la surprendre. Le film montrait Nova en compagnie de deux jeunes gens de son âge, l'un roux avec un visage constellé de taches de rousseur, l'autre portant une barbe courte. Ils étaient assis dans ce qui ressemblait à une bibliothèque privée, à boire du thé. La vidéo ne durait que cinq minutes, mais c'était amplement suffisant.

« On commence par Vattenfall, disait le barbu.

— Vous ne trouvez pas que c'est un peu trop copié collé avec le travail de Greenpeace ? s'inquiétait le rouquin.

— Ils ont raison, rétorquait Nova. Il faut que ces salauds aient ce qu'ils méritent, on n'a qu'à attaquer directement les patrons. Ce sont eux les vrais responsables.

— Après on prendra SAS, les compagnies aériennes sont les pires, poursuivait le barbu.

— On n'aura pas de mal à arriver jusqu'à trente », disait Nova en riant.

La discussion continuait comme ça pendant encore un moment, mais Amanda en avait assez entendu. Elle retourna dans son bureau et appela le procureur. Ensuite, elle reprit les notes de sa conversation avec Nova.

— Arvid et Eddie, Greenpeace, lut-elle à haute voix.

C'était donc Nova la coupable ?

Arvid, perdu dans ses pensées, contemplait un petit dauphin en bois sculpté. En imagination, il voyait une autre sculpture, la vraie, longue de plus d'un mètre, qui bondissait en avant à la proue du *Rainbow Warrior II*. Demain, je me porte volontaire, pensait-il, il faut que je reparte.

Bien que son appartement fût au septième étage, il entendit une voiture s'arrêter brusquement en bas de chez lui en faisant hurler ses pneus. Il se leva et alla voir à la fenêtre. Il mit quelques secondes à comprendre. L'immeuble était cerné par les voitures de police. Arvid revint précipitamment à l'ordinateur. En quelques clics, il reformata entièrement son disque dur.

Ensuite, il prit son portable et appela Nova. Il entendit deux sonneries.

On frappait à sa porte. Encore une sonnerie. Quelqu'un le somma d'ouvrir.

— Réponds, s'il te plaît, réponds.

Nova décrocha.

— La police est chez moi, chuchota-t-il avant de raccrocher.

Puis il se dirigea tranquillement vers la porte et ouvrit.

Nova se précipita à la fenêtre. Deux voitures de police et une Golf rouge étaient garées devant chez elle. La rue, à peine aussi large qu'un véhicule, était totalement embouteillée. Sur l'écran de surveillance, Nova vit Amanda approcher et frapper à sa porte.

Elle mit exactement cinq secondes à prendre une décision.

Après, tout alla très vite.

Elle descendit l'escalier en courant et cria :

— J'arrive !

Mais, au lieu d'ouvrir la porte, elle prit ses vieilles baskets et son sac à dos noir dans la penderie. Puis elle fit demi-tour. Quand elle fut remontée à l'étage, elle vit sur l'écran, en passant devant sa chambre, qu'un serrurier s'approchait de sa porte d'entrée. Nova n'attendit pas de le voir à l'œuvre mais poursuivit sa course jusqu'à la trappe qui menait au grenier. Elle tira l'échelle et grimpa à toute vitesse.

Elle entendait en bas les policiers qui commençaient à fouiller la maison.

La trappe claqua bruyamment en se refermant.

Nova jura en silence. Et reprit la fuite.

Elle mit ses baskets, suspendit le sac à son épaule et grimpa le long de la bibliothèque, qui gémit sous son poids. Son jean et son tee-shirt noirs se couvrirent de poussière. Elle colla son corps à l'étagère pour ne pas la faire tomber. Malgré son poids plume, elle était nettement plus lourde que la dernière fois qu'elle y avait grimpé, à l'âge de douze ans. Elle fit tomber deux livres, qui s'écrasèrent au sol avec un bruit mat. Ça n'avait plus d'importance. La police avait déjà compris qu'elle était montée. Ils étaient en train d'ouvrir la trappe.

A l'instant où le premier policier fut debout dans le grenier, Nova arrivait sur le toit. Elle entendit sa sommation de ne plus bouger. Elle n'obtempéra pas, cligna des yeux pour s'habituer à la forte luminosité. La pièce dont elle venait était sombre, et, maintenant, elle se trouvait perchée en plein air, éblouie par le brûlant soleil de l'été suédois. Juste devant elle, le clocher de la cathédrale se dressait au-dessus d'un paysage grandiose de toitures et de cheminées. Sa couverture de cuivre vert-de-gris avait l'air plus proche que jamais et la flèche dominait Nova de toute sa majesté.

Elle savait qu'une échelle d'incendie menait à l'immeuble voisin. Elle se déplaça à quatre pattes aussi vite qu'elle l'osait. J'ai un air de Gollum, eut-elle le temps de penser avant d'arriver sur le toit voisin.

La trappe était verrouillée. Merde.

Indécise, elle regarda partout autour d'elle.

Une tête passait déjà par la trappe d'où elle était sortie.

Nova arracha le sac à dos de son épaule, le fouilla et trouva rapidement une lampe de poche en métal. Au bout de quatre coups, la vitre céda. Elle plongea à l'intérieur, se coupant les bras et les jambes en plusieurs endroits. Elle avait atterri dans une cage d'escalier. La douleur était intense mais supportable. Pas le temps de s'en préoccuper. Elle descendit l'escalier à toute vitesse.

Une fois au rez-de-chaussée, sa première idée fut de s'élancer dans la rue mais elle s'arrêta à la dernière seconde. Les voitures de police l'attendaient dehors. Elle n'aurait sans doute pas la chance que tous les policiers soient entrés dans sa maison.

Elle vit des marches qui conduisaient au sous-sol.

Nova n'avait pas le choix. Elle continua à descendre.

La seule porte qu'elle trouva ouverte dans la cave était celle de la buanderie collective. Elle s'y précipita, regarda autour d'elle. La pièce était petite et humide. Deux vieilles machines à laver étaient installées le long d'un mur. Il y avait un sèche-linge plus moderne en face. Une seule porte. En revanche, le mur était percé de deux petites fenêtres qui donnaient sur une cour intérieure.

Elle ne parvint pas à les ouvrir.

Nova donna un coup rageur sur l'une d'entre elles. Sans succès.

Elle reprit la lampe torche. Le carreau se brisa facilement, mais des petits morceaux de verre restèrent accrochés au cadre. Elle n'avait pas le temps de les enlever. Elle avait entendu un cri dans la cage d'escalier. Ses poursuivants avaient compris que, si elle n'était pas sortie, ils devaient la chercher dans l'immeuble.

Leurs pas approchaient de la buanderie. Elle allait se faire prendre.

La première chose qu'Amanda vit, quand le serrurier eut fait ce qu'on attendait de lui, fut le sac-poubelle dans l'entrée. Dépassant de ce sac, elle aperçut un morceau de toile orange. Bingo ! Elle entendit un bruit sourd venant de l'étage. Qu'est-ce qu'elle fabrique ? En temps normal, elle se serait lancée à sa poursuite mais elle n'était vraiment pas dans son assiette. La gastro ne lâchait pas prise. Elle fit signe à deux des policiers en uniforme qui l'accompagnaient de rattraper Nova. Ça ne devait quand même pas être difficile d'arrêter une gamine de dix-neuf ans dans une maison ! Et puis elle se rappela dans quel état étaient les victimes et cria dans le dos de ses collègues :

— Attention quand même, elle est plus dangereuse qu'elle n'en a l'air.

Amanda enfila une paire de gants en latex. Puis elle ouvrit le sac et en extirpa le vêtement. C'était une combinaison orange portant le sigle « Televerket » dans le dos. Le type du Seven-Eleven avait raison, pensa Amanda. C'était bien « Televerket » et pas « Telia ». Elle remit la combinaison dans la poubelle et reposa le sac près de la porte.

— Il faudra que l'identification jette un coup d'œil là-dessus, dit-elle aux policiers restés près d'elle.

Le fatras qui était dans l'entrée lors de sa première visite s'y trouvait encore. Elle envisagea tout d'abord d'enjamber le tas de baguettes, de verre brisé et de morceaux de papier. Mais quelque chose attira son regard. Elle se pencha et regarda de plus près. A l'origine, ça devait être des gravures, se dit-elle. Les baguettes ressemblaient à des encadrements cassés et les morceaux de papier étaient recouverts de personnages. C'était l'un d'eux qui avait attiré son attention : un détail provenant d'un motif plus grand. Mais ce détail suffit à faire comprendre à Amanda qu'elle était dans la bonne maison.

Le dessin représentait la tête d'un homme chauve.

Autour du cou, il avait une corde. Dans son œil était planté un couteau.

Au sommet de son crâne était enfoncée une vis prolongée d'un anneau.

Le cadavre de Jan Mattson était en tout point identique à cet homme.

Monstrueux, pensa Amanda.

Le sang dégoulinait des coupures de Nova. La plaie qu'elle s'était faite à la cuisse, quand elle avait forcé le passage à travers la lucarne, était la plus profonde. Le prix à payer était élevé mais elle était libre. Les éclats de verre avaient stoppé les policiers. Elle les entendait cogner : ils étaient en train de tenter de les enlever, mais elle avait une longueur d'avance. Elle traversa la cour, passa sous un fil métallique qui servait à battre les tapis et, enfin, sous le porche opposé.

Ensuite, elle prit la rue Trångsund sans ralentir son allure et tourna à droite. Ensanglantée, elle courut dans les rues bondées de touristes de Gamla stan. Ça ne marchera jamais, se dit-elle, je vais me faire arrêter juste à cause de tout ce sang. Elle passa devant un des nombreux marchands de glaces qui jalonnaient la rue. Un landau était rangé devant. Un manteau beige avait été posé dessus pour protéger le bébé endormi de la violente lumière du soleil.

Nova attrapa le manteau au vol. Elle entendit un cri indigné derrière elle. La mère de l'enfant, vêtue d'une robe et d'un gilet boutonné, sortit précipitamment de la boutique et se lança à la poursuite de Nova. Au bout de cinquante mètres, elle renonça. Elle ne pouvait pas abandonner son enfant comme ça. Dans sa rage, elle lança sa glace en direction de Nova et la rata d'au moins trente mètres.

Après avoir dépassé trois pâtés de maisons, Nova ralentit et enfila le vêtement. Elle respira profondément et tourna calmement au coin de la rue pour se fondre dans le flot des touristes qui déambulaient dans Nygatan.

Sous le manteau, son cœur battait violemment.

Le long de sa cuisse, le sang coulait.

Amanda était satisfaite de la perquisition chez Nova. Certes, la jeune fille leur avait échappé, mais la maison était truffée de preuves contre elle. Outre les gravures et la combinaison, Amanda avait trouvé un cadre contenant un verset de la Genèse. Ce n'était pas le même que celui qu'ils avaient découvert sur les deux scènes de crime, mais, néanmoins, il indiquait que la propriétaire de cette maison s'intéressait au premier livre de la Bible. Nous l'aurons tôt ou tard, se disait Amanda, on ne peut pas se cacher très longtemps en Suède. Il suffira qu'elle utilise une de ses cartes de crédit et nous saurons où elle est. Amanda craignait seulement que Nova ne commette un acte désespéré ; elle ne voulait pas d'autres morts dans cette affaire.

On n'avait pas trouvé grand-chose d'intéressant dans les appartements de ses complices. Amanda n'avait pas encore déterminé jusqu'à quel point ils étaient impliqués. S'étaient-ils contentés de lui fournir un alibi ou avaient-ils participé aux meurtres ? C'était ce qu'Amanda devait découvrir. Elle entra dans la pièce où Arvid devait être interrogé. Ils n'avaient rien trouvé dans son appartement, mais il cachait nécessairement quelque chose puisque le disque dur de son ordinateur était totalement vierge. La machine était entre les mains de la division criminalistique, ingénierie et numérique en ce moment même.

Comme il a l'air jeune, pensa Amanda en le voyant. Bien qu'elle approchât de la quarantaine, elle ne parvenait pas à se faire à l'idée que les gens de vingt ans aient la moitié de son âge.

Arvid était visiblement nerveux. A juste titre : il était accusé de complicité de meurtre. Il avait d'abord supposé qu'il devait son arrestation au virus informatique. Ce qui aurait suffi à l'inquiéter. Il avait lu un article récemment sur le hacker Ancheta, qui avait écopé de cinq ans de prison aux Etats-Unis pour avoir conçu et vendu des virus. Le gars avait le même âge que lui, vingt ans. Arvid espérait qu'on n'allait pas trop fouiller dans son ordinateur.

— Comment connaissez-vous Nova Barakel ? fut la première question d'Amanda.

— On travaille ensemble à Greenpeace.

— Qu'est-ce que vous faisiez le 15 août ?

— Je travaillais là-bas avec Nova et Eddie.

— Nous avons un témoin qui a vu Nova à un tout autre endroit.

Arvid se souvint de ce que Nova avait dit :

« Tiens-t'en à ce qu'on avait décidé au départ. »

— C'est impossible, elle était avec nous.

— Savez-vous qui était Josef F. Larsson ?

— Aucune idée, répondit Arvid.

Il ment comme il respire, se dit Amanda. Elle avait déjà vu Arvid quelque part. Il était sur la photo de la manifestation organisée par Greenpeace contre Vattenfall.

Nova entra dans un dépôt-vente sur la place Sergel. De grandes taches sombres commençaient à apparaître sur le manteau. Elle devait à tout prix faire quelque chose. Elle avait trois cent cinquante couronnes sur son compte. Elle acheta un jean informe et un pull à manches longues à grosses rayures multicolores, deux fois trop grand pour elle. Ça fera l'affaire, se dit Nova en payant deux cents couronnes pour l'ensemble.

Elle avait commencé à élaborer un plan.

Elle marchait vers la gare centrale du métro. En chemin, elle s'arrêta dans une pharmacie où elle acheta des pansements et des bandages. Puis elle alla dans les toilettes d'un McDonald's. Elle fronça le nez de dégoût en y entrant. Les quelques centaines de clients qui avaient utilisé les lieux au cours de la journée avaient laissé des traces. Le personnel ne semblait pas avoir eu le temps de faire le ménage. La poubelle était pleine à ras bord de protections périodiques usagées, de serviettes en papier humides et autres saletés qui débordaient sur le carrelage. Dans un coin des toilettes traînait un préservatif qui avait apparemment servi.

Elle suspendit le sachet à une patère et enleva le manteau. Toute la doublure était imbibée de sang. Elle le jeta par terre. Même traitement pour le pantalon et le tee-shirt. Nova s'examina attentivement. Les petites coupures étaient déjà sèches et en train de cicatriser. La plaie qu'elle avait à la cuisse ne saignait presque plus. Elle n'aurait besoin que d'un seul des pansements.

Nova se rhabilla avec ses nouveaux vêtements. Le pantalon était bizarre. En le regardant plus attentivement, elle s'aperçut que c'était un pantalon de grossesse. Elle sortit sa vieille ceinture râpée des passants de son jean et la serra autour. Au moins, avec ça, il tenait. Le pull bariolé ressemblait à une tente, mais il avait l'avantage de cacher le haut du pantalon. Dans la poche du jean déchiré, elle récupéra un bâton d'anticernes. Elle s'en servit pour cacher un peu mieux la cicatrice sous son menton. Nova examina le résultat dans le miroir. Je ne ressemble à rien, constata-t-elle avant de hausser les épaules et de se dépêcher de sortir. Elle laissa ses vêtements sales là où ils étaient.

Elle avait faim. Il fallait qu'elle mange quelque chose très vite. Mais elle ne se sentait pas la force de se mettre dans la file d'attente du restaurant. Ça allait à l'encontre de tous ses principes. McDonald's était la plus grande chaîne mondiale de fast-foods, le plus gros acheteur de viande de bœuf et l'un des plus gros de porc et de poulet. L'élevage bovin et porcin pour l'industrie agroalimentaire produisait une grande quantité de méthane, un gaz qui participait activement au réchauffement de la planète.

McDonald's prétendait dans ses documents officiels ne jamais acheter de viande qui contribuât, d'une façon ou d'une autre, à la destruction de la forêt équatoriale, mais ils étaient quand même les principaux responsables de la dévastation de l'Amazonie. Ce qu'ils oubliaient de mentionner, c'est que les poulets qu'ils achetaient mangeaient d'énormes quantités de soja, dont la production nécessitait l'abattage de la forêt. Soixante-quinze pour cent du carbone émis au Brésil provenaient des parcelles qu'il fallait brûler pour augmenter les surfaces cultivables, ce qui avait une incidence considérable sur l'effet de serre. Toutes les huit secondes, une superficie équivalente à un terrain de football partait en fumée. Nova passait son temps à faire entendre ces vérités, elle n'allait pas se fourvoyer aujourd'hui. En plus, leur prétendu burger végétarien, le McBean, avait un goût de vieux chandail épicé, se consola-t-elle en s'échappant du fast-food honni.

Arrivée à la gare centrale, elle inspecta les alentours. Les gens qui attendaient des proches ou des amis s'agglutinaient contre les barrières, de part et d'autre de la bouche du métro, le « spottkopp », le « crachoir », comme les habitants de Stockholm avaient pris l'habitude de l'appeler. Une sculpture moderne faite d'aluminium tressé et d'armatures pendait du plafond incurvé. Dans cette galerie, où jadis avaient couru des rails et roulé des trains, il y avait maintenant un sol carrelé ; une multitude de gens, vêtus de couleurs claires, transportant sacs et attachés-cases, se pressaient dans le hall ; çà et là, un pigeon solitaire voletait sous la voûte.

Il n'y avait aucun policier en vue.

Ce que Nova avait à faire, elle devait le faire vite. Elle prit un numéro et se mit dans la queue pour arriver au guichet. Un vigile, tenant un berger allemand en laisse, passa d'un pas tranquille en surveillant chaque voyageur. Nova lui tourna le dos.

Au bout de six minutes d'attente, ce fut son tour.

— Un aller simple pour Copenhague, demanda-t-elle en payant avec sa carte de crédit.

Le train partait trente minutes plus tard. Aussitôt qu'elle eut le billet en main, elle tourna les talons et se mit à courir aussi vite qu'elle put. Le vigile chercha à croiser le regard de l'agent du comptoir de vente pour savoir s'il y avait une raison valable à cette précipitation soudaine. Ce n'était apparemment pas le cas, puisque cette dernière se contenta de hausser les épaules.

L'air humide se mêlait à la sueur en s'insinuant sous les vêtements de Nova. De grandes auréoles se formaient sous ses aisselles pendant qu'elle montait vers Klarabergsgatan. Elle eut à peine le temps de sentir l'odeur d'urine qui flottait dans l'escalier. Dans le lointain, elle entendait un bruit de sirènes de police qui approchaient. Elle passa à nouveau devant l'immeuble brun et massif de Åhléns, avec ses immenses panneaux publicitaires qui couvraient plusieurs étages. La fourrière était en train de déplacer une Volvo noire garée devant l'arrêt de bus.

Place Sergel, elle se fraya un passage dans la foule. La fontaine lui envoya un nuage d'eau au visage, comme un brumisateur bienfaisant. En arrière-plan se dressaient la grande statue de verre et la très moderne façade de la Maison de la culture.

Sa course s'acheva devant les bureaux de la Skandinaviska Eskilda Banken. A bout de souffle et en nage, elle remplit un formulaire de retrait. La file d'attente était longue pour parvenir au guichet et, très vite, Nova se mit à grelotter dans le froid de la climatisation. Et, pourtant, l'adrénaline qui courait dans son sang lui donnait l'impression d'avoir toujours chaud.

Quand son tour fut arrivé, elle posa son bordereau devant l'employée de banque, une femme d'un certain âge, qui le prit machinalement. Elle sursauta et le regarda plus attentivement. Puis elle étudia alternativement Nova et le bordereau. Pour finir, elle déclara :

— Désolée, mais il faut s'y prendre à l'avance pour un retrait supérieur à trente mille couronnes.

— Pourquoi ? demanda Nova.

— Pour des raisons de sécurité, nous ne gardons que peu d'argent liquide dans les agences. En tout cas, nous ne disposons pas de...

La caissière examina à nouveau le formulaire qu'elle tenait dans la main :

— ... cent cinquante mille couronnes.

— Vous avez combien ? s'enquit Nova.

La caissière la regarda avec une expression agacée et se mit à pianoter sur son ordinateur.

— Je dois d'abord vérifier si votre compte est créditeur, expliqua-t-elle.

Nova sentit sa colère monter. Elle pensa : Je me demande si on m'aurait traitée comme ça si j'avais été un vieux en costume-cravate.

La caissière avait toujours les yeux rivés sur son écran. Elle se pencha un peu pour le regarder de plus près. Enfin, elle releva la tête et dit à Nova :

— Je vais me renseigner.

La femme disparut dans la partie interdite au public. Un homme tiré à quatre épingles, vêtu d'un costume noir, passa la tête par la porte derrière laquelle s'était éclipsée la caissière. Il jaugea Nova de bas en haut et sa tête disparut à nouveau.

Cinq minutes plus tard, la femme revint avec, à la main, une enveloppe A4 blanche portant le sigle de la banque.

— En nous donnant un peu de mal, nous avons réussi à réunir cent cinquante mille couronnes, chuchota-t-elle en regardant l'enveloppe d'un air entendu.

Nova jeta un coup d'œil à la pochette d'un blanc presque éblouissant. Puis son regard tomba sur les étagères derrière la caissière, sur lesquelles elle vit une pile d'enveloppes brunes en papier recyclé.

— Je préférerais que vous les mettiez là-dedans, dit-elle en les montrant du doigt.

La femme lui adressa un regard surpris, prit une enveloppe marron et l'examina.

— Elles portent notre ancien sigle. On devrait déjà les avoir jetées.

— Je me fous de votre sigle, lui répondit Nova.

La caissière sembla prendre la remarque de Nova comme un affront personnel, mais n'en transféra pas moins l'argent dans une enveloppe marron. Nova la lui prit des mains et la fourra dans son sac à dos.

Puis elle quitta la banque en courant.

La caissière la suivit des yeux d'un air inquiet. La première étape du plan de Nova était terminée.

Alors qu'Amanda était sur le point d'attaquer Arvid avec une nouvelle série de questions, son portable sonna. Le sujet de l'appel justifiait l'interruption. Nova avait utilisé sa carte de crédit à la gare centrale. Amanda s'empara de son sac à main de la saison précédente ; celui de cette année traînait dans un coin de son appartement, puant abominablement. Elle n'avait pas encore eu le cœur de s'en débarrasser mais savait que, tôt ou tard, elle y serait obligée.

Deux minutes plus tard, elle était assise au volant de sa voiture. Un autre véhicule était en route. Il lui fallut à peine cinq minutes de plus pour arriver à Vasagatan et se garer devant l'entrée principale de Centralen. Au pas de course, elle passa les portes et traversa toute la gare jusqu'aux guichets de vente. Deux de ses collègues, Kent et Morgan, étaient déjà en grande conversation avec une employée de la billetterie. Amanda sortit une photo de Nova et la lui montra.

— Oui, c'est bien elle qui a payé avec la carte, confirma la caissière en hochant la tête pour appuyer son propos.

— Et qu'est-ce qu'elle a pris ? lui demanda Amanda avec une politesse forcée.

— Un billet pour Copenhague.

— Le train part à quelle heure ?

L'employée regarda la grande horloge sur le mur et répondit :

— Dans un quart d'heure.

Après avoir obtenu le numéro de place et de compartiment, Amanda s'élança vers le quai, suivie de ses collègues. Quand elle arriva à l'air libre, elle sentit à nouveau une douleur dans son ventre. Il faut vraiment que je consulte si ça continue à me faire mal comme ça, pensa-t-elle, se tenant le flanc en expirant à fond. En même temps, elle regardait partout autour d'elle. Le quai était bondé et le train n'était pas encore arrivé. Nova n'était nulle part.

Amanda demanda d'un geste à ses collègues de se tenir en retrait. Ils allaient l'attendre. Dans un quart d'heure, ils l'auraient arrêtée.

Nova ralentit l'allure au bout de deux cents mètres et tourna entre les gratte-ciel sur Hötorget. Personne ne la regardait. Elle jetait fréquemment un coup d'œil par-dessus son épaule. Elle n'était pas suivie. Ou alors par quelqu'un de très discret. L'avenue débouchait sur une place. Au début du Moyen Age, il y avait un bourg grand et prospère, du nom de Väsby, à cet endroit. Aujourd'hui, c'était devenu un marché en plein air avec des commerces florissants. Les marchands de Hötorget interpellaient Nova quand elle passait devant leurs étals :

— Raisins bien sucrés, venez goûter mes raisins, venez voir mes beaux raisins !

Nova était aussi tendue que si elle avait nagé au milieu d'un banc de piranhas, et faisait semblant de ne rien entendre. Elle traversa la place à grands pas et eut bientôt laissé derrière elle les étals surchargés de fruits, de légumes et de fleurs. Régulièrement, elle était obligée de remonter son pantalon et de resserrer sa ceinture. J'ai l'air d'une clocharde, se dit-elle.

Nova ralentit le pas en atteignant Drottninggatan. Une foule dense se pressait sur le dallage noir et blanc de la rue piétonne. Des drapeaux aux couleurs de l'arc-en-ciel étaient suspendus entre les maisons. Ce n'était pas la cohue qui avait forcé Nova à ralentir. C'était la première fois, depuis cette terrible nuit, que Nova repassait devant l'appartement du P-DG de Vattenfall. Elle eut envie de faire demi-tour et de fuir. Mais il ne fallait pas. Un combat s'engagea dans sa tête. Finalement, elle se décida, rassembla son courage et dépassa l'appartement et le Seven-Eleven à toute vitesse, sans un regard ni à l'un ni à l'autre.

Elle fut bientôt arrivée à destination : Playground, le Magasin avec un grand M pour les amoureux de la vie en plein air. Elle y était souvent venue par le passé, mais toujours pour y chercher des bricoles. Cette fois, elle allait acheter la moitié de leur stock. Nova ouvrit la porte et se dirigea vers le premier vendeur venu. Il avait l'air d'un vrai passionné, avec ses cheveux mi-longs en bataille, son sweat-shirt de chez Houdini et son treillis de la même marque. Fin et musclé, il faisait penser à un champion d'escalade.

— Bonjour, vous pourriez m'aider à trouver un équipement de camping ? lui demanda-t-elle.

— Ça dépend quand et où vous avez l'intention de vous en servir.

— Genre Stockholm et tout de suite.

Nova avança dans le magasin en direction d'une tente démontable orange et rouge.

— Marmot Earlylight, deux places, été/hiver. Double abside. Deux armatures. Deux kilos cinq.

— Vous n'auriez pas plutôt une tente une place ?

— Si, Marmot a aussi le modèle Eos pour une seule personne. Un kilo cinq.

— OK, je la prends.

Le vendeur regarda Nova, étonné de la rapidité de son choix, mais se reprit très vite et alla chercher une tente emballée. En revenant, il lui demanda :

— Tapis de sol ?

Nova hocha la tête et le suivit jusqu'à une série de tapis de protection suspendus le long d'un mur. Le vendeur lui en désigna un et lui fit l'article :

— Le top : Exped Downmat 9, un tapis molletonné qu'on gonfle avec son sac d'emballage. Un kilo.

— Je le prends, dit Nova.

Le roi de la grimpette ne put s'empêcher de rire :

— Vous êtes pressée ? lui demanda-t-il.

— Vous n'avez pas idée, répondit Nova.

Elle sortit du magasin délestée de vingt et un mille couronnes, avec un sac de randonnée complet à son épaule. Les vêtements achetés chez Åhléns étaient restés dans une poubelle chez Playground. Elle était maintenant vêtue d'un tee-shirt vert, d'un pantalon de jogging confortable et bien coupé, et d'une casquette. Elle avait une tenue de rechange dans le sac ainsi qu'une parka légère. Elle avait gardé ses vieilles baskets. Elle savait d'expérience que changer de chaussures en situation d'urgence était une très mauvaise idée.

Et jamais elle n'avait été plus en situation d'urgence qu'à cet instant.

Elle enfonça sa casquette sur sa tête, redressa une tresse rebelle. Ensuite, elle entra dans une des nombreuses agences de voyages de Sveavägen et acheta un pack pour Londres avec sa carte Visa. D'habitude, Nova évitait d'acheter des billets d'avion. Pour soulager sa conscience, elle prit aussi un neutralisateur climatique. Un aller-retour pour Londres libérait six cent vingt kilos de dioxyde de carbone dans l'atmosphère, Nova déboursa donc cent soixante-quinze couronnes supplémentaires pour faire un don à un projet écologique afin de rétablir l'équilibre. Je me demande si c'est du pipeau, se dit-elle. Mais ce n'était pas vraiment le moment de se poser la question. Pour la première fois de sa vie, Nova disposait de plus d'argent que de temps. Je creuserai la question une autre fois, décida-t-elle, continuant sur sa lancée.

Fin de l'étape numéro deux.

Le train était sur le point de partir et ni Amanda ni ses collègues n'avaient vu Nova. Ils décidèrent de monter à bord, Amanda à une extrémité et les deux policiers à l'autre. Ils fouillèrent méthodiquement tout le train : ouvrant les toilettes et les locaux techniques, contrôlant un à un chaque passager. Amanda réveilla même une femme qui avait mis son manteau sur son visage pour dormir.

— On ne peut jamais être tranquille, grommela cette dernière.

Le train avait passé la gare de Flemingsberg quand le portable d'Amanda sonna. Cette fois, elle fut plus furieuse qu'exaltée. Nova avait utilisé sa carte de crédit, après l'heure de départ du train, sur Sveavägen. Elle semblait avoir changé d'avis puisque, cette fois, elle avait pris un billet d'avion. En outre, elle avait retiré une somme d'argent conséquente de son compte à la SEB, dans l'agence de la place Sergel. L'avion partait le lendemain. Amanda donna un grand coup dans la paroi du wagon avec sa sandale à talon haut. Elle hurla :

— Garce !

Une douleur aiguë partit de son gros orteil et monta le long de sa jambe.

Le train approchait de Södertälje.

Le soleil brûlait impitoyablement les toits de la ville.

L'escalier menant à la cave était partiellement recouvert d'un linoléum. Moïse descendit les marches pas à pas, les jambes un peu arquées.

Les murs exhalaient l'odeur âcre de plusieurs décennies de sueur humaine. L'esprit communautaire était implicite mais tangible. Tous les jours, des hommes s'unissaient par des croisillons, des ceintures arrière, des bras roulés, des contrôles du corps et des tombés. Le contact physique créait entre eux des liens indissolubles. Ici, Moïse se sentait chez lui.

La lutte gréco-romaine était sa vie.

Il avait sur le dos un grand sac de sport, dans lequel se trouvaient pêle-mêle maillots de corps, shampooing, boissons énergétiques et chaussons. L'adrénaline courait dans ses veines. Il était impatient de commencer ses deux heures d'entraînement intensif. Son corps réclamait la plénitude de l'état d'épuisement.

Sur le chemin du vestiaire, il passa devant la vitrine des trophées, dans laquelle étaient exposées les coupes et les médailles remportées par le club. Son regard en cherchait une en particulier : le tournoi international de 1988. Moïse avait remporté la médaille d'argent dans la catégorie des plus de cent vingt kilos, après s'être allongé en finale. Thomas Johansson l'avait battu par trois points à deux après prolongations, parce que Moïse était sorti du ring après les croisillons.

Parfois, il se demandait ce qui se serait passé s'il n'avait pas fait ce qu'on lui demandait, c'est-à-dire contrôler sa supériorité physique et juguler l'impact de sa masse corporelle. Dans ses moments de faiblesse, Moïse se prenait à rêver qu'il avait ignoré l'ordre et laissé parler son instinct. Alors il aurait peut-être remporté ce tournoi et continué à gagner tous les combats de la saison. Il aurait pu devenir une célébrité mondiale. Maintenant, il devait se contenter d'avoir secrètement conscience de sa valeur.

Moïse s'arracha à la contemplation de la médaille et entra dans le vestiaire.

Ses muscles appelaient l'effort à grands cris. Bientôt, ils seraient muets sous l'effet de l'acide lactique.

Amanda avait les réunions en horreur. Même si elle admettait leur importance, elle les évitait le plus possible. On lui avait souvent reproché de ne pas avoir l'esprit d'équipe. Elle avait répliqué que cela ne la dérangeait nullement de travailler avec les autres, tant qu'il ne s'agissait pas de rester enfermée dans une salle de conférences des heures durant. Elle se trouvait justement à une de ces réunions et s'accrochait à son fauteuil pour ne pas se lever et partir en courant.

Pour Amanda le travail devait être fait, pas être remis sur le tapis interminablement.

« Il faut que tu arrêtes de jouer en solo », lui avait dit un jour son chef. Depuis, elle faisait de son mieux pour laisser les autres s'exprimer, alors même qu'elle estimait qu'ils manquaient cruellement de clarté et de concision. Amanda avait le plus beau palmarès d'affaires résolues au sein de l'unité, mais elle avait constaté aussi que la vie était plus facile quand elle prenait soin de caresser son boss dans le sens du poil.

Un psychologue avait suggéré, cinq ans auparavant, qu'elle fasse quelques tests pour déterminer si elle était autiste. Elle avait refusé. A quoi cela aurait-il servi ? Elle se sentait parfaitement bien dans sa peau, sans étiquettes savantes ni diagnostics compliqués. Inspecteur de police approchant de la quarantaine, elle se considérait comme une citoyenne parfaitement bien adaptée à la vie en société. Fin du débat.

Pour le moment, ils n'étaient que quatre dans l'équipe chargée des meurtres des P-DG, plus le procureur et Moïse. Amanda ne prenait pas en compte les enquêteurs sur le terrain, qui glanaient les informations en tirant des sonnettes. Aussitôt qu'ils tombaient sur quelque chose d'intéressant, ils passaient la main à Amanda et à ses deux acolytes en charge du dossier. Elle savait que sa façon de travailler la rendait impopulaire, mais elle ne voulait en aucun cas perdre le contrôle de ce qui était essentiel à ses yeux : les témoins.

Ses plus proches collaborateurs avaient pour surnoms Double-dose et Demi-portion. Kent était grand et souffrait de surcharge pondérale. Morgan, lui, était petit et maigre, avec un regard fixe et inquiet. Il arrivait à Amanda de penser, non sans méchanceté, que Morgan était moitié moins grand que Kent mais aussi moitié moins intelligent.

Elle travaillait avec eux depuis plusieurs années mais se sentait quand même comme un outsider. Les deux hommes étaient des pères de famille, elle était célibataire, officiellement en tout cas, et sans enfants. Sa relation avec Moïse était un secret bien gardé. Alors qu'ils avaient presque le même âge, Amanda se sentait nettement plus jeune que les deux hommes.

Quand elle parlait restaurants ou vêtements de créateurs, eux parlaient de l'argent de poche qu'ils donnaient à leurs enfants et comparaient les supermarchés. Autour de la machine à café, ils ne pouvaient aborder ensemble que les sujets concernant les travaux d'aménagement ou la décoration. A part ça, ils ne discutaient que du boulot en général ou de l'affaire en cours. En dehors de quelques invitations formelles à des anniversaires ou à des réceptions officielles, ils ne se voyaient jamais en privé.

Pendant que la conversation avançait péniblement, Amanda s'amusait à assembler le puzzle des gravures prises chez Nova. Cela l'aidait à trouver le temps moins long, bien que la tâche ne fût pas aisée ; les morceaux étaient cassés, mélangés et nombreux. Elle avait réussi à réunir des zones avec des motifs qui pouvaient sembler cohérents, mais elle ignorait toujours combien de gravures il y avait au départ. Elle était tout de même arrivée à une conclusion ; aucun être normalement constitué ne pouvait avoir des œuvres pareilles sur ses murs : chevaux et moutons sacrifiés aux entrailles répandues, femme assassinée. Et puis il y avait ce dessin, le premier qu'elle avait vu chez Nova. En y ajoutant quelques fragments, Amanda avait compris qu'il s'agissait de la reproduction de la dissection d'un homme nu. Quelle horreur, se disait-elle, il n'y a décidément qu'un mot pour définir tout ça : « profanation ».

Morgan était en train de faire un exposé interminable, et, aux yeux d'Amanda, parfaitement inutile. Il y était question de l'opération de surveillance et de l'arrestation prévues à Arlanda le lendemain, qui devaient être planifiées dans les moindres détails. On frappa vigoureusement à la porte de la salle. Moïse passa la tête sans y avoir été invité et expliqua la raison de sa venue en agitant une feuille de papier :

— J'ai eu le résultat du laboratoire ce matin. Il y a encore une raison qui permet d'affirmer que Nova est bien la personne que nous recherchons. Le vomi que nous avons trouvé chez le président de Vattenfall contient le même ADN que celui des cheveux que nous avons récupérés sur l'oreiller de sa chambre.

Amanda hocha la tête d'un air approbateur. Et puis il lui vint soudain une nouvelle idée :

— Il y a quand même un truc que je ne comprends pas. Si Nova tue ces gens aussi facilement, pourquoi est-ce qu'elle vomit après ?

Personne ne releva la question. Moïse avait d'ailleurs déjà enchaîné, en regardant la table de conférence :

— Qu'est-ce que tu fais ?

— On a trouvé tout ça par terre chez Nova, répondit Amanda.

— Elle s'intéresse à l'art satirique du xviiie siècle ?

— Pardon ? s'étonna Amanda en questionnant Moïse du regard.

— Ce sont *Les Quatre Etapes de la cruauté* de William Hogarth, dit Moïse avant de se reprendre : Enfin, ce qu'il en reste.

Il émit ensuite un sifflement, ce qu'il faisait toujours quand il avait une idée :

— Mais bien sûr, comment n'y ai-je pas pensé plus tôt ? Les scènes des meurtres sont identiques à ces gravures. C'est pour ça qu'elles me semblaient familières.

Le métro suivait la ligne verte, traversait Kärrtorp et Bagarmossen, s'arrêtait en fin de ligne à Skarpnäck. Nova sortit sur le quai, endossa son sac de randonnée et en ajusta soigneusement les bretelles. Il était lourd et elle devait marcher longtemps. Trois femmes d'une trentaine d'années la dépassèrent. Poussant chacune un landau, elles occupaient toute la largeur du quai. En fait, ce sont elles les plus dangereuses, les pondeuses ! pensa Nova. Elles mettent au monde trois nouveaux êtres humains, qui vont produire, chaque année de leur vie, en moyenne six tonnes de carbone par tête. Elle fit un rapide calcul. Six fois soixante-dix que multiplie trois. Mille deux cent soixante tonnes de dioxyde de carbone, voilà ce qu'ils apportent à la planète ! Heureusement qu'ils ne sont pas nés aux Etats-Unis. Elle fit une autre multiplication. Cette fois, elle partit de vingt tonnes par personne. S'ils avaient été américains, ils auraient produit quatre mille deux cents tonnes de gaz à effet de serre dans le courant de leur vie. Quelle chance qu'ils soient suédois, finalement ! conclut-elle.

Elle força le passage entre les mères et leurs landaus et sortit de la station. Sa randonnée partait de Skarpnäck, cette ville de banlieue qui avait été jadis une vallée arborée. Un jour, au Moyen Age, une famille s'y était installée pour y cultiver la terre. A présent, leurs champs étaient couverts de bitume flanqué de part et d'autre de maisons couleur brique.

Nova eut très vite quitté le réseau routier pour se retrouver sur un chemin forestier. C'était une sensation insolite, libératrice et très dépaysante, après tout ce qui lui était arrivé au cours de cette folle journée. Nova était libre mais traquée. Elle s'enfonça dans la réserve de Nacka. C'était là, parmi les collines et les gorges profondes, qu'elle avait décidé de disparaître de la circulation. Qui pourrait avoir l'idée de venir la chercher dans ces bois et ces prairies, qui couvraient une zone de plus de huit cents hectares ?

Machinalement, elle sortit son portable pour voir l'heure, mais elle se souvint alors du dernier épisode de la série *NCIS*, dans lequel cette femme gothique, génie de l'informatique, Abby Sciuto, retrouvait la trace d'un tueur en série grâce à son téléphone portable. Elle jeta le sien comme s'il lui avait brûlé la main. Il atterrit en douceur trois mètres plus loin et roula deux ou trois fois sur lui-même pour finir sa course dans un parterre de pissenlits.

La première réaction de Nova fut de tourner les talons et de s'en aller. Mais après quelques pas, elle fit demi-tour et ramassa le portable. Je m'en débarrasserai quand je m'en serai procuré un autre, décidat-elle. Pour l'instant je le garde pour les cas d'extrême urgence.

Elle éteignit le mobile, retira la batterie, rangea le tout dans une poche intérieure de son sac à dos et reprit sa marche.

Elle avait encore deux kilomètres à parcourir pour atteindre sa destination, une crevasse dans un rocher près du lac de Söderby, qu'elle connaissait depuis longtemps. Demain, elle referait le chemin en sens inverse. Il le fallait.

L'aéroport d'Arlanda voyait passer en moyenne quarante-neuf mille voyageurs par jour. Après Copenhague, Londres était la destination la plus populaire. Bien qu'Amanda sache sur quel vol Nova devait embarquer, la densité de la foule l'inquiétait. Si elle parvenait à monter à bord, l'arrestation serait compliquée par la présence des quelque deux cents passagers autour d'elle. A la porte d'embarquement, il y aurait autant de monde. Après avoir parlementé avec la police de l'aéroport, Amanda décida que Morgan surveillerait le comptoir d'information de la British Airways, Kent s'occuperait du comptoir d'enregistrement et elle-même resterait à la porte d'embarquement. La sécurité d'Arlanda donnerait un coup de main en postant des gardiens devant toutes les sorties. Les douaniers avaient été prévenus et devaient donner l'alarme aussitôt qu'ils auraient le passeport de Nova entre les mains. Amanda avait réparti les tâches en fonction du degré de probabilité que Nova apparaisse dans ces divers endroits.

A 13 h 30, Morgan vit une jeune femme d'une vingtaine d'années approcher du comptoir d'information de la compagnie aérienne. Elle correspondait au signalement de Nova et ressemblait à la photo qu'il avait à la main. Les yeux de Morgan s'arrêtèrent sur l'ourlet de sa jupe qui glissait doucement sur des jambes bien galbées. Alors il pensa aux scènes de crime, aux victimes et à ceux qu'elles laissaient derrière elles. Son cœur se mit à battre violemment. C'étaient les pires. Celles qui ne ressemblent pas à des tueuses. Il comprenait parfaitement qu'on ait pu ouvrir la porte à cette jeune femme blonde sans se méfier. Celle qui marchait dans sa direction était mince et avait des yeux fascinants d'un bleu pur. Il l'aurait laissée entrer chez lui bien volontiers. Quand la jeune femme présenta son billet à l'homme derrière le comptoir, il eut un léger sursaut. Quel amateur, se dit Morgan à propos du douanier qui avait pris la place du steward de la British Airways. J'espère que Nova ne s'est rendu compte de rien.

Le douanier pinça le lobe de son oreille gauche entre deux doigts.

C'était le signe dont ils étaient convenus. Il avait le billet de Nova entre les mains. C'était donc bien elle.

Morgan la vit mettre une main dans sa poche, ne pas la ressortir, y manipuler quelque chose.

« Elle est la première tueuse en série que la Suède ait connue depuis de nombreuses années », avait dit Amanda. Le douanier avait l'air franchement effrayé à présent. Morgan comprit immédiatement ce qui se passait.

Nova avait une arme dans la poche et la pointait vers lui.

La respiration de Morgan s'accéléra. Nova se pencha vers le douanier et lui fit un clin d'œil. Diablesse, pensa Morgan, et, sans réfléchir plus longtemps, il sortit son arme de service.

— Police, on ne bouge plus, aboya-t-il d'une voix de baryton que désavouait son corps chétif.

Et il tira avant qu'elle ait le temps de se retourner.

Elle hurla.

Un mouvement de panique se déclencha parmi les passagers.

La femme s'écroula au sol.

Morgan s'était illustré au tir quand il était à l'école de police. C'était la seule matière dans laquelle il avait été brillant.

Garé devant le crématorium de Råcksta, Moïse attendait dans son Audi grise. C'est aujourd'hui qu'elle va être incinérée, se disait-il, aujourd'hui que toutes les preuves seront réduites en cendres.

Moïse aurait bien voulu être là au moment où on brûlerait le cercueil numéro 543, mais cela aurait paru suspect. Il n'avait pas de raison particulière de se rendre au crématorium ce jour-là. A défaut de se trouver aux premières loges, il imagina l'ouverture lente de la porte métallique et, derrière, la lumière puissante. Pas la lueur vacillante d'un feu mais une explosion d'étincelles tournoyant dans une violente incandescence orangée.

— Huit cents degrés, tu peux compter dessus, tu peux compter dessus, fredonna Moïse tout en poursuivant son macabre rêve éveillé.

La chanson d'Ebba Grön, qui parlait du réchauffement climatique et avait eu un énorme succès en 2007, lui paraissait de circonstance.

Le cercueil serait lentement poussé dans le four par un mécanisme élaboré. C'était un crématorium ultramoderne, d'une propreté impeccable et entièrement automatisé. Le processus consistant à transformer un corps humain en un tout petit monticule de poussière blanche destiné à remplir une urne allait commencer. La porte métallique se refermerait et il pourrait respirer plus librement. Dans quatre-vingt-dix minutes, personne n'aurait moyen de prouver ce dont il s'était rendu coupable.

Moïse ne se détendit que lorsqu'il vit la fumée sortir de la cheminée du crématorium et se disperser dans le ciel. Il s'imaginait que c'étaient les molécules du corps incinéré qui étaient disséminées aux quatre vents. Ses pensées revinrent à la proposition du PNSE, le fameux Plan National Santé Environnement, qu'il avait trouvée sur son bureau ce matin. On parlait d'arracher toutes leurs dents aux morts pour réduire les émanations de mercure provenant des crématoriums. Si sa mémoire était bonne, il était question d'une réduction de plusieurs dizaines de tonnes par an. « Excellente idée », allait-il écrire sur le coupon-réponse. Leif Eriksson, qui dirigeait le crématorium de la forêt à Stockholm, s'était déjà prononcé contre le projet dans l'*Aftonbladet*, en le qualifiant de « contraire à l'éthique ». Dégonflé, lui répondit Moïse en pensée, il faut savoir prendre des décisions inconfortables, mon vieux, si on veut protéger l'environnement.

Nova avait pris le bus 401 de Hellasgården jusqu'à l'Ecluse. Après, il n'y avait plus que cinq minutes de trajet par la ligne rouge jusqu'à Hornstull. Elle jeta un coup d'œil à l'horloge de la station de métro. L'avion décollait et elle ne pouvait pas rater cela. Elle monta par l'escalier mécanique, passa devant une femme qui vendait le *Situation Stockholm*. Elle avait à peu près trente ans et portait une casquette. Nova se souvenait d'avoir lu un article sur elle un mois auparavant ; elle avait réussi à avoir son propre appartement et à arrêter la drogue. Ça mérite une sponsorisation, se dit Nova. Et elle acheta un exemplaire du journal.

En haut de Långholmsgatan, Nova tourna à gauche et croisa un des nombreux originaux qui traînaient dans le quartier de Knivsöder ; il avait d'énormes écouteurs sur les oreilles et un chien aussi jaune que ses dreadlocks. Elle entra dans le Seven-Eleven qui faisait l'angle, commanda un yaourt glacé à la fraise et une heure de navigation Internet. C'était tout ce dont elle avait besoin. Elle sourit en entendant le thème de « The Final Countdown » dans la queue derrière elle. « Bip-bip », fit le refrain.

Nova grimpa quatre à quatre l'escalier menant aux ordinateurs et s'installa à une place libre. D'une main, elle alla sur le site de l'aéroport d'Arlanda.

La glace fondait à toute vitesse dans la chaleur et elle était sans cesse obligée de la lécher pour éviter d'avoir la main collante. Elle oublia complètement d'en savourer le goût et la fraîcheur.

Au bout de deux minutes, elle avait trouvé ce qu'elle cherchait. Les webcams. L'une d'entre elles filmait le terminal 5 et elle repéra immédiatement les voitures de police et la Golf rouge. Elle éclata de rire. Personne ne regarda dans sa direction, bien que tout le monde dans le cybercafé l'ait entendue. Elle termina sa glace en quelques coups de langue et croqua le cornet pour finir. Son estomac était satisfait mais il ne se passait rien à l'écran. Ce n'est qu'au bout de vingt minutes qu'une chose inattendue se produisit.

Une ambulance arriva.

Deux personnes transportèrent un brancard à l'intérieur du terminal.

Cinq minutes s'écoulèrent.

Une jeune femme blonde était allongée sur le brancard quand il repassa la porte dans l'autre sens. Il y avait des policiers partout autour. Nova sentit la culpabilité l'envahir. Puis vint la peur. Ç'aurait pu être elle, allongée là. Ç'aurait dû être elle, peut-être.

Une fois acheté son billet pour Londres, elle avait cassé sa carte Visa en deux morceaux et l'avait jetée dans une poubelle. En descendant l'escalier mécanique vers la place Sergel, elle avait vu une blonde d'à peu près son âge qui montait. Elle lui avait crié « Tiens, attrape ! » et lui avait lancé la pochette contenant le billet et la brochure de l'agence de voyages.

La fille avait eu l'air surprise, mais elle avait attrapé la pochette par réflexe.

« Regarde dedans, c'est un cadeau », lui avait crié Nova pendant qu'elle était encore à portée de voix. Voilà qui devrait occuper la police un moment, s'était-elle dit. En arrivant dans le métro, elle avait acheté un forfait de transport de la Storstockholms Lokaltrafik, la régie des transports urbains de la ville de Stockholm.

A ce moment-là, elle ne pensait pas aux conséquences qu'il y aurait à impliquer une personne innocente. Et, maintenant, la jeune femme gisait sans vie sur un brancard.

Les géraniums devant la vitrine du restaurant Den Gyldene Freden allaient du vieux rose au blanc. Ils enchaînaient floraison sur floraison dans la chaleur de l'été. Feuilles et tiges étaient robustes et en pleine santé. Ils étaient la cerise sur le gâteau, le détail qui annonçait le côté chaleureux et soigné de l'établissement. Une lanterne en fer forgé brillait au-dessus de la porte et rendait encore plus obscure cette nuit d'août. On aurait aussi bien pu se croire au XVIIIe siècle qu'à l'aube du XXIe. Presque tout était resté comme à l'époque du roi Gustave, quand le poète Bellman et ses amis fréquentaient les lieux et les vantaient dans leurs romances. C'était dans ce genre d'endroits que Peter Dagon se sentait le mieux. Il avait besoin d'entendre les battements d'ailes de l'histoire.

Bientôt, elles allaient battre pour lui.

Peter Dagon poussa machinalement la lourde porte en bois massif et entra. La chaleur rendait tout par-dessus inutile et, sans faire de détour par le vestiaire, il se dirigea vers l'escalier qui menait à la cave voûtée. Les murs étaient chaulés en blanc et le sol pavé de pierres grossièrement taillées. Il passa devant un tableau au mur, représentant le peintre Zorn vêtu d'un grand manteau de fourrure, une cigarette pendant nonchalamment à ses doigts. A cette époque, les hommes étaient de vrais hommes, se dit Peter Dagon en remerciant en pensée l'artiste qui avait sauvé le restaurant de la faillite et d'une démolition certaine.

Sous la voûte la plus éloignée, Moïse Hammar l'attendait. La cheminée n'était pas allumée mais la flamme des bougies vacillait au-dessus des tables. La pièce ne comportait pas le moindre angle droit ; le plafond s'incurvait en demi-lune et descendait jusqu'à un sol aux carreaux de terre cuite irréguliers. Une nappe blanche recouvrait chaque table. Moïse sirotait tranquillement un whisky dans cette atmosphère chaleureuse. Les clients avaient commencé à arriver mais la salle n'était pas encore pleine. Ils allaient pouvoir discuter sans être dérangés.

Les deux hommes se saluèrent de la tête et Peter Dagon prit place. Comme sous l'effet d'un signal invisible, ils se saisirent simultanément du menu. Ce qui était tout à fait inutile puisqu'ils le connaissaient par cœur, mais cela faisait partie du rituel.

— Le coquelet a l'air bien, dit Moïse.

Peter Dagon hocha la tête pour marquer son assentiment et ajouta :

— Les œufs d'ablette étaient délicieux samedi dernier.

Ils commandèrent des œufs d'ablette de Kalix, un coquelet rôti élevé en Suède et une mousse aux quatre chocolats agrémentée d'éclats de noisettes. Ils laissèrent le sommelier choisir les vins.

— Alors ? demanda Peter Dagon en guise d'encouragement.

— J'ai fait ce qu'on avait prévu.

— Et ?

141

— Tout s'est bien passé.

Peter classa mentalement cette phase du plan. Il ne s'était pas attendu à une nouvelle différente ; Moïse venait d'une branche fiable de la race. Son clan avait les mêmes objectifs et la même motivation que Peter Dagon. Unis dans leur combat contre la marche du temps, ils faisaient leur possible.

Il fallait survivre à tout prix.

Nova avait installé un camping-gaz en modèle réduit à l'extérieur de la tente et des petites bulles jouaient gaiement dans l'eau de la casserole. Divers aliments et plats cuisinés déshydratés étaient rangés dans le sac à dos. Elle avait dévalisé le magasin Playground de tout ce qu'il proposait en matière de nourriture végétarienne, mais n'avait pas encore décidé ce qu'elle allait manger. Elle opta finalement pour le couscous. De toute façon, elle allait tout manger tôt ou tard. Nova versa l'eau bouillante dans le récipient. D'après le mode d'emploi, ce serait prêt dans cinq minutes.

Et maintenant qu'est-ce que je vais faire ? se demanda Nova en attendant de pouvoir manger. D'après son plan, elle devait disparaître sans laisser de traces et diriger la police sur de fausses pistes. Elle était seule dans les bois et personne n'avait la moindre idée de l'endroit où elle se trouvait. Mais c'était une solution à court terme. Il n'y avait pas grand-chose à faire dans une tente au milieu de la réserve de Nacka et la police la retrouverait inéluctablement un jour ou l'autre. Alors, elle serait bien incapable de leur expliquer la situation. Il faut que je découvre la vérité avant, décida-t-elle.

Mais la vérité à propos de quoi ?

Elle avait refusé jusqu'ici de se poser cette question précise parce qu'elle l'obligeait à prendre en compte tous les éléments de son problème. Inconsciemment, elle savait où cela la mènerait. Elle allait devoir prendre le taureau par les cornes et faire un bilan de tout ce qui lui était arrivé.

Chez le président de Vattenfall, elle avait vu une citation de la Genèse au-dessus du lit et quelqu'un avait raconté à *Aftonbladet* qu'on avait tatoué la même inscription dans le dos du P-DG de SAS après l'avoir tué. Elle n'avait pas été surprise qu'on la soupçonne de ce deuxième meurtre. Mais elle n'avait toujours pas compris comment la police avait fait le rapprochement entre elle et le premier crime. En plus, maintenant, ils avaient forcément trouvé la combinaison orange. Quelle idiote je suis ! se dit-elle.

Elle résista à la tentation de faire son autocritique, refusa de se demander ce qu'elle allait devenir, commença à manger son couscous et continua à réfléchir.

Chez elle, il y avait un tableau au mur contenant un autre verset de la Genèse. Toutes les citations étaient extraites de l'histoire de Noé et du Déluge. Et, comme si cela ne suffisait pas, sa mère avait légué la moitié de ses biens aux « Friends of Nephilim ». Le Nephilim était une créature à mi-chemin entre l'ange et l'être humain, censée avoir été exterminée lors du Déluge. Tout cela ne pouvait pas être un hasard. Sa mère avait forcément quelque chose à voir là-dedans. Elle a peut-être été tuée par l'assassin des deux autres, se dit Nova.

A présent, elle avait une idée de départ pour élaborer une théorie, même si, pour le moment, elle était assez vague. Nova avait bien conscience qu'elle s'accrochait à un fétu de paille. Mais il fallait bien commencer quelque part.

Elle devait se sortir de cet imbroglio auquel elle était mêlée malgré elle. Elle ne comprenait pas comment elle avait pu en arriver là. Pour la première fois depuis la mort de sa mère, elle souhaita qu'elle fût encore en vie. Elle avait tant de questions et si peu de réponses.

Le bol était vide et Nova était repue. Avant de se coucher, elle s'occupa de ses blessures. De longues traces blanches couraient sur ses bras et ses jambes. Ses plaies avaient cicatrisé. Il y avait encore quelques croûtes ici et là mais elle savait que, demain, elles n'y seraient plus. Même la profonde coupure qu'elle s'était faite à la cuisse était presque refermée. On ne voyait plus qu'un reste de croûte bordée de peau rosâtre.

C'était un souci de moins. Elle n'aurait pas besoin d'aller voir un médecin. En tout cas, je peux compter sur mon corps, se dit Nova.

Amanda ne parvenait pas à s'endormir, alors qu'elle était vidée de toute son énergie. Ses draps étaient chauds et humides. Le matelas lui semblait dur et le sommier sans ressorts. Et, pourtant, ce n'était pas la sensation d'inconfort qui la tenait éveillée ; c'était son cerveau qui pédalait dans le vide. Comment allait-elle pouvoir justifier qu'un membre de son équipe ait tiré sur une jeune femme innocente ? Heureusement, la victime n'avait qu'une blessure sans gravité au bras, mais elle s'était tout de même évanouie sous le choc et était encore bouleversée. L'*Expressen* s'était jeté sur la nouvelle avec délectation et l'épisode faisait la première page de tous les journaux à scandale.

Amanda était convoquée le lendemain, à 8 heures, à la préfecture de police, et arguer de l'incompétence de ses collègues serait du plus mauvais effet. Rejeter la faute sur ces derniers retomberait sur elle dans tous les cas. La seule chose à faire était de raconter les faits exactement comme ils s'étaient passés, décida-t-elle finalement. Morgan s'était trompé. Ce n'était pas une arme que la jeune femme manipulait dans la poche de sa robe mais une simple brosse à cheveux, et son seul crime avait été de mettre son propre nom sur un billet d'avion, à la place de celui qui y était inscrit. La tension nerveuse inévitablement liée à la poursuite d'une tueuse en série avait altéré le jugement du policier et ses nerfs avaient lâché. C'était humain. A l'avenir, ils travailleraient systématiquement en binôme afin d'éviter ce type d'accident. Amanda se répétait ces phrases encore et encore. Pour finir, elle arriva presque à y croire elle-même.

Quand elle eut fini de préparer sa défense, au lieu de s'endormir tranquillement, elle fut assaillie de sombres pensées. Au cinéma, les policiers étaient toujours des héros purs et durs, qui parvenaient à penser à autre chose dès qu'ils avaient fini de jouer les superflics. Mensonges. Les policiers étaient des êtres humains comme tout le monde. Ce soir-là, dans son lit, Amanda se sentait terriblement humaine et infiniment vulnérable. Un tueur en série se promenait en liberté quelque part et elle avait la lourde responsabilité de l'arrêter. Elle pensait aux proches des victimes. Ils avaient besoin que cela s'arrête et besoin de comprendre. Elle pensait aux gens qui risquaient eux aussi de trouver les êtres qu'ils aimaient brutalement charcutés. Et ce serait sa faute à elle. Les images des scènes de crime lui revinrent en mémoire comme une série de diapositives projetées sur sa rétine : intestins, sang et excréments. Est-ce que d'autres victimes allaient connaître la terreur avant d'être dépecées ? Est-ce que d'autres corps profanés allaient être retrouvés ?

Tout cela était trop lourd à porter.

Amanda se mit à pleurer pour la première fois depuis très longtemps.

Elle était seule dans le noir.

Son portable bipa.

L'écran lui révéla qu'il était minuit et demi et qu'elle avait un nouveau message de Moïse. « Oui, viens ! » répondit-elle à sa question : « Je peux venir ? » Cela lui changerait les idées. De toute façon, elle ne réussirait pas à trouver le sommeil.

Et elle ne voulait pas rester seule une seconde de plus.

Amanda alluma sa lampe de chevet et entra sur la pointe des pieds dans la salle de bains, comme si quelqu'un pouvait l'entendre. Elle se peigna les cheveux. Et les remit en désordre. Elle remplaça les traces de ses larmes salées par un petit coup de blush discret. Se mit un peu de mascara brun sur les cils. Se brossa rapidement les dents.

Dans le premier tiroir de sa commode, elle prit sa luxueuse lingerie de chez Agent Provocateur. Elle enfila le string noir et le soutien-gorge en dentelle assorti. Elle remit un peu d'ordre dans le studio. Les vêtements de la veille atterrirent dans le panier à linge. Puis elle se recoucha, tira la couette et éteignit la lumière.

Ensuite, elle resta sans bouger, les yeux ouverts dans le noir, écoutant les bruits de la nuit : le chuintement d'un bus nocturne qui s'arrêtait, un homme un peu éméché qui chantait en boucle une version très personnelle du morceau de Dr Alban, « Sing it, Hallelujah, sing it, Hallelujah », une sirène de bateau venant de Riddarfjärden. Enfin, elle entendit la porte de l'immeuble qui s'ouvrait. Un pas lourd mais rapide montant l'escalier. Et, finalement, le bruit de la sonnette qui déchirait le silence de l'appartement.

Elle attendit deux secondes et sortit lentement de son lit. Marcha d'un pas traînant vers la porte. L'ouvrit en se frottant les yeux. Le goût du café remplit sa bouche quand Moïse l'embrassa. Son costume sentait le cigare. Il claqua la porte dans son dos et la pénombre l'enveloppa. Elle sentait le tissu rugueux de ses vêtements contre son ventre. La cravate l'empêchait d'accéder à sa peau.

Sa peau. Vite.

Le rendez-vous avec Mme le préfet se déroula au-delà de ses espérances. Amanda poussa un énorme soupir de soulagement en refermant la porte de la salle de réunion derrière elle. Le préfet était resté à l'intérieur. Son entretien avec Amanda n'était que le premier d'une longue série. Amanda avait admiré son efficacité et la chaleur de son accueil. Tous les chefs auraient dû se comporter comme elle.

L'entretien avait eu deux conséquences : Morgan avait été déchargé de l'affaire, et Amanda renforcée dans sa position. On lui avait adjoint trois collaborateurs supplémentaires et elle bénéficiait désormais de l'assistance d'Andreas Fahlén, l'attaché de presse de la préfecture. Il prendrait en charge toutes les relations avec les médias. Ce qui convenait parfaitement à Amanda. Elle pourrait se concentrer sur son enquête et aurait à sa disposition des assistants à la gâchette moins sensible.

Tout d'abord, elle allait se mettre en relation avec l'unité de police qui travaillait en étroite collaboration avec les transports en commun de Stockholm en matière de surveillance. En 2007, la SL, Storstockholms Lokaltrafik, avait installé trois mille six cents caméras reliées entre elles en un réseau appelé Tubnet 3. Les caméras installées par la police dans les années 1960 avaient été remplacées dans une dizaine de gares. Ce projet de surveillance pharaonique, baptisé Trygghetsprojektet, était le fruit de la collaboration des services de sécurité, de la police et de la ville de Stockholm. La SL y trouvait un intérêt économique parce que le nettoyage des graffitis lui coûtait chaque année un milliard de couronnes. La police pourrait ainsi prévenir certains délits et rassembler des preuves. Très proche de cette idée, dont elle avait été l'une des instigatrices, Amanda espérait vivement qu'une caméra lui révélerait où Nova était partie après avoir retiré tout cet argent de son compte en banque.

La victime de l'aéroport leur avait dit que Nova se dirigeait vers la place Sergel quand elle lui avait donné le billet d'avion. Il y avait de fortes chances pour qu'elle ait pris le métro. Amanda appela Kent et lui demanda de visionner les films du métro et de les trier avec l'aide des techniciens. De son côté, elle fouillerait un peu dans le passé de Nova. Sa journée de travail se présentait bien. Elle avait puisé un regain d'énergie dans le soutien de sa supérieure hiérarchique. Elle trouverait peut-être même le temps de faire une réunion avec sa nouvelle équipe.

Alors qu'elle sortait de l'hôtel de police, son portable émit un signal et afficha un message de Moïse. Bizarre, d'habitude ils n'avaient aucun contact d'ordre privé dans la journée. Elle ouvrit le message qui l'invitait à télécharger une nouvelle sonnerie. Ça ne lui ressemble pas du tout, pensa Amanda, mais elle cliqua quand même sur « oui ». Le téléchargement était prêt lorsqu'elle arriva dans la rue et Amanda entendit « The Final Countdown » dans la version de Crazy Frog. Moïse est devenu fou, se dit Amanda en souriant avant de monter dans sa Golf.

Klas Granquist attendait déjà à une table près de la fenêtre, au Wayne's Coffee Shop. A la différence des autres clients, qui buvaient cappuccinos, thés chai ou cafés frappés, il avait devant lui un simple café filtre. Les miettes dans l'assiette à côté de la tasse révélaient la consommation d'un petit pain à la cannelle. Amanda le repéra immédiatement. Après quinze années dans la police, elle savait reconnaître un flic quand elle en voyait un. En l'occurrence, ce n'était pas sorcier. Il était le seul client masculin de plus de quarante ans, et avait passé cet âge depuis longtemps. « Je prends ma retraite au nouvel an », lui avait-il dit au téléphone.

Quand Amanda plaisantait avec ses amis, elle avait l'habitude de dire qu'il existait deux sortes de retraités de la police : ceux qui pétaient les plombs et mouraient au bout d'un an, et ceux qui s'achetaient un chien et partaient vivre à Málaga avec leur femme. Klas semblait plutôt appartenir à la seconde catégorie, si on en jugeait par les rides de rire qu'il avait aux coins des yeux et son apparence joviale. Sa barbe grise était courte et bien soignée. Un début d'embonpoint commençait à marquer son tour de taille. Il doit être capable de mettre à l'aise le plus endurci des criminels, pensa Amanda.

Klas se leva aussitôt qu'il eut croisé le regard d'Amanda et lui tendit une main ferme et chaleureuse. Elle la lui serra puis s'excusa en désignant du menton la vitrine réfrigérée. Elle pensait prendre une salade, mais en voyant les focaccias exposées sur le rayon supérieur, elle fut incapable de résister. L'appel de son estomac était le plus fort.

— Je voudrais une focaccia jambon de Parme et mozzarella, s'il vous plaît, demanda-t-elle en posant l'argent sur le comptoir.

Ensuite seulement elle alla rejoindre Klas à la table près de la fenêtre.

— J'ai entendu parler de vous, annonça-t-il dès qu'elle se fut assise en face de lui.

— Oui, tout le monde connaît la vieille guenon, répliqua-t-elle en riant.

— Désolé, ce n'est pas ce que je voulais dire, répondit Klas avec une mine réellement contrite.

— Ne vous inquiétez pas, je comprends ce que vous voulez dire, ajouta rapidement Amanda, espérant clore le sujet.

La dernière chose qu'elle voulait était de tendre l'atmosphère. Elle avait l'habitude qu'on la reconnaisse. Quand elle avait commencé l'école de police, Amanda était un cas isolé. Il n'y avait pas encore de préfet de sexe féminin et très peu de femmes flics sur le terrain. A présent, un tiers des postulants étaient des postulantes et l'excellence des lauréates était plus souvent recherchée que remise en question. Aujourd'hui, elle considérait plutôt sa célébrité comme un hommage et, souvent, elle lui faisait gagner du temps. Toute publicité vaut mieux que pas de publicité du tout.

— Parlez-moi de Nova Barakel, demanda-t-elle.

149

— Comme vous le savez déjà, elle s'est attaquée à son violeur. A l'époque, je ne sais pas si je l'ai admirée ou si elle m'a terrifié. Elle avait tout juste quinze ans et elle a fait de la chair à pâté d'un homme dans la force de l'âge.

— Comment s'y est-elle prise ?

— On n'a jamais vraiment réussi à savoir ce qui s'était passé, mais d'après l'autopsie le gars avait plusieurs hémorragies dans la tête et dans le ventre. Sa boîte crânienne était partiellement enfoncée. Il est mort parce que son cerveau s'est mis à enfler. Les médecins n'ont pas pu intervenir à temps. A un moment, on a cru que quelqu'un l'avait aidée et qu'elle couvrait son défenseur.

— C'était le cas ?

— On n'a pas pu le prouver.

— Et quelle était la version de Nova ?

— D'abord, elle n'a rien voulu dire du tout. Son violeur l'avait blessée profondément à la gorge. Elle a juste expliqué qu'elle s'était mise en colère parce qu'il lui avait touché les seins.

— J'imagine qu'il ne lui a pas touché que les seins ?

— Non, mais pour une raison ou pour une autre, c'est ça qui l'a le plus affectée. Sacré caractère. Je n'aurais pas aimé qu'elle se mette en colère contre moi !

Amanda pensa à la cicatrice que Nova avait au cou et demanda :

— Mais comment a-t-elle fait pour frapper son agresseur au point de le tuer alors qu'elle était elle-même blessée ?

— Je me pose la même question. Les ambulanciers l'ont ramassée à cinq mètres du gars. Complètement dans les vapes. Elle avait perdu beaucoup de sang. S'ils étaient arrivés une demi-heure plus tard, elle ne s'en serait sans doute pas sortie.

— Si j'ai bien compris, elle n'a pas été inculpée ? s'étonna Amanda.

— Non. La partie civile a fait appel, mais Nova avait un sacrément bon avocat. Sa propre mère, Elisabeth Barakel.

— Vous croyez qu'elle serait capable de tuer à nouveau ?

Klas Granquist réfléchit longuement. Il eut l'air de peser ses mots. Il répondit :

— Oui, si elle est acculée, elle se défendra.

— Et uniquement dans ce cas-là ?

Klas Granquist haussa les épaules, dubitatif.

Nova n'y voyait pas à un mètre. Il faisait noir comme dans un four. L'air était chaud, doux et enveloppant. Une brise légère jouait dans les branches. A part cela, elle n'entendait que le bruit de sa propre respiration. Malgré la chaleur, l'automne approchait à la vitesse d'un vent de tempête. Son réveil avait sonné à 23 heures, après qu'elle eut dormi quelques heures. Le dernier métro partait à minuit et demi et elle avait l'intention de le prendre. Elle avait plusieurs kilomètres de forêt à parcourir dans l'obscurité pour atteindre la station. Pour Nova, ce n'était pas un problème ; elle avait le sens de l'orientation, elle savait lire une carte et utiliser une boussole, c'était même un de ses hobbies. Elle était dans son élément et, grâce à sa razzia chez Playground, elle avait tout ce qu'il lui fallait : Suunto X9, une montre agrémentée d'un GPS et munie d'une fonction appelée « find-home ». Nova considérait le gadget comme une arnaque et n'avait pas l'intention de l'utiliser. Une boussole et une carte lui suffisaient.

A la lumière de la lampe de poche, elle démonta la tente et rangea soigneusement toutes ses affaires dans le sac à dos qu'elle dissimula entre la falaise et un grand sapin. Elle emporta avec elle les emballages en plastique de ses repas. Elle se souvenait d'une récente campagne anglaise contre les sacs en plastique. Un des films surtout lui était resté en mémoire : on y voyait une cigogne emmaillotée dans une grande poche en plastique transparent. Seul son bec dépassait encore.

A un moment, ils s'étaient demandé chez Greenpeace s'ils allaient lancer une campagne similaire en Suède, mais avaient finalement décidé de se concentrer sur les transports de passagers et de marchandises. Les Suédois ne jetaient pas tellement de sacs en plastique dans la nature et les émissions de carbone diminueraient plus vite en réorganisant le transport des denrées qu'en réduisant le nombre des sacs. Ce débat semblait terriblement éloigné à Nova, alors qu'une semaine auparavant il était au centre de ses préoccupations.

Elle commença sa randonnée nocturne.

La lampe de poche traçait un étroit chemin lumineux devant elle.

S'il avait fait jour, elle aurait avancé tout droit à travers la forêt et les champs, mais, dans le noir, le risque était trop grand de trébucher et de se tordre une cheville. Elle ne pouvait pas se le permettre. Elle choisit donc d'emprunter l'une des allées les plus larges, fréquentée dans la journée par les joggeurs, les cyclistes et les promeneurs. A cette heure-ci, elle était déserte. L'odeur de la mousse et des arbres centenaires était omniprésente. En d'autres circonstances, elle aurait profité de la promenade mais, cette nuit, elle se sentait oppressée et inquiète.

Nova arriva vingt minutes avant le départ de son train. Comme c'était le dernier, elle avait préféré prendre de la marge. Une bande d'adolescents se tenait à l'autre bout du quai. Ils étaient bruyants et, visiblement, ils avaient beaucoup bu. Nova se surprit à les trouver puérils quand elle vit deux d'entre eux gonfler le torse et se provoquer mutuellement comme des jeunes coqs. Elle n'avait que deux ou trois ans de plus qu'eux. C'est affreux comme je me sens vieille, se dit-elle. Elle s'assit sur un banc et attendit.

Ses pensées la ramenèrent à la visite qu'elle avait faite à la Bibliothèque nationale. En une heure, elle était parvenue à lire tout ce que le bibliothécaire lui avait trouvé sur les Nephilim et était arrivée à la conclusion qu'il était bien difficile de trier le vrai du faux. Elle avait également constaté qu'il était pratiquement impossible de connaître l'origine des textes et des récits. Les mêmes versets concernant les Nephilim avaient été interprétés d'innombrables manières différentes à travers les millénaires. Si l'on prenait l'étymologie du mot, Nephilim pouvait signifier « les déchus » ou encore « les exclus ».

Nova se demanda si le nom avait pu être adopté par une sorte d'organisation mafieuse avec laquelle sa mère aurait été en affaires. Elle savait que certains des clients d'Elisabeth Barakel s'étaient montrés particulièrement discrets. Des activités risquées mais lucratives. Ma mère a peut-être été assassinée par la mafia, se dit Nova, et maintenant ils essaient de se débarrasser de moi aussi.

Le train entrait en gare et elle monta à bord.

Amanda regarda avec dégoût son pauvre sac, gisant par terre dans un coin de son appartement. Deux semaines auparavant, elle l'avait convoité. Aujourd'hui, sa situation avait bien changé. Son compte en banque était vide, son porte-monnaie ne contenait plus une couronne et sa paye ne tomberait que dans quelques jours. Il ne lui restait de l'argent qu'à un seul endroit, dans le sac à main, et elle n'avait aucune envie d'aller l'y chercher.

Elle prit une grande goulée d'air, retint son souffle, puis elle ramassa le sac du bout des doigts et le transporta dans sa micro-salle de bains. Elle l'ouvrit d'un geste rapide. Une partie de l'ancien contenu de son estomac s'était desséchée, l'autre avait moisi. Elle comprit qu'elle venait d'avoir une très mauvaise idée.

Son cerveau commença à lui envoyer des signaux de désordre gastrique. Elle ne pouvait pas rester en apnée plus longtemps. Elle vida le sac dans le lavabo. Portefeuille, maquillage et vieux tickets de caisse se mélangèrent avec les restes de nourriture. Il fallait absolument qu'elle prenne sa respiration.

Elle n'aurait pas dû rester dans cette pièce exiguë. Une puanteur infecte lui envahit les narines. Elle dut pivoter à cent quatre-vingts degrés pour rendre son dîner dans la cuvette des toilettes. Quand ses spasmes furent calmés, elle alla chercher un sac en plastique dans le coin-cuisine. Elle retourna en apnée dans le cabinet de toilette. Elle jeta rapidement tout dans la poche plastique, hormis le portefeuille qu'elle ouvrit à contrecœur. Les billets de banque, la carte de crédit et sa carte de membre de la salle de sport Sats retournèrent dans le lavabo, le reste se retrouva dans le sac auquel elle fit consciencieusement un nœud.

Amanda passa la tête hors du réduit pour reprendre sa respiration et revint ensuite ouvrir le robinet en grand, afin de laisser l'eau rincer les billets et les cartes. L'air s'assainit et elle put bientôt respirer normalement. Elle essuya délicatement les billets de banque l'un après l'autre avant de les étendre sur le sèche-serviette. En un rien de temps, les tubes chauds les eurent séchés.

Elle fut prise d'une nouvelle nausée.

J'ai connu des jours meilleurs, se dit-elle.

Nova, postée discrètement au coin de sa rue, surveillait la maison.

Elle semblait abandonnée.

Elle eut l'impression qu'elle la regardait méchamment avec ses fenêtres noires et vides.

Nova était mal à l'aise. Il n'y avait aucun policier en vue et, pourtant, elle n'osait pas s'approcher. Elle ne se sentait déjà plus chez elle alors qu'elle était partie depuis deux jours à peine. Après avoir regardé à droite et à gauche, elle se faufila jusqu'à la porte et enfonça la clé dans la serrure. Elle fit deux tours sans grincer.

Nova ouvrit la porte et entra.

Elle se figea dès son premier pas.

C'était quelque chose dans l'air, dans l'atmosphère de la maison.

Comme une odeur qui n'aurait pas dû s'y trouver.

Nova fut sur le point de faire demi-tour mais se ravisa. Bien sûr qu'il y avait quelque chose de changé. La maison avait été envahie par les flics, se raisonnat-elle. En refermant la porte, elle aperçut la caméra qui enregistrait toujours. Il faudra que j'efface la bande, pensa Nova en avançant dans le couloir.

Je ne savais pas que la police cambriolait les gens, se dit-elle en constatant la disparition des gravures et des cadres. Elle essaya de sourire de sa propre plaisanterie mais n'y parvint pas.

Il y avait décidément quelque chose d'anormal. Elle dut faire un effort pour continuer à avancer. Elle ne pouvait pas se permettre de renoncer. Son objectif était le bureau. C'était là qu'elle voulait aller. Elle vit un peu partout des signes de la fouille policière : un tapis roulé dans un coin, une chaise déplacée et des tas de livres sortis de la bibliothèque et posés par terre.

Par deux fois, Nova se retourna dans l'escalier. Elle avait la sensation que quelqu'un la suivait des yeux. Mais, quand la lampe de poche perça l'obscurité, elle ne vit personne. Je vais vendre cette maudite maison, décida Nova.

Elle évita de s'asseoir sur la chaise du bureau et approcha à la place un tabouret près de la fenêtre, qui servait de piédestal à une plante verte. La police avait visiblement fait un travail de fond dans cette pièce. L'ordre méticuleux de sa mère était complètement bouleversé. Ses papiers étaient sens dessus dessous. Nova ouvrit tiroir après tiroir. Le premier était étiqueté « comptabilité » et contenait factures et avis d'imposition de plusieurs décennies rangés année par année. Aucun intérêt. Le deuxième avait toujours été fermé à clé. Nova savait qu'il recelait des informations sur les clients d'Elisabeth. La serrure avait été forcée, et le tiroir était vide. Les flics avaient dû tout emporter. Dans le troisième se trouvaient plusieurs piles de photos.

Nova avait déjà vu la plupart d'entre elles. C'étaient des prises de vue d'une mère apparemment heureuse et de sa petite fille : Nova à cinq ans, à poney sur la plage de Skansen, Nova et sa mère qui mangeaient une glace au zoo, une plus récente de Nova, le jour de la remise de son diplôme du baccalauréat. Alors qu'elle était en train de regarder cette dernière photo, elle remarqua un visage à l'arrière-plan. Il était petit et flou parce que le point avait été fait sur elle, mais Nova n'eut aucun mal à le reconnaître ; c'était Peter Dagon qui regardait droit dans l'objectif. Nova jeta la photo au fond de son petit sac à dos noir et continua à fouiller dans les papiers. Elle n'avait pour l'instant ni le temps ni l'énergie de se demander ce que cette photo signifiait.

Le dernier tiroir portait la mention « divers ». Il était plein de dossiers. Certains concernaient la maison, d'autres le portefeuille d'actions de sa mère ou la scolarité de Nova. Puis elle en souleva deux qu'elle trouva insolites dans les affaires de sa mère. L'un s'appelait « L'Anomalie d'Ararat » et contenait des notes ainsi que des photos satellites, et l'autre s'intitulait « Le réseau électrique suédois ». A l'intérieur de celui-là, elle trouva principalement des cartes. Nova glissa les deux chemises cartonnées dans son sac à dos. Elle ne trouva rien d'autre qui l'intéressât.

Ensuite, elle alla dans sa chambre pour y prendre quelques vêtements. Le sentiment de ne pas être la bienvenue dans cette maison se renforçait alors même qu'elle était entourée de ses propres affaires. Nova rassembla son courage et retourna dans le couloir. Elle éclaira à droite puis à gauche avec sa lampe mais ne vit rien d'anormal.

L'échelle du grenier grinça quand elle la fit descendre et gémit encore lorsqu'elle la gravit. C'était comme si la maison ne voulait pas d'elle. L'obscurité s'ouvrit à contrecœur quand le faisceau de sa torche éclaira les angles du grenier. Elle ne constata pas de changement notable depuis son dernier passage mais elle remarqua que les CD de surveillance avaient disparu. L'ordinateur était toujours branché. Nova s'assit, l'alluma et entra les codes d'accès. Apparemment, la police l'avait fait avant elle : le disque dur ne contenait plus que le film de la dernière journée. Par curiosité, elle appuya sur « lecture » et visionna les films de toutes les caméras en les affichant simultanément à l'écran, dans des fenêtres séparées.

Il y avait encore quelques policiers dans la maison au début de l'enregistrement, mais ils avaient l'air d'être en train de remballer. Nova passa en accéléré des images sur lesquelles elle les voyait fouiller dans ses objets personnels, et se diriger un à un vers la sortie. Le dernier, un homme d'une cinquantaine d'années, assez corpulent, verrouilla derrière lui. Nova allait effacer la bande quand elle arrêta son geste à la dernière seconde. Une ombre venait de passer devant l'une des caméras. J'ai dû rêver, se dit-elle. Pas parce qu'elle n'était pas sûre d'avoir vu quelque chose, mais parce qu'elle préférait ne pas l'avoir vu. Le dernier policier était parti depuis près d'une demi-heure et la maison était éteinte et vide. Comment aurait-il pu y avoir quelqu'un ?

Le grenier était exigu et angoissant. Nova regarda une fois de plus par-dessus son épaule mais ne vit que des vieux meubles.

D'une main hésitante, elle revint un peu en arrière sur le film et le fit défiler à nouveau à l'allure normale. Elle ne savait pas si elle aurait le courage de le

157

regarder une deuxième fois mais elle ne pouvait pas non plus l'effacer et ignorer ce qu'elle était certaine d'avoir vu. Trois des caméras ne filmaient que l'obscurité qui régnait partout dans la maison. Seule la caméra du bureau affichait une image. On y voyait vaguement les contours des meubles et des œuvres d'art. Une faible lumière venant de la rue éclairait le bureau. Nova sursauta en voyant une ombre passer devant la caméra.

Quelqu'un s'asseyait sur la chaise devant la table de travail.

Elle distingua clairement la silhouette d'une femme.

La femme tourna la tête et regarda vers la fenêtre.

Le réverbère éclaira son visage. C'était sa mère.

C'était son parfum qu'elle avait senti dans toute la maison.

Blanche comme la craie, Amanda était assise sur la lunette des W-C. Ça ne peut plus durer, pensa-t-elle. Elle n'avait pas seulement vomi son déjeuner, mais également son dîner. Le déjeuner de la veille avait traversé son système digestif à une telle allure qu'elle doutait même de s'être alimentée. Alors que j'ai besoin de toute mon énergie pour résoudre cette affaire, se dit-elle en se relevant pour se laver les mains. Elle sortit de la salle de bains et alla chercher son portable. Le service des renseignements lui communiqua le numéro du dispensaire le plus proche. Après dix minutes d'attente, on lui donna un rendez-vous deux jours plus tard. Amanda regarda l'heure. Il restait quarante minutes avant la réunion qu'elle-même avait organisée. Elle poussa un gros soupir et enfila lentement une paire de baskets blanches. Aujourd'hui, elle ne se sentait pas capable de porter des talons hauts.

Quand elle arriva dans la salle de réunion, elle était vide. Il était 8 heures moins une minute. Elle jeta un coup d'œil dans le couloir : personne. Il y avait quelque chose d'anormal mais elle ne savait pas quoi. Sans sortir son carnet de notes, Amanda s'assit et attendit. Elle décida de leur accorder une minute, pas plus.

Une minute passa.

La pièce était toujours aussi vide.

Amanda prit son téléphone et appela Kent.

— Où est-ce que tout le monde a disparu ?

— Je suis désolé, j'ai essayé de te joindre, je suis coincé dans les embouteillages. Il y a un camion-poubelle qui a reculé sur l'E4 et provoqué un carambolage.

— Reculé ?

— Oui, reculé. Le chauffeur a dit qu'il avait eu un moment d'absence.

— Tu es en train de me dire que ma réunion est annulée parce qu'un éboueur a eu un moment d'absence ? demanda Amanda, agacée.

— C'est bon, ne t'énerve pas, elle est juste repoussée d'une demi-heure.

— Et je peux savoir pourquoi je n'ai pas été mise au courant ?

— On a essayé de te joindre mais tu es tout le temps au téléphone.

Maintenant, c'était au tour de Kent d'être agacé.

— Je n'ai pas parlé au téléphone une seule seconde aujourd'hui. Mon portable n'a pas émis un son depuis ce matin, répondit Amanda.

— En tout cas, j'ai essayé de t'appeler des dizaines de fois. Il doit y avoir un problème.

— Là, il a l'air de fonctionner, non ?

Après avoir raccroché, Amanda regarda son portable avec perplexité, haussa les épaules et le posa sur la table devant elle. Elle décida de rester dans la salle de réunion pour attendre son équipe.

Kent arriva le premier et lui dit :

— Excuse-moi si j'ai été un peu sec au téléphone tout à l'heure. C'est moi qui ai retardé cette réunion.

Amanda mit quelques secondes à comprendre ce que Kent racontait. Elle avait complètement oublié leur petite dispute et ne s'attendait pas à des excuses. Elle avait souvent par le passé été surprise de rencontrer une telle sensibilité dans ce grand corps. Cela lui fit chaud au cœur qu'il se souciât de ce qu'elle ressentait. En plus, il semblait sincère.

— Tout va bien, ne t'inquiète pas, lui répondit-elle en étalant ses papiers sur la table.

Quelques minutes plus tard, tout le monde était arrivé. Les trois nouveaux avaient passé la journée précédente à se familiariser avec l'affaire. Un des agents de la police scientifique était là également. Il avait participé à l'expertise chez Nova. C'était le trentenaire avec ses cicatrices d'acné juvénile. Il était présent aussi dans l'appartement du P-DG de Vattenfall. Amanda savait maintenant qu'il s'appelait Emil Ekenkrona. Il prit la parole le premier :

— On a trouvé deux choses intéressantes chez Nova Barakel. D'abord la combinaison, que nous avons maintenant reliée à la première scène de crime. Elle était presque superflue puisque nous avions déjà analysé les vomissures de Nova, mais si j'ai bien compris, elle vous donne une heure.

— Oui, précisa Amanda. D'après le garçon qui travaille au Seven-Eleven, la femme en combinaison orange a quitté le bar à 23 h 30. Le meurtre a donc eu lieu après cette heure-là. J'attends le résultat de l'autopsie pour en avoir confirmation.

— Deuxième élément intéressant : le tiroir dans lequel la mère de Nova Barakel rangeait les dossiers de ses clients a été forcé et vidé.

— Est-ce que quelqu'un a une théorie ?

— Ça peut être Nova ? hasarda Kent.

— C'est le plus probable, mais pourquoi l'aurait-elle fait ? demanda Amanda en les regardant l'un après l'autre.

Emil Ekenkrona se lança :

— Nova était elle-même une ancienne cliente de sa mère, elle n'a peut-être pas eu le temps de trouver ce qu'elle voulait cacher et elle a embarqué tout le bazar ?

— Ou alors sa mère lui avait demandé de détruire certains papiers dans le cas où elle viendrait à disparaître ? suggéra Kent.

— Ça ne pourrait pas être les gens de Greenpeace ? demanda Emil Ekenkrona. Ils sont militants, ils font sauter des bateaux et tout ça ?

— Arrête, tu dérailles, l'interrompit Kent d'une voix qui fit sursauter tout le monde autour de la table. Au contraire, ce sont les services secrets français qui ont fait sauter leur bateau, le *Rainbow Warrior*, parce qu'ils protestaient contre les essais nucléaires dans la Barrière de corail.

— Ça ne date pas d'hier, hein ? dit Amanda en cherchant dans sa mémoire.

— Au milieu des années 1980, répondit Kent. Il y a eu un procès retentissant. Greenpeace a été dédommagé et a pu se racheter un bateau.

— Comment fais-tu pour te souvenir de tout ? demanda Amanda, qui avait toujours été épatée par tout ce que la mémoire de Kent parvenait à emmagasiner.

— Je suis sympathisant de Greenpeace. Je leur donne cent couronnes tous les mois.

— Ce n'est peut-être pas idiot d'interroger Greenpeace quand même, insista Emil Ekenkrona en évitant le regard de Kent.

— J'irai les voir, promit Amanda, mais il faut vraiment qu'on mette le paquet pour retrouver Nova. A ce propos, qu'est-ce qu'on a sur les films du métro, Kent ?

— J'ai rendez-vous avec les gars de la surveillance cet après-midi. Je te tiendrai au courant. En revanche, j'ai eu la liste des appels sur le portable de Nova, et j'ai trouvé un truc intéressant.

Tous les regards se tournèrent vers Kent.

— Nils Vetman lui a téléphoné.

— Merde ! Et ça veut dire quoi à votre avis ? demanda Amanda, persuadée que tout le monde savait qui il était.

Nils Vetman était célèbre en sa qualité de défenseur des criminels de droit commun. Officiellement, il ne les représentait que devant les tribunaux, mais la police savait pertinemment qu'il les aidait aussi à faire miraculeusement disparaître leur argent aux quatre coins de la planète. Il sortait d'une grande école de commerce en plus d'avoir fait son droit, et ses connaissances lui avaient permis de mener une magnifique carrière d'avocat véreux. Amanda savait que ses collègues aux affaires financières l'avaient dans le collimateur, sous haute surveillance. Le procureur Hans Ihrman, qui dirigeait une commission visant à localiser l'argent de la pègre, avait cité son nom lors d'une assemblée exceptionnelle à laquelle Amanda avait assisté.

Personne autour de la table n'avait la moindre idée de ce que Nova et Nils Vetman pouvaient avoir en commun. Je vais tout simplement aller lui poser la question, se dit Amanda.

Eddie marchait à pas lourds vers son immeuble situé au 21 Brådstupsbacken, dans le quartier de Mälarhöjden. Le soleil faisait briller les gouttes de sueur qui couvraient son front. Il était en jean et en pull à manches longues quand la police était venue le chercher. Et il portait encore la même tenue. Il ouvrit la porte et se traîna trois étages plus haut.

Soupçonné de meurtre.

Ça l'avait mis K-O. Bien sûr, on l'avait relâché faute de pouvoir le relier de quelque façon que ce soit au crime ou au lieu du crime. Il avait déjà été arrêté une fois, lors d'une manifestation contre la construction d'une centrale thermique au charbon.

Mais ça n'avait rien à voir et il avait considéré le désagrément comme un dommage collatéral.

En collaboration avec un groupe de militants allemands, il avait installé un énorme dinosaure d'acier et trois tonnes de charbon devant les bureaux de Vattenfall en Allemagne. Ils avaient distribué des prospectus et expliqué à qui voulait l'entendre qu'avec ses émissions de carbone à hauteur de quatre-vingt-dix millions de tonnes la société Vattenfall polluait plus l'atmosphère que la Suède tout entière. Cet état de fait n'empêchait pas son P-DG d'être le conseiller en écologie de la chancelière Angela Merkel. N'y avait-il pas là une incohérence ? Bon, apparemment, maintenant il était mort. Et la police le croyait mêlé à son assassinat. Et Nova aussi. Quelle idée ridicule. Nova était incapable de faire du mal à une mouche, et encore moins à un être humain. Pas sa Nova.

Eddie sortit son portable de sa poche et essaya de joindre Nova pour la huitième fois. Même s'il n'entendait au bout de la ligne qu'un court enregistrement, sa voix lui faisait du bien. Il laissa un message et ouvrit la porte de son appartement. La lumière l'aveugla. Toutes ses fenêtres étaient orientées vers le lac Mälaren. Trois étages et une petite côte le séparaient de Klubbensborg, où les nantis accostaient avec leurs voiliers pour profiter des joies de la saison estivale à la fin du XIXe siècle.

L'unique pièce de son appartement était séparée en deux. Dans la première moitié se trouvaient un lit à une place et un bureau avec un ordinateur. L'autre moitié tenait plus du débarras que du logement et servait à entreposer le matériel de plongée sous-marine. La plongée était la grande passion d'Eddie.

Sur un portant était suspendu son équipement ; une combinaison sèche ainsi qu'une paire de chaussons étaient accrochées à des cintres ; au-dessous étaient posées de lourdes palmes de l'armée.

Au pied du mur étaient dressés deux bouteilles, un gilet stabilisateur et deux autres contenant des mélanges différents. Sur une étagère fixée au mur du fond étaient rangés des gants, des caleçons longs, des bottillons à semelles rigides et toutes sortes d'objets indispensables au passionné qu'il était.

Son réveil était placé sur l'ordinateur qu'il alluma tout de suite en arrivant, espérant avoir un message de Nova. Pendant que le PC se mettait en marche, il alla chercher dans le réfrigérateur une tablette de chocolat noir bio à soixante-dix pour cent de cacao. Eddie en croqua un gros morceau et le laissa fondre dans sa bouche.

Il lut avec déception la liste des expéditeurs des dix mails contenus dans sa boîte de réception. Aucun ne venait de Nova et la moitié d'entre eux étaient des spams. Pour se changer les idées, il ouvrit une circulaire envoyée par Greenpeace. D'abord, il parcourut le mail sans y prêter attention. Il se demanda s'il avait bien lu. Puis il le relut une deuxième fois avec intérêt et concentration. Vingt-six millions et demi. Greenpeace n'avait jamais, dans toute son histoire, reçu une donation de ce montant en Suède. Le donateur semblait être une fondation dédiée aux problèmes climatiques qui portait le sigle FON. Bizarre que je n'aie jamais entendu parler de cette fondation, pensa Eddie. Comme d'habitude, il se dit immédiatement : Il faut que j'en parle à Nova ! Ce n'est qu'en tombant sur sa boîte vocale une fois de plus qu'il réalisa : personne ne savait où se trouvait Nova.

L'eau était parfaitement calme et sa surface lisse comme un miroir. De temps à autre, des cercles se formaient quand un insecte se retrouvait en perdition ou qu'une ablette remontait pour le dévorer. La forêt était déserte. La ville avait repris son rythme habituel après la fin des vacances d'été. Nova était assise sur une pierre. Elle se rafraîchissait les pieds dans l'eau tiède, perdue dans ses pensées.

Après sa visite de la maison, elle était revenue à son campement en hélant un taxi au coin de la rue. Quand il l'avait déposée, elle avait hésité un moment avant de pénétrer dans la sombre réserve de Nacka. Alors qu'elle l'avait jusqu'ici trouvée hospitalière, elle lui paraissait maintenant terrifiante. Pour finir, elle s'était assise sur un trottoir, sous un réverbère, jusqu'à ce que les premières lueurs de l'aube percent l'obscurité. Chaque ombre entrevue semblait receler une menace. Elle était restée des heures immobile, la main crispée sur son portable. Elle avait fait appel à toute la force de sa volonté pour ne pas remettre la batterie dans le téléphone et appeler Arvid. Sa présence était ce qu'elle souhaitait le plus au monde.

Nova appréhendait le crépuscule, qui serait de nouveau là dans quelques heures. La bande vidéo sur laquelle elle avait vu sa mère défilait en boucle dans sa tête. Comment Nova avait-elle pu voir ce qu'elle avait vu ? Etait-ce une nouvelle façon de la punir ? De lui montrer que, même morte, elle était toujours aux commandes ? Nova ne savait plus où elle en était.

La haine et la colère finirent par la submerger. Morte ou vivante, je ne te laisserai plus détruire ma vie, démon.

Nova se saisit d'une pierre qu'elle lança dans l'eau avec rage aussi loin qu'elle le put. Puis elle se leva, furieuse, et retourna au campement. Son petit sac à dos était tout au fond, dans un coin de la tente, et elle rampa à quatre pattes pour aller le chercher. Elle étala les deux cartes et la photo qu'elle avait trouvées dans la maison, par terre devant la tente. Elle commença par étudier attentivement la photographie. Il n'y avait aucun doute. Comme hier, elle y reconnaissait clairement Peter Dagon. Qu'est-ce qu'il foutait à ma remise de diplôme ? se demandait Nova. Elle n'avait aucun souvenir de l'avoir rencontré dans son lycée. Elle était certaine qu'il ne l'avait à aucun moment félicitée, et il n'avait pas davantage salué sa mère. Pour quelle raison ? Et pourquoi Elisabeth avait-elle légué des millions à sa fondation un an plus tard ?

Ils ne voulaient pas qu'on sache qu'ils se connaissaient, fut la conclusion à laquelle elle parvint.

Nova posa la photo et prit le dossier appelé « Le réseau électrique suédois ». Sur le dessus se trouvait une carte de la Suède marquée de traits et de flèches rouges quadrillant tout le pays. Suivaient diverses cartes des plus grandes villes suédoises : Stockholm, Göteborg, Malmö et Uppsala. Celles-là aussi étaient quadrillées de rouge. En bas de chaque carte, il y avait une sorte de dessin mais Nova ne comprenait pas ce qu'il représentait. Alors elle remarqua un gros nuage marqué « Internet ». Tout en bas de la page, du côté droit, elle lut une annotation de l'écriture de sa mère : « Svenska Kraftnät 1/3 ».

Dans son travail chez Greenpeace, Nova avait eu l'occasion de s'informer très précisément sur le rôle de Svenska Kraftnät. Ils protégeaient la centrale d'énergie électrique suédoise et avaient la responsabilité de la distribution d'électricité dans le pays. Ils avaient à charge d'assurer la livraison dans les entreprises aussi bien que dans les foyers. Pourquoi sa mère avait-elle un plan de leur réseau informatique ? C'était incompréhensible. Ce réseau était forcément confidentiel !

L'autre dossier, intitulé « L'Anomalie d'Ararat », étonna plus encore Nova. Il contenait deux photos. La première était vieille et avait été prise en noir et blanc. La deuxième était récente et marquée d'un point GPS : 39° 42' 10'' N, 44° 16' 30'' E. Nova pensa qu'il s'agissait d'un endroit situé quelque part à l'est de la Méditerranée. Les deux photos représentaient la même chose à deux époques et à deux saisons différentes. Une silhouette sombre sous un manteau neigeux immaculé. Sur la photo la moins ancienne, l'objet était plus grand et ses contours plus nets. On dirait un bateau, se dit Nova, ou une très vieille épave. Le dernier document contenu dans le dossier était une présentation Powerpoint datée du 12 septembre 2003, rédigée par un certain George McAlley. La présentation avait été intitulée « Vestiges de l'arche de Noé » et reprenait toute l'histoire de l'Arche, ainsi qu'un argumentaire tendant à prouver qu'elle se trouvait sur une montagne du nom d'Ararat.

Nova lut une énumération de preuves historiques :

— Bérose, historien de Babylone, parlait en l'an 275 avant J.-C. d'un « bateau » sur la montagne.

— Un texte de l'historien juif Flavius Josèphe, datant du Ier siècle après J.-C., faisait état d'un morceau de « navire » posé sur la montagne.

— Nicolas de Damas, un autre historien du Ier siècle, parlait d'« éléments d'une construction navale » se trouvant près du sommet.

— Même le célèbre explorateur Marco Polo, faisant route vers la Chine à la fin du XIIIe siècle, écrivit dans ses *Voyages de Marco Polo* que l'arche de Noé était toujours présente au sommet du mont Ararat.

La quête de l'arche de Noé, Nephilim et la Genèse, il y a un fil conducteur, mais qu'est-ce qu'il implique ? Et en quoi les clients de ma mère sont-ils concernés par tout cela ? Son regard tomba sur la photo de Peter Dagon.

— Toi, tu peux répondre à cette question, dit Nova à voix haute en le regardant droit dans les yeux.

Amanda tourna à l'angle de Götgatan et remonta Hökens gata sur trente mètres. Quand elle s'arrêta au numéro 2 de la rue, elle vit une très vieille enseigne en noir et blanc, représentant un navire et portant l'inscription : « Recherche : Pêcheur de blackfish, récompense 10 000 couronnes ». Je suis au bon endroit, se dit-elle en appuyant sur la sonnette. Une femme d'une trentaine d'années lui ouvrit.

— Je cherche Stefan Holmgren, lui expliqua Amanda.

— Oui, je l'ai vu ici aujourd'hui. Je vous demande une minute, attendez-moi là, répondit la femme en désignant une table ronde couverte de brochures.

Quand elle revint, elle dit à Amanda :

— Je suis vraiment désolée, mais je ne le trouve pas. Je sais qu'il est là. Il est sans doute allé aux toilettes, ou bien faire une course pour déjeuner ou quelque chose comme ça.

Amanda hocha la tête et se mit à feuilleter les brochures. La plupart d'entre elles concernaient l'environnement. « Révolution énergétique », lut Amanda à haute voix. Désœuvrée, elle poursuivit sa lecture et apprit comment les sources d'énergie alternatives pourraient à terme remplacer complètement les énergies fossiles. Quand elle eut fini sa brochure, cinq personnes lui avaient demandé si elles pouvaient faire quelque chose pour elle, mais aucune ne lui avait trouvé Stefan Holmgren. Elle prit son téléphone et composa son numéro. Il répondit après deux sonneries.

— Ah, vous êtes déjà là. Je suis en train de me doucher dans les toilettes du bureau.

Il poursuivit son explication quand il l'eut rejointe une minute plus tard :

— Il m'arrive de dormir ici. Je me suis précipité sous la douche quand j'ai vu qu'elle était libre.

Amanda remarqua tout d'abord les deux petits piercings que Stefan Holmgren portait à la lèvre. Puis elle fut impressionnée par l'énergie extraordinaire que seules les personnes investies corps et âme dans une cause sont capables de dégager. Il précéda Amanda dans un long couloir. Elle remarqua la ceinture à rivets qui retenait son pantalon.

Quand ils furent installés, Holmgren lui demanda en quoi il pouvait être utile à la police.

— J'enquête actuellement sur deux meurtres. Vous en avez peut-être entendu parler si vous lisez les journaux.

— Vous voulez dire ces conneries qui prétendent que des militants écologistes seraient mêlés à des assassinats de P-DG ? Notre service de presse est complètement débordé par les questions des journalistes à ce sujet.

— Et qu'est-ce qui vous fait dire que ce sont des conneries ?

— Je ne peux pas parler au nom des autres associations, mais chez nous il y a une règle absolue, répliqua Stefan en commençant à énoncer une liste de points qu'il avait de toute évidence énumérés de nombreuses fois auparavant : Nous n'utilisons jamais le sabotage pour parvenir à nos fins. Nous ne dissimulons jamais notre identité. Nous payons toujours nos amendes. Si nous devons casser un verrou pour pénétrer quelque part par effraction, nous en laissons toujours un neuf sur place. Nous nous occupons exclusivement de comportements civiques inadéquats. Et il y a une sacrée différence entre cela et le fait de tuer des gens.

— Vous connaissez une certaine Nova Barakel ?

Stefan Holmgren se pencha légèrement en avant et regarda attentivement Amanda :

— Vous êtes en train de me dire que Nova aurait quelque chose à voir là-dedans ?

— Nous la recherchons en ce moment. Quelles sont ses activités chez Greenpeace ?

— C'est une de nos militantes ; elle participe à nos actions et fait un travail formidable au sein de l'association.

— Est-ce qu'elle s'est occupée plus spécifiquement de la société Vattenfall ?

— Attendez une seconde, dit Stefan Holmgren avant de quitter précipitamment la pièce.

Il revint au bout d'une minute avec une grande photo encadrée représentant des glaciers blancs et des reliefs alpins, qu'il posa sur la table. Une sensation de fraîcheur et de pureté en émanait.

— Vous voyez cette neige ? demanda Stefan Holmgren en montrant l'image. Vattenfall rassemble des signatures, et ces signatures forment le manteau neigeux que vous apercevez ici. Ils ont appelé cela les « Signatures pour l'environnement ». Moi, j'appelle ça une putain d'arnaque.

Amanda regarda de plus près les arabesques qui dévalaient le flanc de la montagne et eut l'impression de distinguer quelques lettres. Elle demanda :

— Mais ils rassemblent des signatures pour quoi exactement ?

— Par exemple pour une contribution carbone généralisée. Bonne idée, non ?

— Euh, oui, je pense, répondit Amanda avec hésitation.

— Vous comprenez, si on ne gratte pas un peu le vernis, on a l'impression qu'ils agissent pour l'environnement. Mais la vérité, c'est qu'ils veulent un nivellement du prix à verser en fonction des ratios d'émissions de gaz à effet de serre pour éviter de payer plus que les pays en voie de développement. En résumé, ils gagnent des millions en faisant du lobbying pour le « prix global ». Vattenfall a monté cette campagne pour faire croire aussi que l'entreprise est concernée par l'écologie alors qu'ils investissent quatre-vingts pour cent de leurs bénéfices dans les énergies non renouvelables. Leur plan d'investissement pour les cinq prochaines années est catastrophique pour l'environnement. Ils prévoient d'investir soixante-dix pour cent dans les énergies fossiles et atomiques. Si vous questionnez le peuple suédois, qui soit dit en passant est actionnaire de Vattenfall, il veut de gros investissements dans les énergies renouvelables. En réalité, Vattenfall utilise l'argent des actionnaires pour construire des centrales atomiques.

Amanda, qui commençait à se lasser, réussit à interrompre l'exposé :

— Mais qu'est-ce que tout cela a à voir avec Nova ?

Stefan Holmgren sortit une photo qui se trouvait sous l'affiche représentant la montagne ; Nova portait une pancarte dans les tons orange et jaune. Il y était inscrit en grandes lettres : « Attention à l'hypocrisie climatique ! » En arrière-plan, on voyait le logo de Vattenfall sur une tente.

— Elle a participé à cette action il y a quelques semaines. Vattenfall avait organisé une espèce de manifestation de fin de campagne. Ils distribuaient des centaines de milliers de petits bonshommes en plastique à tous ceux qui avaient signé. Ils n'ont pas eu l'occasion d'en distribuer beaucoup. Nous étions là pour expliquer aux gens qu'on se moquait d'eux.

La surcharge pondérale de Kent s'accommodait mal de la chaleur. L'obligation de rester présentable ne lui facilitait pas les choses. Bien que vêtu d'une simple chemise et d'un pantalon de toile, il transpirait abondamment. Dans sa mallette, il avait prévu une tenue de rechange pour le cas où des auréoles trop embarrassantes apparaîtraient sous ses aisselles ou dans d'autres zones confinées de son anatomie. Je n'ai pas à être répugnant sous prétexte que je pèse quelques kilos de trop, se disait-il régulièrement. Secrètement, il regrettait ses jolis muscles bien entraînés de jadis. A présent, ils avaient tous fondu et disparu sous une épaisse couche de lard. Il avait pris beaucoup de poids pendant les grossesses de sa femme. Mais, quand elle avait accouché, elle avait retrouvé sa ligne, lui pas.

Il jeta un coup d'œil agacé à une camionnette garée en biais sur le trottoir. De ses années passées à la circulation, il avait gardé de l'aversion pour ce genre de comportement. Puis il lut l'inscription qui avait été tracée sur l'épaisse couche de crasse du pare-brise arrière : « Si seulement ma petite amie pouvait être aussi cochonne. » Elle le fit sourire. Il était attendu à une réunion deux minutes plus tard. Il entra dans l'immeuble et s'épongea le front avec un mouchoir jetable juste avant de frapper à la porte du bureau d'Eva Gren. Il le lança dans la corbeille à papier en entrant. C'était le troisième de la journée. Eva Gren était une petite femme sèche d'une cinquantaine d'années. La chaleur ne semblait pas la déranger. Elle portait un jean et un tee-shirt à manches longues. Kent savait qu'elle avait eu cinq enfants et se demanda comment ils avaient réussi à se développer dans ce corps désincarné. C'étaient peut-être ses cinq enfants qui l'avaient fait maigrir à ce point, se dit-il.

Eva Gren leva les yeux sur le gros homme qui venait d'entrer dans son bureau et évita de fixer son double menton. Du coup, son regard devint fuyant. Kent la mettait mal à l'aise. Il avait l'air de quelqu'un de menacé par une crise cardiaque et elle n'avait nulle envie d'être dans le coin quand ça se produirait. Cet homme avait vraiment un problème. Comment une personne sensée pouvait-elle décider sciemment d'écourter sa vie avec autant de kilos en trop ? Parfois, elle se surprenait à parler à haute et intelligible voix en sa présence, comme on s'adresse à un malade ou à un simple d'esprit. Aujourd'hui, elle le fit sans même s'en rendre compte :

— No-va est pré-sente sur les en-re-gis-tre-ments de trois ca-mé-ras dif-fé-rentes.

Je me demande si cette pauvre femme souffre d'un problème d'élocution, se dit Kent en hochant la tête pour l'encourager à poursuivre.

— J'ai les clichés ici, continua-t-elle, les posant un à un devant elle, sur le bureau, tout en les commentant. Ici elle achète un forfait, ici elle descend l'escalier mécanique, et sur celui-ci elle attend le métro.

Kent prit son portable pour appeler Amanda, mais son numéro sonnait toujours occupé. Est-ce qu'on peut oublier de raccrocher un portable ? se demandat-il en remettant le sien dans sa poche. Puis il interrogea Eva Gren :

— Qu'est-ce qu'on voit sur la caméra à l'intérieur du wagon dans lequel elle est montée ?

— Rien ou, plus exactement, la régie des transports en commun n'a pas pu mettre la main sur la bande sur laquelle étaient conservées les images.

— Quoi ? Quelqu'un l'a prise ?

— Oui, nous. La police est venue la chercher il y a une quinzaine de jours. Elle devait servir de preuve dans une affaire de viol.

— Et on ne l'a pas rapportée ?

Kent commençait à bouillir.

— Non, il semblerait que non.

— Merde ! s'exclama Kent en frappant violemment le bureau d'Eva Gren du plat de la main.

Elle sursauta, apparemment terrifiée. Kent regretta aussitôt sa réaction. Il savait que sa masse corporelle pouvait effrayer certaines âmes sensibles. Vraisemblablement, Eva Gren en faisait partie.

Pourvu qu'il ne fasse pas un infarctus, pensa-t-elle.

Pendant des décennies, Nor Boström avait combattu la criminalité et s'était petit à petit spécialisé dans les délits informatiques. Il était tout entier dévoué à son métier de policier. Au début des années 2000, il avait quitté son poste à la section criminelle de la police nationale pour travailler dans la sécurité informatique, et avait intégré la société Defcom. Il avait pour mission de vérifier que les hackers répertoriés restaient du bon côté de la loi, et aussi d'assurer les relations publiques. Deux ans plus tard, quand la bulle informatique avait explosé et l'entreprise Defcom avec elle, il était rentré au bercail. Il était maintenant responsable de la criminalité informatique au sein de la police nationale. Amanda le respectait beaucoup et écoutait avec attention ce qu'il avait trouvé dans le PC d'Arvid. Nor Boström se gratta la tête, s'éclaircit la gorge et dit :

— Eh bien...

Puis il tourna les pages d'un dossier posé sur le bureau devant lui, eut l'air de réfléchir intensément, releva les yeux vers Amanda et poursuivit :

— ... nous avons vu pas mal de choses dans cet ordinateur. Et je pense qu'à la fois SAS et vous allez être assez intéressés par nos découvertes.

— Il y a des éléments qui le relient au meurtre du P-DG de SAS ? s'étonna Amanda.

— Non, pas directement. En fait, pas du tout. En revanche, nous sommes tombés sur le code source du virus qui a perturbé le standard de SAS. Il y a plusieurs versions différentes sur son PC, ce qui prouve clairement que c'est sur cet ordinateur qu'on a travaillé à son élaboration. Est-ce que quelqu'un d'autre que lui y avait accès ?

— Je ne pense pas, nous l'avons confisqué dans un studio où il vit seul. Nous n'en savons pas plus.

— Alors il y a toutes les chances pour que ce soit lui qui ait créé ce virus. A vous de prouver que personne d'autre n'a utilisé son PC.

Amanda savait qu'un virus informatique avait perturbé le standard de Scandinavian Airlines mais ce ne fut qu'à cet instant qu'elle se dit que son propre problème de téléphone portable pouvait avoir un lien avec ce dysfonctionnement. Même si ça paraît assez improbable, ça ne coûte rien de creuser la question, se dit-elle.

— Excuse-moi, mais je ne suis pas très au courant de ce qui est arrivé au standard de SAS.

Nor la dévisagea avec étonnement : il pensait que tout le monde avait suivi de près cette affaire, et a fortiori l'équipe qui enquêtait sur le meurtre du P-DG de l'entreprise. Il se recomposa rapidement une expression neutre et expliqua d'une voix lente :

— Le virus a pour effet de transférer des milliers d'appels sur le standard de SAS.

— Tu veux dire que le virus n'est pas dans le standard lui-même ?

— Non, le standard explose parce qu'il est saturé d'appels entrants. Il s'agit d'une attaque appelée « déni de service » en langage informatique. Le virus se propage en s'envoyant lui-même à des milliers d'usagers de téléphones portables qui pensent avoir simplement téléchargé une nouvelle sonnerie. Dans le cas qui nous intéresse, et de façon très appropriée, il s'agit d'une version du morceau « The Final Countdown » de Crazy Frog.

Amanda blêmit mais se ressaisit avant de poser une ultime question :

— Admettons que moi, simple hypothèse bien sûr, je reçoive un MMS contenant la sonnerie du thème « The Final Countdown » et que je clique pour l'installer, mes appels seront alors transférés au standard de SAS ?

Elle ne s'étonnait plus que personne n'ait réussi à la joindre ces dernières vingt-quatre heures ; tous ses appels étaient détournés par le virus qui avait pris le contrôle de son téléphone. Elle remercia Nor Boström pour l'information et sortit rapidement de la pièce. Il la suivit des yeux d'un air surpris parce qu'elle ne lui avait pas laissé le temps de lui remettre ses notes et ses éléments de preuves. Il prit son téléphone et composa le numéro d'Amanda. Après deux sonneries, une voix masculine lui répondit :

— Bienvenue chez SAS, nous allons traiter votre appel, tous nos opérateurs sont actuellement occupés, votre temps d'attente est évalué à une heure et trente-deux minutes.

Amanda s'assit en face d'Arvid et le regarda droit dans les yeux. Après un silence étudié, elle lui annonça :
— Nous avons trouvé le virus dans votre PC.
Arvid fut affecté par la nouvelle mais répondit tout de même :
— Je ne sais pas de quoi vous parlez.
— Arrêtez vos conneries, maintenant. Vous savez très bien de quoi je parle. Souvenez-vous que vous êtes aussi soupçonné de meurtre et que le virus prouve que vous en vouliez à SAS pour une raison ou une autre.
— Mais bon Dieu, j'ai tué personne. Un petit virus ne veut pas dire qu'on a envie de tuer les gens.
— Alors vous reconnaissez que c'est vous qui avez envoyé ce virus ?
Arvid poussa un gros soupir :
— Oui. C'est moi. Mais c'est bien fait pour eux. Vous savez combien de tonnes de carbone ils balancent dans l'atmosphère par an, ces porcs ?
— Et vous pensez aussi que leur P-DG, Jan Mattson, méritait de mourir ?
— Mais je vous ai déjà dit cent fois que je n'ai rien à voir avec sa mort.
— Pensez-vous que le P-DG de Vattenfall méritait de mourir ?
— Qu'il l'ait mérité ou pas n'est pas le problème. Ce n'est pas moi qui l'ai tué.
— Mais vous avez fourni un alibi à Nova.
— Non, enfin oui, mais je sais qu'elle ne l'a pas tué non plus.
— Vous mentez. Elle a un mobile et nous détenons des preuves qu'elle se trouvait sur le lieu du crime.

Arvid resta un long moment silencieux pendant qu'Amanda l'observait attentivement. Elle savait qu'il était en train d'étudier sa situation et les choix qui se présentaient à lui, et elle le laissa réfléchir. En le poussant plus loin dans ses retranchements, elle risquait de le braquer. Finalement, Arvid retrouva la parole. Cette fois, il raconta en détail tout ce qui s'était passé le 15 août. Plus il avançait dans son histoire, plus Amanda était sceptique. Quand il eut fini, elle lui dit :

— Vous êtes donc en train d'essayer de me faire croire que c'est par hasard que vous êtes entrés par effraction chez Josef F. Larsson le soir où lui et sa femme ont été assassinés ? Et que c'est aussi par hasard que les deux P-DG qui ont été tués sont justement les deux qui figurent en tête de cette liste que vous appelez les « Dirty Thirty » ?

— Oui, nous n'avons absolument rien à voir avec leur mort.

— Alors vous, votre truc, c'est juste d'entrer chez les gens sans y être invités et de leur pourrir la vie en fabriquant des virus informatiques, c'est ça ? souligna Amanda, ironique.

Il y avait trop de preuves de la culpabilité de Nova. Amanda ne croyait pas à la version que venait de lui servir Arvid. Elle en déduisit au contraire qu'il était plus impliqué qu'elle ne l'avait pensé. Il avait avoué s'être trouvé à proximité d'au moins une des deux scènes de crime. Amanda se contenta de cette information pour l'instant.

— Et au fait, qu'est-ce que vous aviez prévu pour la troisième société sur la liste ? Faire sauter tout le comité directeur ?

— La troisième n'était pas une société mais une personne, répondit Arvid.

Un signal d'alarme résonna quelque part dans la tête d'Amanda. Une personne était visée et Nova toujours en liberté. Pourquoi n'avait-elle pas posé cette question plus tôt ? Elle savait qu'elle allait le regretter longtemps. Son erreur était impardonnable.

— Qui ? demanda Amanda.

La porte de la salle d'interrogatoire s'ouvrit. Nils Vetman entra tranquillement.

— Cet interrogatoire est terminé, dit-il. Je dois parler à mon client. A partir de maintenant, je représente Arvid Fredriksson.

Il se tourna vers ce dernier et ajouta :

— Si vous êtes d'accord, bien entendu.

Arvid, qui semblait aussi surpris qu'Amanda, hocha la tête sans répondre.

C'est Peter Dagon qui est la clé de tout. Telle était la conclusion à laquelle Nova était parvenue. *Si j'arrive à le contacter, j'aurai la réponse à toutes mes questions. S'il veut bien répondre.*

Nova, qui avait besoin d'échapper à sa solitude et aux ténèbres de la forêt, se préparait à retourner en ville. Elle préférait déambuler toute la nuit dans les rues éclairées de Stockholm que de rester enfermée dans l'obscurité de sa tente à écouter les bruits alentour. Elle ne pourrait pas dormir, de toute façon, bien qu'elle fût épuisée. Chaque ombre se découpant sur la toile de la tente deviendrait fantôme et fantasme. D'ailleurs... était-elle vraiment victime de son imagination ? Sa mère ne viendrait-elle pas la hanter comme elle hantait sa maison ? Nova se dépêcha de rassembler ses affaires. Comme les autres fois, elle dissimula tout ce qu'elle n'emportait pas.

Cette fois, elle prit un métro qui partait bien avant la tombée de la nuit, d'abord pour être sûre de ne pas devoir traverser la forêt dans le noir, et puis pour avoir une chance de trouver Peter Dagon. Elle allait retourner voir Nils Vetman et tenter de le convaincre.

Le stylo d'Amanda traçait de grands cercles rageurs sur son vieux bureau. Elle était agacée et déroutée. Pourquoi ce vautour de Nils Vetman était-il venu de sa propre initiative proposer de défendre Arvid ? Elle savait depuis un moment maintenant qu'il avait quelque chose à voir avec Nova. C'est peut-être un vieil ami de la famille ? se dit-elle. Après tout, la mère de Nova était avocate elle aussi.

Le stylo cassa et une partie fut catapultée à l'autre bout de la pièce. Elle regarda d'un air perplexe les morceaux encore dans sa main. L'étui en plastique avait atterri près de la porte. De frustration, Amanda lança violemment ce qui restait dans la même direction. Le cadavre du stylo ricocha deux fois sur le linoléum des années 1980 et roula jusque dans le couloir.

Le téléphone fixe de son bureau se mit à sonner.

— Amanda Nilsson, annonça-t-elle d'un ton rogue.

— Nils Vetman, je vous dérange ?

— Non, c'est bien que vous appeliez, au contraire. J'aurais besoin d'avoir une petite conversation avec vous, répondit-elle d'une voix plus aimable.

Il était hors de question de le laisser deviner que c'était justement lui qui l'avait mise dans cet état.

— Ça tombe très bien, mon client a quelque chose à vous dire avant de partir.

— Comment ça, « avant de partir » ?

— Je pense qu'il n'y aura plus de motif de garde à vue dès qu'il vous aura dit ce qu'il a sur le cœur.

— Ce n'est pas à vous mais au procureur d'en décider, répliqua Amanda en s'efforçant de garder son calme.

Nils Vetman avait vraiment le don de l'exaspérer.

— Nous verrons, nous verrons, rétorqua ce dernier. 18 heures à mon bureau, si cela vous convient !

— Oui, mais...

— Alors c'est parfait, conclut-il en raccrochant sans lui laisser le temps de finir sa phrase.

Amanda resta un petit moment immobile, le combiné à l'oreille et la bouche ouverte. Elle avait horreur de recevoir des ordres, surtout de la part d'un avocaillon avec une tête en forme de poire et un ego surdimensionné.

Enfin, elle raccrocha le téléphone avec brusquerie en hurlant dans le vide :

— Espèce de connard !

Kent passa la tête dans l'embrasure de la porte, tenant le stylo cassé entre son pouce et son index, et demanda :

— Mauvaise journée ?

Il y avait sur Mälartorget un étal croulant sous les fleurs de toutes les couleurs de l'été. Derrière lui, le métro de Södermalm sortait de terre pour passer le pont. Les réverbères noirs en fer forgé chauffaient en rang dans le soleil du crépuscule. Deux cents ans auparavant, la place était entourée d'une haute palissade et portait le surnom de « rendez-vous des mouches » parce que c'était à cet endroit qu'on vidait les latrines de toute la ville. A présent, tant la rue piétonne que le parking étaient parfaitement propres.

Nova sortit du métro à un angle de la place et marcha droit devant elle. Elle emprunta Schönfeldts gränd et tourna dans Lilla Nygatan par habitude. C'était là que se trouvait sa boutique préférée, Van Asch, un magasin de vêtements et accessoires de style médiéval. Nova s'attarda un peu devant la vitrine remplie de bracelets à incrustations couleur rubis et de grappes de perles, de colliers à lourds médaillons et de robes à la taille cintrée et aux manches évasées. Ses yeux voyaient mais ses pensées étaient ailleurs.

Elle était en train de réfléchir à ce qu'elle allait dire à Nils Vetman pour le convaincre de lui donner le numéro de Peter Dagon. Et puis elle pensa à autre chose. Le fait que la police la croie coupable de meurtre n'était plus un secret, cela faisait même la une des journaux. Un avocat n'appellerait tout de même pas la police ? Non, ça m'étonnerait, conclut-elle.

En traînant un peu les pieds, elle poursuivit son chemin vers le bureau de Nils Vetman. Au-dessus de sa tête flottaient les fanions du musée de la Poste annonçant l'exposition « Selma Lagerlöf – et toutes ses lettres ». Laissant Riddarholmen dans son dos, elle remonta par la grande porte de Stora Gråmunkegränd. Plus elle approchait de sa destination, plus la rue se rétrécissait. Enfin, elle arriva devant la porte du cabinet de l'avocat. Avant de sonner, une question lui traversa la tête : Pourquoi les ouvertures du rez-de-chaussée sont-elles murées ?

Amanda passa sous la voûte rouge bordeaux du Parlement et traversa, toujours très énervée, le large pont qui conduisait à la place de la Monnaie et au quartier de Gamla stan. Elle se rendait à contrecœur au rendez-vous fixé par Nils Vetman. Elle n'aimait pas du tout l'idée d'être convoquée par un juriste, encore moins par un avocat de cette réputation. Il ne faudrait pas me prendre pour une marionnette ! grommelait-elle tout en marchant.

L'eau lui monta à la bouche lorsqu'elle passa devant une vitrine pleine de gâteaux nappés de chocolat, de croustades aux pommes, et de magnifiques club sandwiches débordant de pickles et de salade. Elle regarda sa montre. Il ne restait plus que dix minutes avant son rendez-vous. Elle n'avait pas le temps de goûter les délices bourrées de calories qui lui faisaient de l'œil.

Västerlånggatan, qui était huit cents ans auparavant un simple chemin sablonneux à l'extérieur des remparts, était devenue la rue touristique la plus courue de Gamla stan. Ce jour-là, elle montrait à Amanda son vrai visage. Elle passa à côté d'échoppes à souvenirs proposant des casquettes marquées « Sweden », des grenouillères jaune et bleu aux couleurs du drapeau suédois, des chevaux de Dala roses en bois sculpté. Il y avait toujours foule dans cette rue mais, aujourd'hui, c'était pire que jamais ; des hordes de Japonais défilaient, des couples russes se promenaient main dans la main pendant que des Suédois stressés en costume-cravate les dépassaient en courant. Quelques chiens de salon marchaient le museau en l'air pour ne pas se faire piétiner.

En tournant dans Stora Gråmunkegränd, elle remarqua une jeune femme en survêtement qui avait remonté sa capuche sur sa tête. Une visière de casquette dépassait. Elle entrait chez Nils Vetman. Décidément, la clientèle de Nils Vetman me surprendra toujours ! se dit Amanda. Il défend même des danseurs de hip-hop.

La porte venait de se refermer quand elle arriva.

La secrétaire leva un sourcil incrédule. Nova répondit à sa question muette :

— Il faut que je parle à Nils Vetman. Je sais que je n'ai pas de rendez-vous mais c'est terriblement important.

On sonnait de nouveau à la porte d'entrée. La voix éraillée d'Amanda annonça dans l'interphone :

— J'ai rendez-vous avec Nils Vetman.

Fuir, telle fut la première idée qui traversa Nova quand la peur explosa dans sa poitrine.

Mais où ?

Elle se sentait comme un animal traqué.

Effrayée, elle inspecta la pièce du regard en quête d'une issue.

La main de la secrétaire avançait vers le bouton d'ouverture de la porte.

Simultanément, celle du bureau de Nils Vetman s'ouvrit, il sortit en trombe et sa voix cingla comme un coup de fouet.

— Stop ! ordonna-t-il à la secrétaire.

Elle leva des yeux surpris vers son employeur mais n'eut pas le temps de retenir son geste. Elle avait appuyé sur le bouton.

Nils Vetman réagit à la vitesse de l'éclair.

Il saisit le bras de Nova et la propulsa dans son bureau. Elle fut étonnée de la force de ce tout petit homme. A la seconde où la porte d'entrée s'ouvrait, celle du bureau de Nils Vetman se refermait sur Nova et lui. Sans un mot, il la traîna à l'autre bout de la pièce et appuya sur le cadre doré d'un grand miroir mural. A la surprise de Nova, le miroir s'ouvrit comme une simple porte en émettant un tout petit clic. Elle fut poussée par l'étroite ouverture et se retrouva dans un réduit encombré de matériel. La porte-miroir claqua derrière elle, et elle entendit les pas de l'avocat s'éloigner de l'autre côté.

En se retournant, Nova constata qu'elle voyait tout le bureau à travers la glace sans tain. Mais il n'y avait pas qu'elle à observer ce qui se passait de l'autre côté du miroir. Montée sur un trépied, une caméra vidéo, voyant vert allumé, filmait le bureau attenant. Dans un angle du réduit se trouvait un vieux coffre-fort. Au-dessus du coffre-fort, un pistolet. En outre, la petite pièce était équipée de divers matériels électroniques dont Nova ignorait l'utilité.

Nova vit Nils Vetman mettre de l'ordre dans son costume et ajuster sa cravate rouge. Il se retourna vers elle et posa un doigt sur ses lèvres pour l'inciter, bien inutilement, à ne pas faire de bruit. Nova retint son souffle et essaya de contrôler sa respiration affolée pour ne pas révéler sa cachette. Elle était sauvée.

Pour l'instant.

Nils Vetman accueillit Amanda d'une poignée de main ferme. Ils s'installèrent de part et d'autre du bureau et Nova entendit clairement leur échange. Le langage corporel d'Amanda montrait qu'elle s'exprimait avec une colère sourde qu'elle s'efforçait de maîtriser :

— Vous vouliez me dire quelque chose.

— Oui, répondit Nils Vetman. Vous avez arrêté un innocent.

— Innocent ne me semble pas être le mot qui convient. Il a été prouvé qu'il s'est rendu coupable de vandalisme en sabotant le standard de la compagnie SAS. Pour autant que nous sachions, il est également complice d'au moins un meurtre.

Nils Vetman consulta sa montre-bracelet de luxe.

— Le jeune homme est innocent et il dispose d'informations qui vous intéressent.

— Mais encore ?

— Vous le savez très bien. Le troisième nom sur la fameuse liste des Dirty Thirty. Si je suis bien informé, le numéro trois ne figurait pas dans le petit extrait vidéo que vous avez reçu. Et moi je viens d'avoir une longue conversation avec Arvid à ce sujet.

— Alors vous avez intérêt à me dire vite qui est cette troisième personne avant que je vous fasse inculper de complicité de meurtre.

— Je crois que vous vous égarez un peu, ma chère. C'est vous qui êtes responsable de cette enquête et c'est vous que la presse va lyncher, pas moi.

— Je me fous de la presse ! vociféra Amanda. Vous allez lâcher le morceau, oui ou non ?

— Si vous, vous lâchez Arvid.

Amanda poussa un profond soupir :

— On n'est pas dans un film de gangsters américain. En Suède, on ne passe pas ce genre de marché. Vous le savez parfaitement. D'ailleurs, c'est le procureur qui prend ce genre de décision, pas moi.

— Avec un peu de bonne volonté, on peut faire beaucoup de choses.

— Soit, je parlerai au procureur, le coupa Amanda en se levant.

En sortant du bureau, elle se souvint d'une question qu'elle avait oublié de poser :

— Comment se fait-il que votre nom apparaisse sur la liste des appels du téléphone de Nova ?

— Je m'occupe du testament de sa mère. Nova fait partie de ses héritiers.

— Et qui sont les autres ?

— Je ne peux malheureusement pas répondre à cette question, dit Nils Vetman avec un air de regret sincère.

Amanda sortit sans la moindre formule de politesse.

Le cerveau de Nova était en ébullition. Le troisième de la liste, pensait-elle, qu'est-ce que la police peut lui vouloir ? Jusqu'ici, elle n'avait pas réalisé le rapport étroit qui existait entre les assassinats et leur liste des Dirty Thirty. Apparemment, le document avait été égaré, un cinglé s'en était emparé et en avait fait une sorte de vidéo.

Il faut que je prévienne Waldemar Göransson, décida Nova. Le troisième sur leur liste était un illustre professeur titulaire d'une chaire en océanographie et docteur en physique théorique. C'étaient justement ces titres ronflants qui en faisaient un homme dangereux. Waldemar Göransson avait défrayé la chronique avec des théories affirmant que les relevés indiquant un réchauffement de la planète avaient été effectués selon des méthodes erronées, que l'effet de serre était une idée née d'un phénomène d'hystérie collective et que le carbone était excellent pour la croissance végétale. Ses articles apportaient de l'eau au moulin des sceptiques. Mais il ne mérite tout de même pas d'être assassiné, se dit Nova. Personne ne mérite de mourir pour ses idées, aussi tordues soient-elles.

Dès que Nils Vetman se fut assuré du départ d'Amanda, il alla libérer Nova de sa cachette. Devant son regard interrogateur, il désigna la caméra vidéo du menton :

— Ça, c'est mon assurance-vie. Vous n'imaginez pas le nombre de fois où elle m'a rendu service.

Puis il plongea les yeux dans ceux de Nova et poursuivit :

— C'était une mauvaise idée de venir ici. Je vous suggère de quitter mon bureau immédiatement.

— Mais il faut que je voie Peter Dagon.

— Absolument pas. Il faut juste que vous restiez cachée.

Nova regarda Nils Vetman d'un air surpris, mais elle insista :

— J'ai des questions à lui poser. Et vous devez dire tout de suite à la police que Waldemar Göransson est le prochain sur la liste. Il faut le prévenir, vous comprenez ?

— La police sera prévenue en temps voulu. Allez-vous-en maintenant avant qu'Amanda ou un autre policier revienne par ici !

— Bon, alors je le préviendrai moi-même, le défia Nova.

Nils Vetman poussa un long soupir résigné et lui fit une proposition :

— On va faire la chose suivante : vous allez écrire un message à Peter Dagon que je lui transmettrai, et je vous promets aussi d'informer la police...

Il jeta encore un coup d'œil à sa montre.

— ... au plus tard demain à 11 heures. Vous devez comprendre que mon travail aujourd'hui est de faire en sorte que votre ami Arvid échappe à la prison.

A cette remarque, Nova sentit la culpabilité l'envahir. Elle ne s'était guère préoccupée du sort d'Arvid. Elle était tellement habituée à ce qu'il se débrouille tout seul qu'elle ne s'était même pas demandé quels problèmes pouvaient être les siens. Soudain inquiète pour lui, elle hocha la tête pour signifier à Nils Vetman son assentiment. Ce dernier lui tendit une feuille et un stylo. Après quelques instants de réflexion devant la page blanche, elle écrivit :

Monsieur,
Il faut que je vous voie. J'ai compris ce que vous faites. Je
vous attends demain à 10 heures à la cathédrale.
Cordialement,
Nova

Elle avait choisi la cathédrale comme lieu de rendez-vous uniquement parce que c'était le premier endroit qui lui était venu à l'esprit. Nils Vetman lut le billet quand elle le lui remit. Il lui adressa un coup d'œil amusé avant de le glisser dans sa poche.
— Je le lui ferai parvenir, sans faute ! dit-il en la reconduisant à la porte.

La farce grésillait dans un épais poêlon. Kent y ajouta des oignons émincés, du sel, du poivre et du thym qu'il avait cueilli dans son petit potager, puis trois gousses d'ail écrasées et quelques rasades de bière. A présent, il allait laisser la préparation mijoter un peu. Les divers membres de la famille venaient le rejoindre au fur et à mesure que les odeurs de cuisine se répandaient dans la maison qu'ils possédaient à Hässelby. Kent avala quelques gorgées de bière Norrlands Guld bien fraîche et s'épongea le front. L'air chaud et humide de l'été avait augmenté de quelques degrés supplémentaires avec la chaleur des fourneaux. Sa petite fille était accrochée à sa jambe de pantalon et désignait la table en babillant.

Kent sourit et lui tendit une lamelle de champignon cru. Il versa le reste dans la préparation.

Derrière lui résonnait un concert de sons familiers : des chaises qu'on déplaçait autour de la table, une petite dispute pour décider de qui s'assiérait où ; l'enfant réclamait encore des tranches de champignon depuis la chaise haute où elle était maintenant installée. Kent fit mine d'être absorbé par sa cuisine. Il avait besoin de réfléchir un peu avant de se consacrer au moment privilégié du repas familial. Cette affaire l'inquiétait.

Il y avait beaucoup trop de pistes et toute l'enquête semblait floue. Quelque chose ne collait pas. Un tueur en série, une véritable bombe à retardement, se promenait dans la nature. Leurs recherches n'avançaient pas assez vite. Quand allaient-ils tomber sur la prochaine victime ? Kent touilla rageusement son plat en ruminant.

Il n'y avait pas que l'enquête qui lui donnait du souci. Amanda n'allait pas bien. Ce n'était pas seulement à cause de sa mauvaise mine ; elle avait aussi perdu de son efficacité. Elle devait avoir des problèmes d'ordre privé. Un chagrin d'amour ? Elle n'avait pas parlé de petit ami depuis plusieurs années, mais ça ne signifiait pas qu'il n'y avait personne dans sa vie. Quoi qu'il en soit, elle n'était pas dans son assiette. Cependant, il pouvait difficilement se permettre de lui poser la question de but en blanc. Ils n'avaient tout simplement pas ce genre de relation. Etrange, se dit-il, je la connais depuis dix ans et je ne peux même pas me permettre de lui demander comment elle va. Il serait peut-être temps de changer ça ?

Une très légère odeur de brûlé atteignit les narines de Kent. Il baissa rapidement les yeux vers la poêle et s'empressa de la retirer du feu. Ça n'avait pas l'air trop grave. Aucun morceau carbonisé ne se détacha quand il gratta le fond. Kent se retourna vers sa famille, une casserole de spaghettis dans une main et la poêle dans l'autre. Sur la table se trouvait déjà un grand saladier avec des tomates, du concombre et de la roquette.

Le repas pouvait commencer.

Nova scruta les alentours avant de sortir de chez Nils Vetman. Il n'y avait aucun policier en vue aussi loin que portât son regard. Elle était de nouveau dans les rues et il n'était que 19 heures. Une nuit de plus sans toit au-dessus de sa tête... Son ordinateur lui manquait. Il ne se trouvait qu'à quelques pâtés de maisons et, pourtant, il était hors de portée. Nova ne voulait plus mettre les pieds chez elle, surtout pas seule et encore moins avec une armée de flics sur les talons. Ce serait totalement stupide de sa part et, à vrai dire, elle était morte de peur.

Sa première idée fut de s'installer dans un Seven-Eleven ou dans un cybercafé. Mais il n'était pas prudent de passer plusieurs heures au même endroit. Si quelqu'un la reconnaissait, elle serait arrêtée sur-le-champ. J'ai besoin d'un ordinateur, se dit-elle. Puis elle réalisa qu'elle avait dans la poche assez d'argent liquide pour s'acheter une montagne d'ordinateurs portables.

La plupart des magasins d'informatique étaient fermés à cette heure, mais PC City, dans la galerie commerciale de Sickla, devait être encore ouvert. J'y vais, décida-t-elle en prenant Stora Nygatan en direction de l'Ecluse. Elle résista à l'envie d'entrer dans la boulangerie bio s'acheter un pain aux olives. S'il y avait un endroit où elle risquait de rencontrer quelqu'un qui la connaissait, c'était bien là. Elle dépassa le restaurant Slingerbulten, dont le nom lui avait toujours évoqué une espèce de poisson gluant n'existant que dans son imagination. Derrière la vitrine, des touristes mangeaient avec appétit le contenu d'assiettes débordantes de cuisine bourgeoise suédoise. Plus dans les goûts de Nova, la carte proposait une tourte de courgettes et d'aubergines au paprika avec du fromage de chèvre. Nova mourait de faim. Elle tourna dans Västerlånggatan et s'acheta un cornet avec trois boules de glace italienne, parfums citron, melon et menthe, et continua rapidement sa route. Elle n'avait pas le temps de s'inquiéter de diététique. PC City fermait sûrement dans trois quarts d'heure.

Le jeune vendeur fut surpris que Nova refuse un joli portable Macintosh, sous prétexte qu'il était trop loin dans le classement établi par Greenpeace des ordinateurs écologiquement corrects. Elle opta finalement pour un Toshiba au design basique. Le vendeur fut encore plus étonné quand elle sortit de sa poche un rouleau de billets et en extirpa six mille couronnes. Cependant, il se ressaisit très vite, passa une main dans ses cheveux coiffés en arrière et essaya de lui vendre une imprimante. Nova refusa. Elle avait maintenant un nouvel ordinateur portable équipé de tous les logiciels dont elle avait besoin. Il ne lui manquait qu'une connexion Internet. Il était plus de 20 heures. Le soleil rougeoyant disparaissait déjà derrière les immeubles mais l'air restait chaud.

La jeune fille se dirigea vers le seul endroit où elle savait pouvoir trouver un accès Internet non sécurisé : le réseau Classeponk, près de Mosebacke. La capuche rabattue sur le visage, elle descendit à la station de métro de l'Ecluse et gravit les marches jusqu'à Ryss-Gården, la « cour des Russes », baptisée ainsi à cause des comptoirs russes qui avaient été édifiés là au XVIIᵉ siècle. Une fois à l'air libre, Nova se trouva au pied de la volée de marches qui conduisait à la plus ancienne place de Stockholm, Södermalmstorg. Elle avait été pavée au XVIIᵉ, et, à cette époque, on y exécutait les condamnés à mort.

A présent, la place était rectangulaire et flanquée à sa droite de l'édifice convexe de l'Ecluse. Nova vit un petit groupe de personnes qui attendaient leur tour devant la camionnette d'un marchand de saucisses.

Elle tourna à gauche et arriva sur Götgatan. Il ne lui fallut que cinq minutes pour atteindre la place Mosebacke. Sur la terrasse, rires et éclats de voix se mêlaient au son des verres entrechoqués. Mosebacke était aujourd'hui, comme jadis, un lieu de réjouissances. Un flot de gens sortaient du théâtre Södra et se dispersaient dans la nuit estivale.

Nova regarda autour d'elle et s'installa sur un banc libre au milieu de la place. Elle déballa son nouvel ordinateur. Le vendeur lui avait promis que l'appareil avait une autonomie prolongée. Elle espérait qu'il avait dit vrai. Sinon, la nuit serait décidément trop longue.

Nova se connecta au réseau. Ça ramait un peu mais elle fut vite en ligne et c'était l'essentiel. Elle allait pouvoir faire d'autres recherches sur les documents laissés par sa mère. La première qu'elle lança sur Google fut « anomalie d'Ararat ». Elle trouva immédiatement deux articles venant de la publication chrétienne www.dagens.se :

Un multimillionnaire finance une expédition scientifique sur le mont Ararat pour trouver l'arche de Noé.

Article du : 10-09-2003. 06:00

L'arche de Noé se trouve-t-elle réellement sous la glace, au sommet du mont Ararat, en Turquie ?

Afin d'avoir la réponse à cette question, un multimillionnaire américain finance une expédition composée de dix scientifiques qui graviront l'été prochain ce sommet d'une hauteur de 5 000 mètres.

Ce n'est pas la première fois que des chercheurs croient avoir trouvé des preuves tangibles qu'une embarcation aurait survécu au Déluge, ainsi qu'il est dit dans la Genèse. Cette polémique avait déjà commencé en 1949, quand un satellite espion américain, censé surveiller des cibles sur le territoire de l'ancienne URSS, avait rapporté une image ressemblant à la silhouette d'un bateau se trouvant au sommet de la montagne. En 1957, la question fut de nouveau soulevée, cette fois par des pilotes de chasse turcs qui virent le « bateau » dans la province d'Agri, en Turquie.

Dans les années 1970, des caméras satellites enregistrèrent à plusieurs reprises ce que les savants avaient désormais baptisé « l'Anomalie d'Ararat ». Jusque-là, personne n'avait entrepris de véritables recherches sur site. Pendant la guerre froide, cette expédition eût été tout à fait irréalisable, la zone étant fermée aux étrangers, la Russie soupçonnant les chercheurs d'être des espions à la solde des Etats-Unis. La mission américano-turque qui se déroulera l'été prochain suscite un intérêt immense. Dix personnes ont l'intention de gravir les pentes abruptes du mont Ararat afin d'étudier la structure en forme de bateau, qui a si longtemps intrigué les scientifiques. D'après les calculs qui ont d'ores et déjà été effectués, l'objet serait d'une dimension de 130 mètres de long sur 25 mètres de large. Ces mensurations pourraient correspondre à celles que mentionne la Bible : 147 × 23 mètres. George McAlley, un entrepreneur multimillionnaire résidant à Hawaï, financera seul cette opération. Il se désigne lui-même, d'après la presse américaine, comme un fervent catholique, militant contre l'avortement et l'euthanasie.

Multimillionnaire à la recherche de l'arche de Noé assassiné

Article du 13-09-2003. 09:15

Le multimillionnaire américain George McAlley sauvagement assassiné hier.

Ce meurtre pourrait-il être lié à son projet d'expédition à la recherche de l'arche de Noé ?

Une source proche de la police révèle que tous les documents concernant l'expédition auraient disparu.

George McAlley, catholique et instigateur de la future ascension du mont Ararat, a été brutalement assassiné hier alors qu'il se rendait à son bureau. Il devait y tenir une conférence de presse et y faire certaines révélations concernant ce qu'on appelle désormais « l'Anomalie d'Ararat ». On n'a retrouvé aucun document concernant cette « anomalie » au domicile de George McAlley. Une source bien informée au sein de la police révèle que cette dernière travaille sur la piste d'un éventuel groupe terroriste ayant souhaité l'empêcher de gravir cette montagne. McAlley avait récemment expliqué, dans un communiqué à la presse, les raisons qui le poussaient à réaliser ce projet : « Les trois religions monothéistes pensent que nous descendons de Noé et de ses trois fils. Il est heureux qu'il existe aujourd'hui un sujet sur lequel juifs, chrétiens et musulmans sont tombés d'accord. »

Nova lut l'article deux fois de suite. Puis elle ouvrit le dossier marqué « L'Anomalie d'Ararat » qu'elle avait trouvé chez elle et se mit à le feuilleter. Même si elle ne comprenait pas comment il avait atterri entre ses mains, il ne faisait aucun doute qu'il s'agissait bien des documents qui avaient disparu de chez George McAlley. Nova referma son ordinateur et regarda les deux femmes nues immortalisées dans la pierre, qui trônaient au beau milieu de la place Mosebacke. Dans quoi ma mère était-elle allée se fourrer ? se demanda-t-elle.

La façade couleur sable de la cathédrale avait une teinte ocre jaune dans la lumière matinale. Nova monta les sept marches en quatre foulées. A l'intérieur de l'église, les lustres étaient allumés et faisaient chatoyer les colonnes de brique et les balcons en un festival de mauves et d'ors. Devant l'autel, deux trônes datant du XVIIe siècle se tenaient au garde-à-vous, leurs draperies flottant légèrement dans un courant d'air. Personne n'y était assis. Tout l'édifice était d'ailleurs désert et renvoyait l'écho de ses pas. Elle ne voyait personne. Dans sa nuque, elle sentait battre une veine et des étoiles dansaient devant ses yeux. Le retard de sommeil accumulé se faisait cruellement sentir. Elle avait des courbatures dans les jambes. Il y avait trop longtemps qu'elle ne leur avait pas laissé de répit.

Nova marcha sur une pierre tombale représentant deux gisants, un homme et une femme. Les vêtements et les traits de leurs visages usés par les millions de pieds qui les avaient foulés, ils ressemblaient à présent à des figurines modelées par les mains d'un enfant. Ils ne retrouveraient plus jamais leur aspect d'origine. Le moulin du temps avait broyé leur passé et relégué dans l'oubli ceux qu'ils étaient jadis.

Nova distingua une ombre derrière l'un des piliers.

Elle sursauta.

Puis elle suivit l'ombre, qui se dirigeait vers la chapelle Olaus Petri. Un écriteau disait : « Réservé aux dévotions privées – Interdit au public ». Sur le mur gauche de la chapelle était accrochée une gigantesque toile de David Klöcker Ehrenstrahl représentant une montagne sombre avec deux glaciers enneigés en arrière-plan. Un homme seul cheminait sur un sentier au pied de la montagne. Il avait des cheveux longs et son maintien était fier. Une zone plus claire autour de lui suggérait une paire d'ailes. Nova supposa qu'il s'agissait d'un archange. Elle baissa les yeux. Peter Dagon était là, adossé à l'autel médiéval. Il parla le premier :

— Quel intéressant lieu de rendez-vous, indiqua-t-il avec un large geste.

Nova se contenta de hocher la tête, un peu honteuse de cette idée mégalomane. Peter Dagon poursuivit :

— Mon ami Nils Vetman m'a fait passer un mot. Il y est écrit que vous savez ce que je fais. Alors dites-moi, qu'est-ce que je fais exactement ?

En dépit de son sourire gentiment moqueur, ses yeux observaient Nova avec attention. Elle avait réfléchi toute la nuit à ce qu'elle allait dire. Il fallait que ça passe ou que ça casse.

— Je sais que ma mère et vous avez été impliqués dans le meurtre d'un millionnaire américain qui s'appelait George McAlley, prétendit Nova.

Peter Dagon eut un sursaut à peine perceptible. Le sourire s'effaça de son visage et il demanda d'une voix plus sourde :

— Qu'est-ce qui vous fait penser ça ?

— J'ai découvert chez nous les documents qu'on n'a pas pu trouver chez lui quand il a été assassiné. Je sais aussi qu'il y a quelque chose de louche dans votre fondation FON.

— FON n'est pas une fondation. C'est une association qui œuvre contre le réchauffement climatique. Vous, plus que n'importe qui, devriez trouver nos intentions louables.

Nova n'avait pas d'argument à opposer à cela et, pour gagner du temps, elle demanda :

— Mais pourquoi avoir pris le nom de Friends of Nephilim ?

— Parce que nous le sommes. Nous ne voulons pas être exterminés par un nouveau déluge. Nous luttons de toutes nos forces pour qu'une telle catastrophe ne puisse pas se reproduire. Actuellement, l'émission de gaz à effet de serre est notre priorité numéro un.

Une idée nouvelle effleura Nova : l'implication de Peter Dagon et de FON dans la mort de sa mère. L'argent ne constituait-il pas le mobile le plus évident et le plus courant pour assassiner quelqu'un ? Etait-elle seule dans une église déserte en compagnie du meurtrier de sa mère ? Nova essaya de cacher sa peur mais s'éloigna prudemment de Peter Dagon. Il eut l'air surpris.

Quand elle trouva qu'elle avait mis suffisamment de distance entre eux, elle se risqua à une autre question :

— Et ma mère, c'est vous qui l'avez tuée ?

— Absolument pas, répondit Peter Dagon en présentant ses deux mains, paumes vers le haut, comme pour la convaincre qu'il ne lui voulait pas de mal. Au contraire, elle était l'une des nôtres.

— Une des vôtres ? Comment ça ?

— Une Nephilim et une très bonne amie.

— Vous voulez dire qu'elle faisait partie de votre association ?

— Oui, et qu'elle était une descendante directe des tout premiers Nephilim de la Création.

Nova observa le visage de Peter Dagon pour voir s'il parlait sérieusement. Toute son attitude montrait son désir de la persuader que ce qu'il disait était la stricte vérité.

Enfin, elle comprit.

— Vous êtes cinglé ! lui lança-t-elle en courant vers la sortie, ses pas résonnant sur les dalles de pierre.

Dans son dos, les mots de Peter Dagon la suivirent comme un écho sous la grande voûte :

— Et si je n'étais pas fou ? Et si, vous aussi, vous étiez des nôtres ?

J'aurais dû faire ça depuis longtemps, se disait Amanda en entrant dans l'immeuble de Drottninggatan. Un ange doré sur son piédestal la regardait méchamment. Elle fit un doigt d'honneur à la statue et prit l'ascenseur grinçant jusqu'au dernier étage. Elle sonna à la porte qui faisait face à celle de Josef F. Larsson. La plaque était aux noms de Gudrun et Kerstin Liljencrona. Il n'avait jamais été question de deux femmes dans le rapport de police. Peut-être la deuxième était-elle sortie le jour de l'interrogatoire des témoins. Je me demande si elles sont sœurs, se dit Amanda en sonnant.

Immédiatement, un aboiement aigu retentit à l'intérieur de l'appartement. Peu après, l'animal se mit à gratter frénétiquement de l'autre côté de la porte. La voix d'une femme qui essayait de calmer le chien s'éleva. Puis la porte s'entrouvrit, retenue par une chaîne de sécurité. Un visage ridé apparut dans l'entre-bâillement. Plus bas, le petit museau humide d'un chien reniflait énergiquement.

— Police nationale, dit Amanda. Je suis inspecteur, madame, précisa-t-elle en présentant sa carte.

La porte se referma et la chaîne fut retirée. Quand elle s'ouvrit à nouveau, un caniche gris bondit et se dressa sur ses pattes arrière, celles de devant posées sur la jambe d'Amanda. Elle regarda l'animal gentiment mais sans le toucher. Qui sait où cette truffe avait traîné ?

Les yeux de la vieille femme étincelaient de curiosité.

— Entrez, entrez, l'encouragea-t-elle, reculant avec son déambulateur sans qu'Amanda ait eu besoin de le lui demander.

Amanda la suivit tout en espérant que l'entretien ne s'éterniserait pas. Il lui était trop souvent arrivé de devoir écouter des histoires interminables et ennuyeuses qui ne présentaient aucun intérêt pour l'enquête en cours.

Elle s'assit, ignorant toujours le chien, qui continuait à essayer de lui dire bonjour.

— Descends, Gudrun, ordonna la vieille femme d'une petite voix aiguë et totalement sans effet sur l'animal.

Ah, c'est donc elle qui s'appelle Gudrun. Mais comment Kerstin a-t-elle fait pour savoir que j'allais venir ? se demanda Amanda en voyant le couvert dressé pour deux. Dès qu'elle eut servi le café avec des gestes maladroits, la femme quitta la pièce. Amanda entendit le déambulateur qui heurtait le chambranle d'une porte, un peu plus loin dans l'appartement. La machine à café glougloutait, créant une chaleureuse atmosphère domestique. Le plan de travail était poli par les ans et les meubles de cuisine ne semblaient pas avoir été changés depuis les années 1950. Quelque temps auparavant, ils auraient paru démodés, aujourd'hui ils étaient vintage. Amanda s'imaginait le texte qu'un agent immobilier aurait pu inventer pour vendre l'appartement : « Léger rafraîchissement à prévoir. Immense potentiel pour acheteur souhaitant personnaliser son habitat. Un diamant à sortir de sa gangue. »

La femme revint dans la pièce, se tenant d'une seule main à son déambulateur. L'autre était fermée sur quelque chose. Une fois devant Amanda, elle l'ouvrit et montra un mouchoir brodé. Amanda le prit et l'observa de plus près. En le dépliant, elle constata d'un air dégoûté qu'il contenait un chewing-gum déjà mâché. Elle le reposa sur la table et leva les yeux vers son hôtesse, dans l'attente d'une explication.

— C'est le meurtrier qui a laissé le chewing-gum. Il l'avait mis sur l'œilleton de ma porte.

Amanda regarda le mouchoir sur la table avec plus d'intérêt et demanda :

— Est-ce que vous vous souvenez à quelle heure ?

— 23 h 30. Gudrun avait été inquiète toute la soirée et j'avais déjà vérifié plusieurs fois qu'il ne se passait rien dans l'escalier. A 23 h 30, l'œilleton était bouché.

23 h 30, nota Amanda en pensant : Pourvu que je reçoive bientôt le rapport d'autopsie, qu'on puisse déterminer que les victimes sont mortes à cette heure-là. Moïse doit vraiment être débordé pour mettre autant de temps à rendre ce satané rapport !

Si j'étais l'une d'entre eux ? Qu'est-ce qu'il a pu vouloir dire ? La question tournait dans la tête de Nova alors qu'elle marchait à toute allure dans Själagårdsgatan. Elle faillit percuter deux boîtes aux lettres peintes en trompe-l'œil et ressemblant à des maisons en miniature. Dans son cerveau tordu, je suis la fille de ma mère et je descends de ces Nephilim. Il est complètement dérangé, se disait Nova, appuyée contre un mur de briques rouges pour reprendre son souffle. Elle jeta un coup d'œil au coin de la rue d'où elle venait, mais Peter Dagon ne l'avait pas suivie. Elle n'était pas rassurée pour autant.

Elle lutta contre le sentiment de panique qui s'emparait d'elle quand elle additionnait deux et deux. Si Peter Dagon était fou, et s'il était impliqué dans le meurtre de l'Américain, il était sans doute mêlé aux deux autres assassinats. Et peut-être aussi à la mort de ma mère, pensa Nova. Elle regarda à nouveau au coin de la rue. Ce taré a peut-être tué ma mère.

Nova réfléchit aux options qui se présentaient à elle, en marchant d'un pas plus mesuré sur les galets de Själagårdsgatan. Sur sa droite, un chêne noueux tendait ses branches, offrant son ombre bienfaisante dans la chaleur impitoyable de la matinée. Est-ce que je devrais prévenir la police ? se demanda Nova. Non, cela ne servirait à rien, ils ne me croiraient pas. Elle passa le numéro 13 de la rue, où un hospice religieux pour les vieillards et les indigents avait été bâti au XVe siècle. La maison abritait encore aujourd'hui des personnes âgées bien qu'elle eût été reconstruite entre-temps.

Il faut que je prévienne Waldemar Göransson, décida-t-elle finalement.

C'était la seule chose à faire. Elle accéléra l'allure en direction de la station de l'Ecluse. Elle n'osait pas prendre le métro à Gamla stan.

Peter Dagon l'y attendait peut-être...

Ils étaient trois dans la salle d'interrogatoire. Il régnait dans la pièce une tension palpable faite d'attente, de peur et de colère. Il était 10 h 55. Cela faisait vingt-cinq minutes qu'ils étaient là et cinq minutes qu'ils ne disaient plus rien. Arvid se sentait mal. Il était dans le même état qu'à l'époque où il voyageait dans la cale étroite du *Rainbow Warrior II*, écœuré par les odeurs mêlées d'huile, de gas-oil et des remugles de la cuisine du bord. Il avait la tête vide. Du mal à se concentrer. Il regardait d'un air morne Amanda, qui se balançait sur sa chaise et tapotait l'arête de la table avec son stylo :

Toc, toc, toc.

Kent était immobile, les yeux fermés. Nils Vetman avait reçu un appel sur son portable et était sorti. A 10 h 59, il rentra dans la pièce avec aux lèvres un vague sourire d'excuse.

— Revenons à nos moutons, dit-il. Etant donné que nous sommes parvenus à un accord, je vous invite, mon cher Arvid, à révéler qui est le troisième de la liste.

Arvid ne se fit pas prier, les mots se bousculèrent pour sortir de sa bouche :

— C'est Waldemar Göransson. Il est professeur à la Teknis.

— Pourquoi est-il sur votre liste ? s'étonna Amanda.

— Parce qu'il est spécialiste dans l'art de dissimuler le phénomène d'effet de serre sous le tapis.

— Qu'est-ce que vous entendez par là ? demanda Kent, qui venait d'ouvrir les yeux pour la première fois.

— Il est l'auteur d'articles polémiques dans lesquels il prétend par exemple que le carbone est excellent pour la croissance des végétaux, et que la terre s'autorégule. Il dit que si l'émission de dioxyde devenait trop importante, on verrait tout simplement émerger de nouvelles espèces végétales.

— Et ce n'est pas vrai ? demanda Amanda.

— Il est exact que les plantes poussent mieux et ont besoin de moins d'eau si elles peuvent consommer plus de carbone. Et il est vrai aussi qu'elles fixent le carbone. Ce qu'il oublie de mentionner, c'est qu'on détruit à chaque minute la surface de plusieurs terrains de football de forêt tropicale.

— Mais c'est quoi le problème, en fait, avec ce dioxyde de carbone ? s'enquit Amanda.

— Le problème est qu'un certain nombre de gaz s'accumulent autour de la terre en formant une sorte de cloche et empêchent le rayonnement naturel de notre planète. La terre se réchauffe. Les glaciers fondent. Le niveau de la mer augmente. La Barrière de corail meurt.

Arvid s'était enflammé et il poursuivit son explication avec fougue :

— Waldemar Göransson ose dire aussi que ce ne sont pas les émissions de gaz à effet de serre qui sont la cause du réchauffement climatique. Bien qu'on ait découvert des bulles d'air vieilles de près de deux cent mille ans dans des blocs de glace au Groenland et au pôle Nord, prouvant que la concentration de carbone n'avait quasiment pas évolué depuis vingt-cinq mille ans jusqu'à l'ère industrielle. La convention des Nations unies sur le changement climatique...

Avec un coup d'œil à sa montre, Amanda l'interrompit :

— Tout cela est très intéressant, mais il faut qu'on trouve ce Göransson maintenant. Est-ce que vous savez où il est ?

Au moment où Arvid allait répondre, Nils Vetman intervint :

— Mon client l'ignore, bien sûr. Il vous a déjà communiqué le nom. Vous n'avez qu'à le chercher dans l'annuaire.

Il signifia que l'entretien était désormais terminé en se levant et en rangeant son agenda relié de cuir dans son attaché-case. Amanda n'attendit même pas qu'il ait quitté la pièce pour prendre son téléphone portable et passer un coup de fil :

— Vous pouvez me mettre en relation avec les ressources humaines de l'Institut royal de technologie ?

Le quartier de Fältöversten avait autrefois été baptisé « la Fosse » à cause des nombreux entrepôts et dépôts de ferrailleurs qui s'y trouvaient. Les années 1970 avaient apporté avec elles de nouvelles idéologies. Un complexe de logements sociaux avait été édifié sur le site, composé de cinq cents appartements, dont cinquante spécialement conçus pour les personnes âgées et quatorze pour les handicapés. Tout le monde devait avoir accès aux infrastructures commerciales et administratives. Waldemar Göransson n'appartenait à aucune de ces deux catégories quand il avait accepté le deux-pièces qu'il s'était vu proposer vingt-quatre ans auparavant, au moment où sa femme et son enfant l'avaient quitté. Ce qui lui importait était qu'il se trouve suffisamment près de son bureau à la Haute Ecole de technologie pour qu'il puisse se rendre à pied à son travail. Quatorze ans plus tard, son bureau lui avait été enlevé.

La commission d'attribution des salles au sein de l'université avait jugé que le local devait servir à quelqu'un qui en avait plus besoin que lui. Waldemar Göransson s'était senti personnellement floué et avait lutté bec et ongles pour le garder. En sa qualité de professeur émérite, il estimait avoir droit à une pièce pour travailler. Il avait perdu le combat et menait à présent sa lutte contre l'hystérie collective et pour le simple bon sens dans son propre appartement. Il y consacrait toute sa vie et toute son énergie. Rien d'autre ne comptait à ses yeux.

Son ordinateur était entouré de piles de livres, de dossiers ouverts et de trois barquettes de plats cuisinés entamés et desséchés. Quatre emballages du même type étaient posés à même le linoléum, sous la table. Waldemar Göransson était exaspéré. Il frappait les touches de son clavier à toute vitesse et sa concentration était telle qu'il n'entendit pas le bruit que sa porte d'entrée fit en s'ouvrant. Une cigarette se consumait dans son cendrier plein à ras bord.

— Sale morveux, pestait-il tout en répondant à un commentaire sur le forum appelé Flashback.

La version suédoise du site avait été obligée de fermer sous la menace d'une amende de quatre cent mille couronnes et de frais de justice s'élevant à deux cent cinquante millions de couronnes. Avec pour seul argument de défense sa liberté d'expression, le groupe avait préféré éviter la partie de bras de fer. Le site était désormais géré à l'étranger.

Ce ne fut qu'en sentant le contact du métal froid contre sa gorge que Waldemar Göransson réalisa qu'il n'était pas seul dans la pièce. Ses mains s'immobilisèrent sur les touches.

Il se figea.

Craignant que le moindre de ses mouvements n'amène le couteau à traverser sa chair.

La mort ne l'effrayait pas, il regrettait seulement de ne pas avoir le temps de finir tout ce qu'il voulait faire avant de partir. Il devait sauver l'humanité de l'immense erreur qu'elle était sur le point de commettre. Au lieu d'évoluer, elle se préparait au marasme et même à la régression. Tout cela sous prétexte d'un réchauffement de la planète. Foutaise, pensait Waldemar Göransson.

Le silence était total, mais il entendait la respiration calme d'un individu derrière lui et percevait la pression douce d'une main sur son épaule.

Et puis Waldemar Göransson sentit la lame qui incisait ses tissus.

Comme c'est étrange, se dit-il. Je n'éprouve aucune douleur.

Nova connaissait l'adresse de Waldemar Göransson. Ils avaient surveillé ses faits et gestes, ce qui n'avait pas été bien compliqué, mais le vieux professeur leur avait tout de même posé un petit problème : tous les deux jours, appuyé sur sa canne, il se traînait jusqu'au supermarché Sabis dans la galerie commerciale de Fältöversten mais, à part cela, il ne sortait jamais de chez lui. Ils s'étaient demandé comment entrer dans son appartement sans se faire remarquer. En définitive, ils avaient changé leur plan d'attaque : ils allaient saper sa crédibilité en usurpant son identité et son adresse mail, et en inondant la presse ainsi que divers forums de discussion d'informations erronées sous sa signature. Ils inventeraient des argumentaires encore plus loufoques que les siens. S'ils parvenaient à faire croire qu'il était l'auteur de propos extrémistes dénués de fondement, personne ne l'écouterait plus. Tout cela était resté à l'état de projet.

Nova sortit en courant de la station Karlaplan et traversa la place jusqu'à Fältöversten. A droite du centre commercial, elle gravit quatre à quatre les marches d'un escalier mécanique en panne. Elle entendait résonner des voix d'enfants jouant sous les préaux de la résidence. Nombre de nourrices à domicile occupaient ces appartements. L'herbe poussait dans les joints des dallages. Les idéaux des années 1970 avaient subi l'usure du temps.

Nova n'osa pas prendre l'ascenseur jusqu'au troisième étage et lui préféra l'escalier en béton. Arrivée devant la porte marquée « Waldemar Göransson », elle marqua un temps d'arrêt. Elle savait ce qu'elle voulait faire jusqu'à cet instant précis, mais, une fois là, elle se demanda ce qu'elle allait bien pouvoir lui dire.

Un bruit sourd lui parvint de l'intérieur de l'appartement.

En tout cas, il est chez lui. Je crois que je n'ai plus qu'à improviser, se dit-elle en appuyant sur la sonnette.

Un silence pesant lui répondit.

Nova colla son oreille contre le battant. Elle n'entendit rien.

Elle sonna encore deux fois, longuement. Toujours pas la moindre réaction.

Elle était pourtant certaine d'avoir entendu un bruit. Ce vieil imbécile ne veut peut-être pas ouvrir, pensa-t-elle. Il faut pourtant que je lui parle. Indécise, elle s'appuya contre la porte.

Elle n'était pas fermée.

Elle la poussa tout en criant :

— Il y a quelqu'un ? Waldemar ? Il faut que je vous parle.

Rien.

Nova jeta un coup d'œil à l'intérieur. Un relent d'ordures et de tabac froid lui sauta au visage. Le couloir d'entrée était étroit et sombre ; des manteaux datant de diverses époques étaient suspendus à une patère. Cinq poubelles étaient entassées près de la porte. Elle prit une grande respiration puis retint son souffle. Un papier peint marron foncé tapissait les murs. A l'origine, il était supposé s'harmoniser avec la moquette verte, mais l'effet était raté, le sol étant jonché de journaux, de dépliants publicitaires, et de factures que personne n'avait pris la peine d'ouvrir. Dans un angle, un géranium en pot dépérissait. Nova appela de nouveau :

— Hou ! Hou !

Pas de réponse.

Il y avait deux portes dans le couloir. Nova ouvrit d'abord celle de droite. Elle conduisait à la cuisine : une pièce longue et étroite, avec une table pour deux personnes tout au fond, devant une fenêtre. Elle était peinte en brun et jaune, et le plafond était noirci par la fumée et les graisses de cuisson. Une autre poubelle ainsi qu'un emballage plastique traînaient par terre. Le soleil éclairait timidement la vitre rendue opaque par la suie. Répugnant, se dit Nova en se tournant vers la deuxième porte.

Le séjour était dans un état presque plus lamentable que la cuisine. Elle n'aurait pas cru que ce fût possible.

Des décennies de poussière s'amoncelaient dans les coins. Les ampoules du lustre avaient rendu l'âme. Les étagères croulaient sous les livres. Des piles d'ouvrages et de revues formaient un couloir menant jusqu'à une table de travail. Les persiennes étaient baissées et une unique lampe de bureau sans abat-jour éclairait la pièce.

Nova baissa les yeux et eut un mouvement de recul : la pointe d'une vieille chaussure d'homme dépassait de l'une des murailles de livres.

Son pouls s'accéléra.

— Hé ho ? dit-elle prudemment.

Pas un son. Pas un mouvement.

Nova fit quelques pas hésitants ; la pointe devint une chaussure et la chaussure une jambe. La cuisse était tachée de sang. Nova respirait par à-coups irréguliers. Son pouls battait violemment. Elle hésitait. Elle voulait s'en aller. Ne pas voir ce qui se trouvait derrière la pile de livres.

Elle regarda. Hurla.

Le corps de Waldemar Göransson s'arrêtait au cou. Sa tête sectionnée était posée juste à côté. Son expression était paisible, mais le fait qu'il n'y ait pas de corps rendait par contraste le visage encore plus macabre que s'il avait exprimé la terreur. Le sang se déversait toujours de ses artères. Le cœur était en train de ralentir, puis il s'arrêta sous les yeux de la jeune fille. Un couteau se trouvait près du cadavre. Un couteau de chasse avec une lame brillante au fil tranchant.

Nova se retourna dans l'intention de fuir. Elle ne voulait plus voir.

Elle ne voulait pas passer une seconde de plus dans cet endroit.

Mais quelqu'un lui barra la route ; elle ne put passer la porte. Et quand Nova vit qui l'en empêchait, elle se pétrifia ; l'impossible était devenu possible.

L'émotion fut trop violente.

La terreur s'empara de tout son être. Sa vision se troubla. La réalité explosa. Elle s'effondra. Son cerveau n'avait pas supporté le choc.

Elle gisait, inanimée, au milieu des papiers et des moutons de poussière.

Sa défunte génitrice la regardait, debout à l'entrée de l'appartement.

Amanda et Kent traversaient Stockholm aussi vite qu'ils le pouvaient : Kungsgatan, Sturegatan et Karlavägen. Le DRH de l'Institut technologique leur avait indiqué que Waldemar Göransson avait pris sa retraite quatorze ans auparavant et qu'il vivait dans un appartement à Fältöversten. Il avait précisé que le professeur passait le plus clair de son temps chez lui à cause d'une arthrose du genou qui l'obligeait à se déplacer avec une canne. Leur interlocuteur l'avait décrit comme un homme indépendant, borné mais intelligent. Waldemar ne répondait pas au téléphone. Malgré la sirène, ils progressaient lentement et la circulation les ralentissait terriblement.

Je dois absolument arriver à temps, songeait Amanda.

Quand Nova revint à elle, son regard croisa un regard qu'elle pensait ne jamais revoir.

Celui de sa mère.

Elle crut d'abord qu'elle faisait un cauchemar. Et puis elle se rappela tout.

Waldemar Göransson. Le sang. Le couteau. Sa mère.

La respiration de Nova s'affola et elle essaya de s'éloigner en rampant.

Sa mère se pencha en avant, lui caressa la jambe comme elle l'aurait fait pour apaiser un enfant. Elle obtint l'effet contraire. Nova se mit à hurler et à donner des coups de pied.

— Je suis désolée, dit Elisabeth. Tu n'aurais pas dû voir tout cela.

C'était bien sa voix. Un élément tangible auquel Nova pouvait se raccrocher. Quelque chose de réel. Ce n'est qu'à cet instant que Nova réalisa vraiment : Maman est vivante, elle est vivante. Elle se calma et regarda sa mère.

— Comment... commença-t-elle, mais elle se reprit et formula sa question autrement : Tu n'es pas morte, alors ?

— Eh bien non, comme tu vois.

Derrière son ton sérieux perçait une note d'amusement.

Nova observa sa mère avec attention. Elle n'avait pratiquement pas changé. Les mêmes cheveux blonds coupés au carré, impeccablement coiffés, et le regard bleu pénétrant. Le fin réseau de rides sous les yeux était légèrement plus marqué, peut-être. Nova voyait pour la première fois le jogging sombre qu'elle portait. Ses yeux quémandaient des réponses.

— J'ai mis en scène ma propre mort, lui expliqua sa mère.

— Comment ça ?

— Avec l'aide du médecin légiste.

Nova se rappela sa surprise de le voir à l'enterrement. Il connaissait donc sa mère avant.

— Mais pourquoi ?

— C'est une longue histoire.

Elisabeth Barakel soupira.

— Normalement, tu n'aurais pas dû être au courant avant tes vingt et un ans.

— Au courant de quoi ? De quoi est-ce que tu parles ?

— Ce n'est qu'à cet âge-là qu'on peut déterminer la force de l'être humain en soi. C'est malheureusement comme cela que ça marche.

— Qu'est-ce que tu racontes ?

208

— Tu descends d'un très vieux peuple, appelé Nephilim. Nous sommes sur terre depuis la nuit des temps.

Nova écoutait à peine ce que sa mère était en train de lui expliquer, elle regardait ses mains. Pourquoi ma mère a-t-elle du sang sur les mains ? se demandait-elle. Et qu'est-ce qu'elle fait ici ? Cette dernière vit la direction de son regard et essaya de s'expliquer :

— Il faut à tout prix que nous mettions un terme au réchauffement de la planète. Cela n'ira pas sans quelques sacrifices humains. Sinon nous disparaîtrons lors du prochain Déluge.

Nova hurla alors ce qu'elle n'avait même pas osé penser jusque-là :

— Tu les as tués ! C'est toi qui les as tués !

— C'était mon devoir. Tu sais très bien ce que faisaient ces gens.

On entendit des sirènes de police qui approchaient. Elisabeth Barakel eut l'air inquiet.

— Nous reparlerons de tout cela plus tard. Essaie de comprendre. Je lutte pour ta survie autant que pour la mienne.

— Tu ne vas pas me dire que tu es devenue une meurtrière pour me protéger ? s'emporta la jeune fille.

— Ma chérie, réfléchis à tout cela, lui répondit sa mère en se levant doucement.

Elle sortit de la pièce à reculons et observa Nova comme si elle la jaugeait. La jeune fille se débattait dans un tel tourbillon de pensées qu'elle avait le regard vide. A sa colère se mêlaient du chagrin et de la peur. Ses bras pendaient mollement le long de son corps.

Un téléphone sonnait avec insistance dans la pièce voisine.

Amanda venait de composer pour la sixième fois le numéro de Waldemar Göransson. En vain. Le téléphone sonnait dans le vide. Sa Golf rouge bénéficiait de l'escorte d'une voiture de police banalisée pour longer les derniers pâtés de maisons de Karlavägen. Ils ralentirent en passant devant l'imposant immeuble en briques rouges du lycée Ostra Real. Amanda ne voulait pas faire d'autres victimes innocentes dans cette enquête, et encore moins s'il s'agissait d'enfants ou d'adolescents. Les deux voitures traversèrent la place pavée devant le centre commercial et se garèrent sur les zébras qui en protégeaient l'entrée. Des curieux s'arrêtèrent pour regarder les passagers qui en sortaient précipitamment. Amanda repéra l'escalier mécanique et le gravit quatre à quatre. Kent lui emboîta le pas – malgré sa corpulence, il était rapide sur les courtes distances. Arrivés en haut, ils traversèrent la cour ventre à terre. Un animateur de crèche fit un rempart de son corps entre le groupe d'enfants qu'il surveillait et les forces de police. Les activités cessèrent et les enfants regardèrent, fascinés, l'action qui se déroulait sur leur propre terrain de jeu.

Amanda avait pris un peu d'avance sur Kent quand elle arriva devant la porte de Waldemar Göransson.

Elle la trouva grande ouverte.

Amanda sortit son pistolet de son étui, attendit son coéquipier arme brandie. Lorsque l'ascenseur s'arrêta, Kent inspecta prudemment le palier avant d'en sortir. Il croisa le regard de sa collègue.

— Waldemar Göransson ! Police ! cria Amanda.

Comme personne ne répondait, ils entrèrent dans l'appartement. Ils inspectèrent le couloir nauséabond. Puis la cuisine. La première chose qu'Amanda vit en pénétrant dans le séjour fut Nova. Elle semblait prostrée. Les genoux repliés sur la poitrine, elle ne bougea même pas quand Amanda lui ordonna :

— Couchez-vous par terre, sur le ventre, les bras tendus devant vous.

Amanda s'approcha doucement, fut contrainte d'allonger Nova elle-même avant de la menotter, mains dans le dos. Le corps de Nova était lourd et inerte. Comme si elle l'avait déserté. Pendant qu'Amanda s'occupait de Nova, Kent s'était avancé dans la pièce.

— Merde, fut sa seule réaction quand il trouva le corps mutilé de Waldemar Göransson.

Amanda laissa Nova pour rejoindre son coéquipier. Quand elle vit le professeur derrière la pile de livres, il lui fallut un moment pour enregistrer l'ensemble du tableau : le cou auquel n'était attachée aucune tête, le couteau dans une flaque de sang. Même si le corps n'avait pas été disposé de façon particulière comme ceux des précédentes victimes, il ne faisait aucun doute à ses yeux qu'il s'agissait du même meurtrier : la jeune fille qu'elle venait de ligoter. Ils étaient arrivés trop tard. Nova avait fait une autre victime innocente avant qu'ils parviennent à l'en empêcher. Ce constat gâchait sa satisfaction d'avoir arrêté une meurtrière en série. Le sentiment de frustration que ressentait l'inspectrice se mua en colère. Elle se retourna, mit Nova sur ses pieds et la secoua sans ménagement.

— Pourquoi avez-vous fait ça ? Pourquoi ? lui hurla-t-elle au visage.

Comme la jeune fille ne répondait pas, elle la projeta contre la porte et la cogna brutalement contre la peinture écaillée. Elle ne réussit à se calmer et à la lâcher que quand Kent lui posa une main sur l'épaule. Ses doigts avaient laissé des marques sur les bras de Nova, qui ne tarderaient pas à devenir des bleus. Nova regarda Amanda dans les yeux pour la première fois et dit :

— Ce n'est pas moi. C'est ma mère.

— Ben voyons ! Vous expliquerez ça au juge.

Tout en poussant violemment Nova vers la voiture de police, elle pensait : La gamine est complètement dérangée. Dommage, ils vont la placer en hôpital psychiatrique au lieu de la mettre en prison. Kent resta sur place pour préparer le travail de l'équipe d'identification.

La maison qui se trouvait au 24 Svartmangatan avait été construite en 1624, mais était édifiée sur les ruines d'un monastère dominicain du XVe siècle. A l'époque, ainsi que le rappelait le nom de la rue, ses moines se faisaient appeler les frères noirs, par opposition aux frères gris de Ridderholmen. La façade de la maison était beige foncé, avec un soubassement en pierres apparentes. Peter Dagon connaissait le code par cœur. Le lourd portail grinça quand il le poussa.

Moïse habitait le rez-de-chaussée. Le cinq-pièces de plain-pied ne laissait en rien présager ce qui se trouvait au-dessous. Il était meublé comme un appartement bourgeois, bien qu'il fût un peu bas de plafond. Plusieurs grandes toiles de Zorn, représentant d'opulentes femmes nues, ornaient les murs. Moïse accueillit Peter Dagon d'une claque dans le dos. Ce dernier lui répondit de la même façon. Les deux hommes se rendirent dans la cuisine.

Sur le plan de travail en marbre noir était posée une armoire à vin en bois sombre. Moïse encouragea Peter Dagon du regard à choisir une bouteille. Il les sortit une par une. Admirant et commentant. Il finit par se décider pour un Penfolds Grange de 2002. Moïse lui prit la bouteille des mains, la déboucha et remplit deux lourds verres en cristal. Pendant que Peter Dagon goûtait le breuvage à la robe couleur rubis, Moïse alla chercher un gorgonzola bien affiné et découpa une poire. Il se tourna vers le panneau de bois qui se trouvait entre la table de la cuisine et le réfrigérateur chromé. D'un geste dans lequel se lisait une longue habitude, il fit coulisser une moulure. Le panneau se transforma en une porte qui s'ouvrit lentement. De l'air froid remontant du Moyen Age s'insinua par l'ouverture. Moïse fut obligé de se baisser pour passer. Peter Dagon lui emboîta le pas, un verre dans chaque main.

L'escalier était raide et sombre. A mi-chemin, Moïse alluma l'une des lampes à pétrole fixées au mur. La lumière se mit à jouer avec les ombres. Les deux hommes marchaient dans les pas de leurs ancêtres. L'escalier tourna brusquement et s'élargit. D'autres lampes furent allumées mais elles ne parvinrent pas à percer l'obscurité de la grande salle. Jadis réfectoire des moines, elle était devenue aujourd'hui la salle de conférences des Nephilim. Les pauvres religieux se seraient retournés dans leurs tombes s'ils avaient su à quoi leur monastère était utilisé.

Les murs de pierre étaient partiellement habillés de boiseries. Une ingénieuse crémaillère, qui permettait aux frères noirs de faire rôtir un cochon entier, était encore suspendue dans la grande cheminée. D'innombrables portraits étaient accrochés aux murs. Toute l'histoire des Nephilim racontée en peinture. Chaque personnage illustre avait son portrait. Peter Dagon espérait y voir le sien un jour.

Sur le tableau qui se trouvait à l'extrême gauche, on voyait un homme debout devant les deux sommets du mont Ararat. Il arrivait de l'endroit où l'Arche était échouée. Peter Dagon se targuait de trouver des ressemblances entre ses propres traits et ceux de son ancêtre, l'unique Nephilim à avoir survécu au Déluge. Il étudia le visage du tableau pendant quelques instants.

Avec beaucoup de ruse, son ancêtre était parvenu à se glisser sur l'arche de Noé alors que le Déluge avait justement eu pour but d'éliminer définitivement la race des Nephilim de la surface de la terre. A l'époque, leur intégration dans la société des hommes avait été si totale que la famille de Noé était la seule famille humaine pure qui restât. Si l'on peut parler de pureté en ce qui concerne les humains, songeait Peter Dagon. Cette fois non plus le Déluge ne parviendrait pas à exterminer les Nephilim. Qu'ils soient contraints de prendre aujourd'hui certaines mesures contre la montée du niveau des océans leur causait un grave préjudice, mais ils y feraient face.

Peter Dagon se tourna vers Moïse et lui demanda :

— Alors ? Où en est l'enquête de police ?

— Ils ont toute la liste. Mais pour le moment, ils ne s'occupent que de Nova. Soit dit en passant, Greenpeace joue son rôle à la perfection. J'ai lu dans la presse que la police avait fait une perquisition dans leurs locaux, ce qui a déclenché un tollé général. Ils sont totalement débordés.

— Quel dommage que Nova montre autant d'alarmantes caractéristiques humaines ! Je pensais sincèrement qu'elle était la dernière avec qui nous risquions d'avoir ce type de problème, se plaignit Peter Dagon.

— Oui, ça frappe complètement au hasard.

— Nous avons dû revoir considérablement notre copie depuis le plan originel.

— Personne ne pouvait deviner que le métissage aurait de telles conséquences.

Les deux hommes étudièrent la question pendant un moment. Pour finir, Peter Dagon dit :

— J'ai reçu l'ordre d'intensifier la lutte.

— Très bien.

Amanda s'était accordé une grasse matinée. L'enquête préliminaire était loin d'être terminée mais, au moins, Nova était sous les verrous. Elle avait rendez-vous chez le médecin à 9 heures. Dix minutes avant, elle fermait sa porte et descendait l'escalier. « La pire adresse de livraison de la ville », avait dit le livreur de chez Ikea en lui apportant son nouveau lit. Et il n'avait pas tort.

Amanda fit le tour du bâtiment par la coursive dallée puis descendit la volée de marches conduisant à Högalidsgatan. Là, elle prit à droite et passa près de l'Oasis Verte, le restaurant que tenait Lasse à l'orée du parc. Depuis le XIXe siècle, on servait des repas dans la petite échoppe. Lasse, le tenancier actuel, un homme sans âge, les cheveux noués en chignon, était en train de nettoyer la terrasse. Un match de football avait été projeté sur grand écran la veille. Amanda ne savait pas quelles équipes jouaient, mais elle avait entendu les acclamations qui s'élevaient à chaque but.

Après avoir tourné dans Långholmsgatan, elle entra chez le traiteur italien. Le jambon au romarin était en exposition avec le fromage frais et le gorgonzola dans le comptoir réfrigéré. Sur les étagères étaient entreposées des pâtes sous toutes leurs formes, de l'huile d'olive à la truffe et de la tapenade aux couleurs de l'automne. Amanda commanda un café au lait au petit homme obséquieux qui se tenait derrière la caisse. Avant de payer, elle fit l'achat compulsif de cent grammes de ricotta, sans se demander quand elle aurait l'occasion de la manger.

Le dispensaire Curera se trouvait à trois pâtés de maisons. Amanda arriva pile à l'heure de son rendez-vous. Elle avait pratiquement terminé sa boisson chaude. Il y avait peu de monde dans la salle d'attente et, avant même qu'elle ait eu le temps de s'asseoir, un homme efflanqué s'approcha d'elle d'un pas rapide.

— Amanda ? dit-il en tendant la main. Je m'appelle Pär Säberg.

Amanda fut conduite dans une pièce si petite qu'il n'y avait la place que pour deux chaises, un bureau avec ordinateur et une table d'examen. Elle décrivit ses symptômes au médecin, qui l'écouta avec attention puis lui posa quelques questions. Il la pria ensuite de s'allonger sur la table, lui palpa le ventre et y colla son stéthoscope.

— De quand datent vos dernières règles ? demanda-t-il.

— Je comprends pourquoi vous voulez le savoir, mais en fait, je prends la pilule, répondit Amanda sans réfléchir à ce qui lui avait été demandé.

— Il est déjà arrivé à des femmes de tomber enceintes alors qu'elles prenaient la pilule.

Amanda comprit qu'il ne s'agissait pas d'une simple question de routine :

— Vous parlez sérieusement ? Je suis enceinte ?

— Il semblerait. Je dirais que vous êtes dans votre troisième mois. Si j'étais vous, je prendrais rendez-vous dans une maternité.

— Mais je ne peux pas avoir un enfant, protesta Amanda.

— Alors vous avez intérêt à vous dépêcher, parce que vous n'êtes pas loin de la date limite légale pour avorter.

— Mais je ne veux pas non plus avorter.

Pär Säberg sourit gentiment devant la confusion d'Amanda et lui dit :

— Il y a d'excellents psychologues qui travaillent dans les maternités. Vous voulez que je vous recommande à un de mes confrères ?

De toute évidence, Pär Säberg ne considérait pas la psychologie comme faisant partie de ses compétences. Amanda secoua la tête.

— Je verrai, lui répondit-elle en quittant le cabinet.

Aussitôt dehors, elle tourna à gauche ; un banc public lui tendait les bras. Elle s'assit et se perdit dans la contemplation du parc Tantolunden. Les enfants en nourrice avaient commencé à envahir les espaces verts ; quelques retardataires finissaient leur jogging matinal ; un golden retriever jouait au bord de l'étang. En arrière-plan, un petit lotissement ouvrier avait été construit en espalier sur la colline.

Amanda prit le sachet dans lequel était enveloppée la ricotta et l'ouvrit. Elle plongea son index dans la substance molle et le mit dans sa bouche. Enceinte... se dit-elle. Qu'est-ce que je vais faire ? Moïse et Amanda n'avaient jamais fait de projets d'avenir communs. Elle aurait bien aimé, mais elle craignait de briser la magie qui existait entre eux en abordant le sujet. Ils ne s'étaient jamais fait de promesses. Ils n'avaient jamais vu plus loin que le lendemain, ou le surlendemain tout au plus. Leur relation était comme suspendue dans le temps ; ils vivaient toujours la liaison passionnelle d'un premier mois alors qu'ils étaient ensemble depuis deux ans.

Mais, maintenant, elle était enceinte. Une autre partie allait se jouer. Perdrait-elle Moïse ou au contraire le gagnerait-elle ? Il y avait une autre solution : avorter et faire comme si ce n'était jamais arrivé. Tout pourrait continuer comme avant. Mais est-ce que ce serait vraiment pareil ? Même si Moïse restait le même, elle saurait ce qu'elle avait fait. Avorter à l'âge de trente-neuf ans équivaudrait à jeter aux orties sa dernière chance d'être mère. Elle ne serait sans doute plus jamais enceinte. Elle ne fonderait jamais une famille.

Jamais.

Le mot était si définitif.

Moïse a le droit de savoir, pensa Amanda. C'est son enfant aussi. Mais il était facile d'avoir des principes quand il s'agissait des autres. C'était sa vie à elle qui allait être complètement bouleversée. C'était un choix difficile. Terriblement difficile.

Amanda regarda dans le paquet. Il n'y avait plus de ricotta.

Et elle n'avait toujours rien décidé.

Peter Dagon était assis au bar Cadier du Grand Hôtel et regardait les deux ailes du château qui penchaient vers l'eau. Comment quelque chose d'aussi gigantesque peut-il être aussi laid ? se disait-il. Six cents pièces derrière une façade couleur rat d'égout. Il considérait que le château aurait dû être repeint en jaune vif. En fait, il aurait aimé voir le vieux château Tre Kronor démoli puis reconstruit avec ses tourelles et ses donjons, afin de lui redonner l'aspect qu'il avait au Moyen Age. Il n'ignorait pas que c'était de l'utopie.

217

Moïse était assis en face de Peter Dagon, dans un profond fauteuil recouvert d'une tapisserie brodée de grosses fleurs brunes. Il tenait à la main une assiette de tartare de saumon parfumé au cerfeuil et au gingembre. Il l'engouffrait dans sa grande bouche, mâchait et déglutissait. Une fois terminé, il enchaîna avec des scones tout frais nappés de crème au citron. Les deux hommes dégustèrent le thé traditionnel de l'hôtel sans échanger un mot. Tous les deux avaient opté pour le thé parce qu'il était trop tôt pour boire du champagne. Quand ils eurent fini le plateau de scones, de sandwiches et de pâtisseries, Moïse déclara :

— Nova comprend vite.

— Et alors, c'est un problème ? demanda Peter Dagon en s'essuyant la commissure des lèvres.

— Non, la police ne la croit pas.

— Alors, elle parle ?

— Oui, mais elle en sait trop peu et elle n'a aucune preuve.

— Tu es sûr que la situation est sous contrôle ?

— Ne t'inquiète pas, l'inspectrice principale est comme une particule de cendre entre mon pouce et mon index, dit Moïse en frottant ses doigts l'un contre l'autre.

Peter Dagon hocha la tête, rassuré, et chercha à accrocher le regard du serveur pour demander la note.

Nova était assise sur la banquette fixée au mur, les bras autour des genoux, et regardait dans le vide. Ses épaules tombaient et son visage avait la couleur de la cendre. Elle se fichait d'être en prison. Ses pensées étaient une prison plus étroite encore. Elle se sentait pareille à une plante aux racines pourries. Quelque temps encore auparavant, elle voulait des réponses. A présent, elle souhaitait ne rien savoir.

Ma mère est une criminelle, se disait-elle. Mais est-ce que je vaux mieux qu'elle ? Moi aussi, j'ai tué un homme.

Nova commença à se balancer d'avant en arrière sans en avoir conscience. Sa mère s'était toujours montrée sévère avec elle. Mais juste aussi, d'une certaine manière. Quand Nova, à l'âge de cinq ans, avait pris un gâteau sans lui demander la permission, elle avait été privée de dîner. Quand elle avait fugué par les toits à douze ans, les mains qui avaient ouvert la trappe du grenier avaient eu à subir une volée de bois vert et elle était restée consignée dans sa chambre pendant plusieurs semaines. Quand elle avait essayé les vêtements de sa mère sans autorisation, elle avait dû passer une journée toute nue. Elles avaient vécu en appliquant la devise : œil pour œil, dent pour dent. Maintenant que Nova connaissait la vérité, elle comprenait à quel point elle avait été dupée.

L'âme noire de sa mère tentait aujourd'hui encore de justifier le meurtre de ses prochains. Ils auraient souillé la planète et contribué à l'avènement d'un nouveau Déluge. Et leur existence était une menace pour la vie et le bien-être de Nova et de sa mère. Si l'on en croyait cette dernière, ils méritaient de mourir. Mais elle était folle. La mère de Nova était une meurtrière. Nova aussi était une meurtrière. Suis-je folle moi aussi ? se demandait-elle.

Une larme glissa sur sa joue. Puis deux, trois. Elle se mit à sangloter. Serrant plus fort ses genoux, elle s'abandonna à une crise de larmes irrépressible. Son âme était vide et fatiguée. Elle se laissa tomber sur la banquette sans amortir la chute avec ses mains. Elle éprouvait le besoin de se punir. Elle voulait punir sa mère. Elles ne valaient rien. Elles devaient disparaître.

Nova nourrissait envers elle-même un profond dégoût. Une hérédité pourrie. Des racines pourries. Tout en elle était pourri.

Pourri. Pourri. Pourri.

Quelqu'un frappa à la porte. Le judas s'ouvrit et un visage s'y encadra, surveillant l'intérieur de la cellule. Cela se produisait tous les quarts d'heure. Mais pourquoi ne me laissent-ils pas tranquille ? pensa Nova en enfouissant sa tête dans l'oreiller.

Amanda avait pris la ligne 4 jusqu'à Fridhemsplan. Elle avait continué à pied parce qu'elle avait besoin de ces dix minutes de trajet jusqu'à l'hôtel de police pour réfléchir. Ses pensées étaient bien loin de son travail. La pente qui montait la colline du parc Kronoberg lui sembla plus raide qu'à l'accoutumée. Son souffle s'accéléra. A présent, elle savait pourquoi. Une nouvelle vie grandissait à l'intérieur de son ventre, qui prenait ses forces et son énergie. A cette pensée, Amanda ralentit l'allure et avança plus calmement.

Elle vit une femme qui marchait sous les arbres en poussant un landau. Cela pourrait être mon tour dans quelques mois, se dit-elle. En passant à côté d'elle, elle chercha à croiser son regard, afin de savoir s'il exprimait du bonheur. La femme avait un petit visage constellé de taches de rousseur. Ses lèvres étaient serrées et son expression déterminée. Serai-je une mère heureuse ? se demanda Amanda. La femme répondit à son regard inquisiteur par un sourire.

Oui, peut-être que je serai heureuse, se dit-elle. Après tout, c'est sans doute ma dernière chance d'avoir un enfant. Elle n'aurait pas le temps de trouver un autre géniteur avant qu'il soit trop tard. Peut-être que je sous-estime Moïse, songea-t-elle. Peut-être qu'il pense de moi ce que je pense de lui : que je ne veux pas m'engager, que je ne veux rien changer à ma petite vie tranquille. Après tout, je ne peux pas l'accuser de ne pas vouloir d'enfants avant de lui avoir posé la question. Les hommes sont moins pressés que les femmes, qui voient tourner leur horloge biologique. Et puis ils ne savent pas à quel point il est difficile de se retrouver enceinte pour une femme de plus de quarante ans.

La façade orangée du commissariat se dessinait à travers le feuillage.

Amanda se sentait le cœur plus léger. Elle se retourna pour regarder la femme au landau. Dans six mois, Moïse, le petit et moi serons peut-être à sa place, pensa-t-elle en se caressant inconsciemment le ventre. Une douce chaleur lui envahit le cœur. A présent, elle savait ce qu'elle voulait. Elle voulait garder le bébé. Amanda voulait être mère. Elle voulait avoir une famille. Elle voulait marcher sous les arbres en poussant un landau. Elle voulait répondre aux passants d'un sourire.

Amanda se rendit à son travail le cœur libéré. Ce soir, elle parlerait à Moïse.

Sa vie allait changer.

Rien ne serait plus comme avant.

Ses cheveux ressemblaient davantage à un tapis de laine piétiné et hirsute qu'à des dreadlocks dignes de ce nom. Nova avait mauvaise mine, des poches sombres soulignaient ses yeux. Amanda ne savait plus si elle lui trouvait l'air d'une vieille femme ou d'une petite fille. Elle est maigre, vulnérable et brisée, se dit-elle. Bien fait pour elle ! Elle voudrait peut-être aussi qu'on ait pitié d'elle !

La torture était interdite en Suède et, pour une fois, Amanda le regrettait sincèrement. Nova méritait d'avoir mal. Les assassins de sang-froid manquaient en général d'empathie, mais cela ne les empêchait pas de ressentir la douleur. Si leur souffrance pouvait apporter une petite consolation aux proches des victimes et leur enlever un peu de leur sentiment d'injustice, Amanda estimait que la torture avait du bon.

Kent était assis dans la pièce à côté et étudiait attentivement le langage corporel de Nova sur un écran, avec devant lui les éléments de l'enquête. Il pouvait ainsi contrôler immédiatement les renseignements que Nova leur fournissait. Tout avait son importance et serait ensuite analysé minutieusement. Comme à son habitude, Kent préférait travailler dans les bureaux, même s'il lui arrivait d'accompagner ses collègues sur le terrain ; Amanda ne voulait pas le laisser s'endormir complètement entre les rapports et les paperasses. Kent travaillait d'après la fameuse « méthode d'enquête pour les crimes violents ». Malgré son nouveau nom, Amanda l'appelait toujours la bible du crime. Bien qu'elle croie beaucoup moins à la chose écrite que Kent, elle avait un grand respect pour ses capacités d'organisation, qui contrebalançaient sa propre démarche instinctive et chaotique.

Nova avait refusé d'être représentée par Nils Vetman et ne voulait pas d'autre avocat. « Je ne fais pas confiance à Nils Vetman et je n'ai rien à cacher », avait-elle décrété. Amanda ne savait pas ce qu'elle devait en penser. Etait-elle malade au point d'être dans le déni le plus total, ou bien était-ce une ruse et avait-elle l'intention d'essayer de s'en sortir par des mensonges ? Il va lui falloir être drôlement forte dans ce cas, se disait Amanda. Nova avait été prise en flagrant délit sur le lieu du meurtre et il avait été prouvé qu'elle se trouvait sur au moins une des deux autres scènes de crime. Ou alors elle était stupide. Tout le monde n'avait pas la chance de pouvoir s'offrir un avocat comme Vetman, véreux ou pas.

Amanda commença par poser à Nova toute une série de questions de routine afin qu'elle se sente en sécurité. Pendant la première heure de l'interrogatoire, elle n'aborda même pas les raisons pour lesquelles Nova se trouvait en face d'elle. Ensuite, elle essaya de la surprendre avec la question qu'elle posait toujours dans ses enquêtes pour homicide :

— Pourquoi avez-vous fait ça ?

Nova leva la tête et regarda Amanda droit dans les yeux.

— C'est pas moi, c'est ma mère.

— Que faisiez-vous sur les lieux du crime ?

— Je voulais prévenir le professeur qu'il était en danger. Mais je ne savais pas encore que c'était elle, le danger.

Amanda soupira discrètement mais décida de rentrer dans le délire de Nova. Elle parviendrait peut-être à extirper quelques bribes de vérité de ses mensonges.

— Quand avez-vous réalisé que c'était elle ?

— Pas avant de l'avoir vue.

Amanda se demanda si la jeune fille souffrait d'un dédoublement de personnalité, et si elle se prenait pour sa mère. Elle décida de garder cette idée dans un coin de sa tête pendant la suite de son interrogatoire. Tôt ou tard, Nova devrait être vue par un psychiatre.

— Mais vous vouliez quand même prévenir le professeur, fit remarquer Amanda.

— Oui, j'avais vu Peter Dagon un peu plus tôt dans la journée, et j'avais compris qu'ils suivaient notre liste des Dirty Thirty.

— Si j'ai bien compris, votre mère agit avec la complicité d'un type qui s'appelle Peter Dagon ?

Nova hocha la tête et poursuivit :

— C'est ça. Ils veulent empêcher un nouveau Déluge en essayant d'arrêter le phénomène d'effet de serre.

— Ah, c'est donc là que la Bible et le Déluge entrent en jeu, souligna Amanda en pensant aux inscriptions trouvées sur les murs. Et qui est Peter Dagon ?

Amanda nota : « Vérifier l'identité de Peter Dagon ».

— Un vieil ami de ma mère. Ils croient qu'ils descendent des Nephilim.

— Les Nephilim sont des anges déchus ?

Nova eut d'abord l'air étonnée qu'Amanda sache qui étaient les Nephilim, puis elle le lui confirma en hochant la tête à nouveau. Bon, j'en ai assez de ces âneries, pensa Amanda avant de dire à voix haute d'un ton mielleux :

— Il y a juste un petit problème avec votre histoire : c'est que votre mère est morte.

— Non, elle n'est pas morte, elle a maquillé son décès.

— Et comment aurait-elle fait ça ? Le médecin légiste Moïse Hammar l'a identifiée.

Amanda posa instinctivement la main sur son ventre en prononçant le nom de Moïse.

— C'est un Nephilim lui aussi, répondit Nova avec sérieux. Il s'agit d'un vaste complot.

— Ce qui fait que vous aussi, vous êtes la fille d'un ange sur terre ? Je veux dire que si votre mère en est un, vous l'êtes forcément, non ?

— Ce n'est pas moi qui crois à tout ça. C'est eux. Vetman est dans le coup lui aussi.

Amanda prit une grande respiration et résuma d'un ton las :

— Donc, votre défunte mère, le médecin légiste, un type qui s'appelle Peter Dagon et Nils Vetman croient tous qu'ils sont des anges. Dites-moi, vous ne voulez pas redescendre sur terre et me raconter tout simplement ce qui s'est passé ?

Le café Muren, sur Västerlånggatan, se trouvait à quelques centaines de mètres de la maison dans laquelle Elisabeth Barakel avait passé toute sa vie. Le lieu aurait pu être charmant. Il était adossé au vieux mur d'enceinte de la ville. Son soubassement était en gros galets et le reste du bâtiment en pierres apparentes. La salle était divisée en deux par une arche blanchie à la chaux. De grosses poutres cloutées soutenaient le plafond.

L'ameublement était loin d'avoir le même cachet. Les banquettes étaient recouvertes de tissu déchiré, les coussins de couleur criarde et les portes blanches en aggloméré. Celle des toilettes mal entretenues était ouverte. Au final, l'ensemble donnait une impression de négligé hétéroclite.

Elisabeth n'y était jamais allée et était quasi certaine que personne ne la reconnaîtrait. Elle aimait bien que le café soit si près de son ancienne demeure, cela lui procurait le sentiment d'être un peu chez elle. La stabilité que sa maison lui avait apportée lui manquait. Les choses qu'elle n'avait pas voulu laisser derrière elle étaient entreposées dans un garde-meuble à Shurgard. Elle se rappela son cas de conscience quand il avait fallu décider de ce qu'elle ferait des dossiers de ses clients. Si elle les avait emportés, quelqu'un aurait peut-être deviné qu'elle avait simulé son décès. En les abandonnant derrière elle, elle prenait un risque important. Bon nombre de ses clients étaient des Nephilim, d'autres des clients de longue date ou très lucratifs. Elle s'était décidée pour le cambriolage de son propre bureau. C'était la meilleure solution. Plus tard, elle s'était aperçue qu'elle avait oublié les cartes d'Ararat de ce vieux fou de McAlley. Elle espérait que personne ne ferait le rapprochement entre ses crimes en Suède et un meurtre à Hawaï datant de plusieurs années. Connaissant Nova, ces cartes resteraient dans leur tiroir pendant des lustres. Quant à la police, elle ne donnait pas cher de ses capacités de déduction. Comment pourraient-ils imaginer que quelques ennemis de l'environnement aient eu le même meurtrier qu'un multimillionnaire fanatique aux Etats-Unis ?

L'ordre des Nephilim s'était souvent félicité du fait que les humains aient un mode de pensée territorial et qu'ils ne sachent pas collaborer au-delà des frontières. Chez eux, les différents clans étaient solidaires et tout le monde y trouvait son compte puisqu'ils avaient le même but : empêcher qu'on retrouve l'Arche. Cela ne devait tout simplement pas arriver. Les Nephilim avaient tout à gagner à laisser les humains dans l'ignorance. Leur confrérie était déjà très puissante.

Les Nephilim américains s'étaient offert les services d'Elisabeth, qui par la suite s'était volatilisée. Bientôt, c'est elle qui aurait besoin de leur aide. Elle se remit à penser à la maison, et se rendit compte que sa fille lui manquait tout autant. Elisabeth avait cru qu'elle pourrait la quitter sans regret ni remords, à présent que celle-ci était adulte et capable de se débrouiller seule. Comme une toile achevée mise en vente. Mais le bruit des pas de sa fille dans l'escalier lui manquait, ses phrases prévisibles à propos de détails domestiques, son visage, qu'elle tenait de son père. Elisabeth regrettait même son horrible coiffure.

Elle songeait au regard accusateur et à la déception de Nova quand elle avait compris que sa mère était responsable des meurtres. Elle n'avait pas eu le temps de lui expliquer pourquoi ces crimes étaient nécessaires. Elle n'avait jamais de temps pour rien. Le temps se rétrécissait comme une peau de chagrin et s'évanouissait. Elisabeth avait appris par les réseaux internes que Nova avait été arrêtée et accusée des trois assassinats. La police disposait même d'un enregistrement vidéo qui prouvait la préméditation. Elisabeth n'avait aucune idée de sa provenance. Elle n'avait pas non plus le temps d'enquêter là-dessus. Il fallait d'abord lutter pour la survie de leur peuple. Ensuite, elle s'occuperait de sa fille et tâcherait de la sortir de ce guêpier. Elisabeth disposait toujours de compétences et de contacts qui lui seraient utiles au moment du procès. S'il y avait un procès un jour. Et si leurs jours à tous n'étaient pas comptés.

Dans l'immédiat, la vie d'Elisabeth Barakel ne devait avoir qu'un but et elle devait réprimer tout sentiment pouvant l'en détourner. Il fallait qu'elle gomme de son esprit l'image de sa fille enfermée dans une prison. Elle devait oublier son regard. Elle n'avait pas le droit de faiblir. Pas maintenant. Le monde avait besoin d'elle. Son peuple avait besoin d'elle.

Nova attendrait. Penser à elle était un luxe qu'Elisabeth ne pouvait pas se permettre.

Elle se mit à feuilleter l'*Aftonbladet*. Elle ne pouvait plus se servir de la liste des Dirty Thirty pour poursuivre sa mission, puisque la police l'avait entre les mains. Un article retint son attention.

L'AVION DE PERRELLI – UNE MENACE CONTRE L'ENVIRONNEMENT

« Si on devait penser à l'environnement, on ne bougerait plus de chez soi »

La tournée de promotion de Charlotte Perrelli devrait contribuer à sa victoire au concours de l'Eurovision, mais il y aura un grand perdant : l'environnement.

« Si on devait penser à l'environnement, on ne bougerait plus de chez soi », déclare le manager de la chanteuse.

Aujourd'hui, Charlotte Perrelli atterrira à Lettland. C'est là que débute sa tournée de promotion pour le concours de l'Eurovision. Une partie des déplacements se fera en jet privé loué pour l'occasion. Un choix de moyen de transport qui sera responsable d'une émission de carbone de 2,75 tonnes par passager. Staffan Jordansson, son manager, déclare que la chanteuse et son groupe n'utiliseront ce jet que pendant une partie de la tournée.

Le palmarès avant tout

« Mais nous louerons l'avion privé chaque fois que nous en aurons besoin, dit-il.

— Avez-vous réfléchi à ce que l'utilisation d'un jet privé signifie en termes d'émission de carbone ?

— Si on devait penser à l'environnement, on ne bougerait plus de chez soi. Nous pensons uniquement au classement de Charlotte Perrelli dans le palmarès.

— Avez-vous l'intention de payer une compensation pour cette émission de carbone ?

— Encore une fois, on serait restés à la maison si on avait eu ce genre d'idées. »

Ils devraient payer plus !
« Moins on est de personnes à voyager, plus on émet de carbone par tête », explique Ingvar Jundén, de la commission de protection de l'environnement. Il estime que Charlotte Perrelli devrait, si elle utilise un jet privé, payer une taxe compensatoire et que cette somme devrait même être augmentée.
« Cela lui donnerait une meilleure image », souligne Ingvar Jundén.

L'avion émet 11 tonnes de gaz
L'émission de carbone d'un jet privé de ce type est évaluée à environ 11 tonnes. Si on les répartit sur quatre têtes, chaque personne est donc responsable de la pollution à hauteur de 2,75 tonnes. Le groupe parcourra 6 375 km. Cette distance correspond à peu près à la distance parcourue par un avion de ligne entre Stockholm et New York. Un vol de ce type génère 440 kg de dioxyde de carbone par passager. Magnus Swahn, qui anime le site Internet Transport et Environnement, a évalué les divers paramètres écologiques liés aux déplacements de la chanteuse. Le type d'avion qui va servir de moyen de transport à la vedette consomme en moyenne 427 litres de kérosène à l'heure à une vitesse de 845 km/h.

Pourquoi pas ? Onze tonnes, ça fait toujours onze tonnes, se dit Elisabeth Barakel en refermant le journal, qu'elle plia sous son bras avant de sortir du café en abandonnant sa tasse à moitié pleine sur la table.

Arrivée dehors, elle respira profondément l'air étouffant de l'été. Elle avait l'impression de laisser derrière elle ce qui restait de son ancienne vie. Toutes les strates de ses comportements acquis étaient restées avec les miettes de pain et les moutons de poussière sur le dallage du café. Elle n'avait plus qu'un seul objectif. Une cible. Elisabeth avait renoncé aux derniers restes de codes sociaux selon lesquels vivait le commun des mortels. La vie était devenue simple et magnifique.

Elisabeth Barakel s'était enfin trouvée.

Du pain grillé avec des œufs d'ablette.

Pour la première fois de sa vie, Amanda avait acheté des œufs d'ablettes suédoises dans la petite supérette qui se trouvait dans la galerie marchande du métro. Elle n'en avait acheté que parce qu'elle avait entendu Moïse dire un jour que c'était son plat préféré. Deux tranches de baguette grillaient dans la poêle. Elles rissolaient dans la graisse jaune. Moïse allait sonner à la porte dans un instant. Il lui avait envoyé un SMS en sortant du métro à Hornstull.

Amanda arrangea les feuilles de salade dans les assiettes pour la deuxième fois, vérifia sa coiffure dans le miroir de l'entrée et retourna dans le coin-cuisine. Le pain était joliment doré. C'est prêt, décida Amanda en posant les tartines sur les assiettes. Elle prit la boîte d'œufs de poisson, la regarda quelques instants d'un air incrédule, avant d'étaler les petits grains sur le pain. Elle sortit une bouteille de vin blanc bien frais du réfrigérateur.

Elle boirait de l'eau gazeuse goût citron. Elle se versa tout de même un verre de vin pour que Moïse n'ait pas de soupçons. Amanda voulait choisir elle-même le moment qui conviendrait pour annoncer la nouvelle. Elle ferait donc semblant de boire.

On sonna.

Le large visage de Moïse s'illumina quand elle ouvrit. Elle croisa nerveusement son regard. Quand il vit ce qui se trouvait sur la table, il éclata de rire et demanda :

— Qu'est-ce qu'on fête ? Tu as eu une promotion ?

Amanda se dit qu'elle ferait aussi bien de prendre le taureau par les cornes et rassembla son courage.

Très sérieusement, elle répondit :

— Il faut qu'on parle.

Le sourire s'effaça des lèvres de Moïse et ses yeux cherchèrent à deviner ce qu'Amanda avait à lui dire de si important. Elle se mit à table et il s'assit en face d'elle.

— Je ne vais pas y aller par quatre chemins : je suis enceinte.

Avec une expression de pitié, Moïse répondit :

— Je suis désolé. Ça doit être dur pour toi.

Amanda se sentit immensément soulagée. Moïse comprenait. Ils allaient résoudre ce problème ensemble.

— J'ai passé toute la journée à y penser.

Moïse lui caressa la joue de sa grande main.

— Ma pauvre chérie, quand as-tu rendez-vous ? Je t'accompagnerai bien sûr si tu le souhaites.

— Quel rendez-vous ? demanda Amanda, surprise.

— Pour ton avortement, je veux dire.

En voyant l'expression choquée d'Amanda, il poursuivit d'un ton qui ressemblait à un ordre :

— Car tu vas te faire avorter, bien sûr ?

— Non, ce n'était pas mon intention, répondit prudemment Amanda. Je voulais avoir ton avis avant que nous décidions quelque chose.

— Mais, ma petite Amanda, je croyais que nous étions d'accord sur le fait que notre aventure devait rester une aventure. On travaille ensemble, je te rappelle...

— Là, je ne vois pas bien le problème. Il n'est pas inhabituel de voir des policiers en couple.

— Sans doute, mais pas nous, la coupa Moïse sèchement. Je ne t'ai jamais rien promis. N'essaie pas de me faire culpabiliser maintenant.

Amanda ne parlait plus. Elle était bouleversée et tentait d'analyser ses propres sentiments. Aux derniers mots de Moïse, sa colère prit le pas sur sa peine et sa déception.

— Pardon ? Je ne dois pas te faire culpabiliser ? s'emporta-t-elle. Culpabiliser de quoi, s'il te plaît ? De ne pas vouloir faire face à tes responsabilités ? On était deux à baiser, que je sache ?

— Allons, ma chérie, ne sois pas vulgaire.

— Ah, parce que, maintenant, tu me trouves vulgaire ? Et cela ne te convient plus, peut-être ?

Amanda s'empara de son verre de vin et le jeta au visage de Moïse. Il passa à cinq centimètres de son oreille et alla se fracasser contre le mur. Vin et éclats de verre se répandirent sur le parquet.

Moïse se leva, posa sur la table la serviette qu'il avait sur les genoux.

— Appelle-moi quand tu seras calmée. Ma proposition tient toujours.

— Quelle proposition ? Celle de tuer notre enfant ?

Amanda cria cette dernière phrase à une porte close. Moïse avait déjà quitté l'appartement.

Elle entendit ses pas qui résonnaient dans l'escalier.

Amanda s'effondra en larmes sur sa chaise.

Les deux assiettes de crostinis aux œufs d'ablette étaient toujours sur la table, intactes.

Le bois de la chaise était dur et inconfortable, mais cela convenait à l'état d'esprit de Nova. Elle regardait par la fenêtre verrouillée. L'air était lourd et oppressant. Les murs de la cellule l'écrasaient. Dehors, les feuilles et les bourgeons se desséchaient. La nature luttait de toutes ses forces contre la chaleur. Nova, elle, ne luttait plus. Au contraire. Je mérite ce qui m'arrive, se disait-elle. Si elle avait agi différemment, tous ces gens seraient peut-être encore en vie.

Nova regarda avec haine sa main posée sur son genou. L'angle du rebord de la fenêtre était juste à côté. La voix grave de Trent Reznor vint faire écho à son désespoir :

I hurt myself today
To see if I still feel.
I focus on the pain
The only thing that's real.

Je me blesse aujourd'hui
Pour sentir ma souffrance.
J'écoute la douleur
Et elle seule est réelle.

Nova appuya la zone tendre de son poignet contre le tranchant. Ça marchait. La sensation était réelle. Toute sa douleur se concentra dans son bras. Occulta le reste. Elle appuya plus fort, et encore plus fort. Il n'y avait plus de place pour l'angoisse. Il n'y avait plus qu'une douleur lancinante dans son bras. Les paroles de Trent Reznor continuaient à résonner dans sa tête :

What have I become ?
Que suis-je devenu ?

Nova se posait la même question. En boucle. Qui était-elle devenue ? Qu'était-elle devenue ?

Tout à coup, ce fut comme si elle était sortie de son propre corps. Elle voyait la pièce dans laquelle elle était enfermée. Elle voyait son pantalon sale et ses doigts qui prenaient une teinte de plus en plus livide. Un filet de sang commençait à couler de son poignet. Elle avait devant elle une femme qui préférait se suicider plutôt que de faire face à ses problèmes. Une tueuse en série était toujours dans la nature et Nova devait absolument l'arrêter. C'était son devoir. Elle seule pouvait le faire.

Nova retira son bras, plaqua son autre main sur la plaie. Elle savait que, dans quelques heures, elle se serait refermée.

Nova avait le devoir de vivre.

Peter Dagon était en train d'admirer le coucher de soleil sur Stockholm, assis sur une chaise de bar à trente-trois mètres au-dessus du niveau de la mer. Les lumières de l'hôtel de ville perçaient le crépuscule en arrière-plan et se reflétaient dans les eaux tièdes de Mälaren. Riddarholmen, « l'île des chevaliers », s'étirait devant Kungsholmen, « l'île du roi ». Peter Dagon savait que les ruines de Gråmunkeklostret, le « monastère des frères gris », se trouvaient encore sous le grand édifice en briques rouges de sa chapelle. Deux personnes seulement vivaient sur ces îles et il était l'une d'entre elles. La nuit, les vieux palais, les archives et le Parlement étaient déserts. Peter ne s'y trouvait d'ailleurs pas non plus. Installé au bar de la Gondole, il attendait Moïse.

Il tenait à la main un Cosmopolitan Ginger que le barman chauve avait préparé dès qu'il l'avait vu s'approcher sur le damier en marqueterie du plancher. Deux blondes étaient assises à quelques mètres, portant des habits identiques, alors qu'elles avaient visiblement un budget vestimentaire conséquent. Plus les femelles humaines sont jolies, plus elles sont bêtes, se disait Peter Dagon. Les filles le regardaient du coin de l'œil. Il détourna la tête. Ce soir, il avait autre chose à faire.

Son regard se posa sur Slussen et il maudit cette écluse et sa masse de béton inesthétique. Il aurait aimé que l'ancienne soit encore là, avec sa raquette de retournement pavée et entourée d'arbres, qui permettait jadis aux tramways de faire demi-tour. A présent, Slussen était un endroit gris et triste, avec un grand rond-point pour la circulation automobile, que lui-même n'avait jamais réussi à bien négocier.

Il fut distrait dans ses pensées en sentant une lourde silhouette s'installer à côté de lui. Il n'avait pas besoin de se retourner pour savoir que Moïse était arrivé. Ce dernier lui avait téléphoné deux heures plus tôt pour lui demander un rendez-vous d'urgence. Moïse attaqua sans un bonjour :

— Nous avons un problème.

Peter Dagon se tourna vers lui et haussa un sourcil interrogateur.

— Amanda, l'inspectrice de police, est enceinte.

— Et tu es certain que c'est de toi ? s'étonna Peter Dagon.

— Absolument.

— Je croyais que tu sortais couvert, lui répondit Peter Dagon, la voix pleine de reproche.

— Elle m'avait dit qu'elle prenait la pilule, s'excusa Moïse.

Et, sans attendre la réaction de Peter Dagon, il enchaîna :

— Oui, je sais. J'ai été stupide.

— Je ne veux pas savoir qui est responsable, il faut prendre les mesures nécessaires. Notre sang doit rester pur. Nous ne pouvons pas laisser trop de métissage l'affaiblir, conclut Peter Dagon.

Moïse hocha gravement la tête. Il n'ignorait pas que certaines erreurs avaient été commises par le passé. Avant le Déluge, les Nephilim s'étaient accouplés avec les humains et la dynastie qui en avait découlé promettait l'avènement d'un royaume en tous points satisfaisant. Le Déluge avait réduit à néant tous les espoirs. Par la suite, ils avaient obtenu un bien piètre résultat. Leurs gènes étaient trop dilués et trop récessifs. Dans le meilleur des cas, le métissage avait donné naissance à des humains supérieurement intelligents, totalement indifférents à leur idéologie. Au lieu de se constituer des alliés, ils avaient au contraire engendré de puissants opposants à leur cause. Même si Moïse avait un profond désir d'être père, ce ne serait pas pour cette fois. Il devait se montrer fort et obéir à la loi du clan.

Il prit une grande gorgée de son cocktail et son regard se perdit dans la nuit. Les derniers rayons du soleil avaient disparu. Des millions de lumières électriques scintillaient dans les rues.

Amanda était allongée dans la pénombre, les yeux grands ouverts. Elle regardait l'affiche de Marc Chagall sur le mur en face d'elle. Les cheveux de Moïse avaient l'air plus ébouriffés que jamais. Je comprends maintenant, se dit-elle. Moïse vient de me montrer son vrai visage. Quel salaud !

Elle ne trouvait pas le sommeil. Les pensées tourbillonnaient dans sa tête. A sa rage d'avoir été trahie par Moïse se mêlait sa propre hésitation à garder l'enfant. En réalité, sa décision était déjà prise, mais elle avait besoin de l'étayer davantage. Amanda garderait le bébé quoi qu'en pense son amant. Par sa réaction, il l'avait même confortée dans cette résolution. La froideur dont il avait fait preuve apportait à Amanda une justification supplémentaire. Elle le défierait quoi qu'il arrive.

Amanda allait être mère.

Moïse n'a qu'à aller se faire foutre, pensa-t-elle. Elle alimentait sa propre colère pour compenser son regret de ne pas fonder une famille au sens strict du terme. Ses réflexions amères la conduisirent à se rappeler ce que Nova avait dit à propos de Moïse : il aurait sciemment falsifié une identification. Amanda avait tout d'abord rejeté cette suggestion absurde mais, à présent, Moïse avait dévoilé une autre facette de sa personnalité. Y avait-il d'autres zones d'ombre en lui ? Apparemment, il était très différent de l'homme qu'elle croyait connaître.

Amanda commença à réfléchir plus sérieusement au témoignage de Nova. L'histoire elle-même était trop farfelue pour être vraie, mais elle pouvait comporter un certain nombre d'éléments méritant d'être vérifiés. Il était possible que Nova ait simplement compris certaines choses de travers ! Soudain, Amanda se souvint que Nova lui avait dit avoir vu sa mère sur les vidéos de surveillance de la maison. Sur le coup, Amanda n'avait pas tenu compte de cette information, mais la situation avait changé.

Amanda sauta de son lit.

Décidément, elle ne s'endormirait pas.

Amanda s'était finalement assoupie à son bureau, la tête sur une pile de dossiers. Elle se réveilla en entendant un bruit de pas dans le couloir. Il était 6 h 15. La plupart de ses collègues étaient plus lève-tôt qu'elle, ce qui en général l'agaçait. Une tête étonnée apparut à la porte de son bureau. Kent la salua d'un sourire. C'était la première fois qu'il voyait Amanda au travail avant 8 heures du matin.

— C'est moi qui récupère les gosses à la crèche aujourd'hui, dit-il pour expliquer son arrivée matinale.

Amanda se contenta de hocher la tête sans lui révéler pourquoi elle était là, puis reporta toute son attention sur l'écran en face d'elle.

Elle se repassa une fois encore la séquence qu'elle avait déjà fait défiler de nombreuses fois au cours de la nuit. Elle avait une photo d'Elisabeth Barakel posée à côté d'elle. Il n'y avait aucun doute, c'était la même personne. La mère de Nova était en vie. Elle avait été filmée bien après la date de sa mort présumée. Le jour et l'heure de l'enregistrement figuraient en bas de l'image.

En temps normal, elle aurait traîné Kent dans son bureau pour lui montrer ce qu'elle avait trouvé. Mais les circonstances étaient particulières. Qu'est-ce que tout cela implique pour moi ? C'était la première fois qu'elle se posait ce genre de question au cours d'une enquête. Nova avait dit la vérité sur un point : la mort de sa mère était une mise en scène. Moïse est-il vraiment mêlé à cela ? se demanda-t-elle.

De vastes pans de l'histoire de Nova étaient si invraisemblables qu'ils ne pouvaient être que le fruit de son imagination. C'était le rôle d'Amanda de faire la part du vrai et du faux. Elle était allée chez Nova la veille pour chercher la bande vidéo, qui contenait exactement ce que Nova avait dit. Amanda pressa le bouton « lecture » une fois de plus. Le visage de la femme, éclairé par les réverbères de la rue, ne lui fournit aucune réponse.

Amanda secoua lentement la tête. Il n'y avait qu'une chose à faire : confronter Moïse.

Cela lui donnerait un prétexte pour lui parler. Elle ne pouvait s'empêcher d'espérer un happy end. L'envie de fonder une famille était toujours là. Il regrettait peut-être déjà. Il devrait bien sûr la supplier à genoux, mais elle lui pardonnerait. Elle se secoua pour chasser son rêve éveillé et ranimer la flamme de sa colère. Elle en aurait besoin pour avoir le courage d'affronter Moïse. Salopard, se dit Amanda en s'emparant de son sac à main de la saison précédente.

L'assurance d'Amanda s'effritait au fur et à mesure qu'elle approchait de l'Institut de médecine légale Karolinska. Sa voiture semblait ralentir d'elle-même. Elle finit néanmoins par arriver à destination et se gara devant le lieu de travail de Moïse, sortit de la voiture, indécise, et gravit avec des pieds de plomb les marches du tas de briques qu'il appelait sa maison. Pas une seule fenêtre ne s'ouvrait sur la façade. Qu'est-ce que je fais là ? se demanda-t-elle. Alors qu'elle venait de décider de faire demi-tour, elle vit Moïse qui la regardait depuis le seuil.

— C'est bien que tu sois venue, il faut qu'on parle, lui dit-il en guise de salut.

Amanda acquiesça :

— Je suis bien d'accord.

Sans la toucher, Moïse fit entrer Amanda, lui ouvrant la porte de son bureau en s'effaçant sur son passage. Elle n'y était jamais venue. A l'inverse du sien, il était lumineux et, malgré son air austère, accueillant. Ils s'assirent de part et d'autre de la table. Comme nous sommes devenus distants ! Il y a quelques jours encore, je me serais assise sur ses genoux, pensa Amanda.

— Tout d'abord, je voudrais te prier de m'excuser, déclara Moïse.

Il a changé d'avis, se dit Amanda. Elle ne put réprimer un sourire.

— Il y a une raison importante qui m'empêche d'avoir un enfant, et je me dois de te la révéler.

L'espoir s'évanouit dans le cœur d'Amanda, mais elle garda vaillamment le sourire et hocha la tête, l'incitant à poursuivre.

— Je suis porteur d'une maladie génétique et il est plus que probable que l'enfant que tu attends en soit atteint également.

— De quelle maladie s'agit-il ? s'inquiéta Amanda.

— Fibrose kystique du pancréas, aussi appelée muco-viscidose. Il y a cinquante pour cent de chances que l'enfant en hérite.

— Mais il existe des remèdes pour ça de nos jours, s'étonna Amanda.

— Non, pas de remèdes permettant de guérir, uniquement des médicaments qui rendent la maladie supportable au quotidien. Du moins, pendant un certain temps.

— Donc il y a quand même de l'espoir ? Et en plus, il reste cinquante pour cent de chances que l'enfant ne soit pas malade.

— J'ai vu ma propre mère s'étouffer lentement dans ses glaires. Tu as vraiment envie de voir ton enfant dans le même état ?

— Bien sûr que non. Mais je suppose que je peux faire un test pour savoir s'il est atteint de cette maladie ou pas ?

Amanda regardait Moïse réfléchir. Elle oscillait entre la colère et la pitié : colère de n'avoir rien su de sa vie, et pitié pour ce qu'il avait enduré. Ça doit être insupportable de voir sa mère mourir à petit feu, se dit-elle. Les parents d'Amanda étaient deux septuagénaires en pleine forme qui, sur un coup de tête, avaient décidé quelques années auparavant de s'installer sur la Côte d'Azur. Amanda ne les voyait qu'à Noël et parfois l'été en Suède, quand elle ne faisait pas l'effort d'aller leur rendre visite en France pour les embrasser. Ils étaient aussi éloignés de leur mort que des retraités pouvaient l'être.

— Si, tu as raison, il y a un test que nous pourrions faire, répondit Moïse après mûre réflexion. Il devrait déterminer avec certitude si l'enfant est porteur comme moi. Et Dieu sait que je ne souhaite cela à personne.

— Tu préférerais être mort ? s'étonna Amanda.

— Bien sûr que non, mais…

— Eh bien, c'est entendu. Alors, comment je fais pour ce test ?

— Je peux te le faire moi-même, admit Moïse à contrecœur. J'ai juste besoin d'une journée pour me procurer le matériel.

Il la raccompagna poliment à la porte sans rien ajouter. Elle lui vola un baiser sur la bouche et partit. En se rasseyant à son bureau, Moïse vit le journal ouvert devant lui. L'article titrait : « Nouveaux médicaments dans le traitement de la fibrose kystique du pancréas ». Il se félicita de sa présence d'esprit et se donna l'absolution pour ce pieux mensonge. L'idée ne lui était venue qu'en voyant Amanda.

Il se retourna vers son ordinateur et tapa : « Avortement thérapeutique ».

Le fœtus n'en avait plus pour longtemps.

Le regard de Nova brillait d'un nouvel éclat. Elle se tenait penchée en avant sur la table. Il y avait une lueur d'espoir et elle s'y accrochait désespérément.

— Alors ? Vous avez vu la vidéo ?

Amanda acquiesça.

— Donc vous avez vu ma mère ? insista Nova, les yeux rivés à ceux d'Amanda.

Comme ils sont bleus, se dit l'inspectrice avant de lui répondre :

— Oui, je l'ai vue.

— Et vous avez remarqué la date de l'enregistrement ? Vous admettez qu'elle ne peut pas être morte ?

— Vous avez absolument raison, mais...

— Vous devez me croire.

— Le fait que votre mère soit vivante ne signifie pas que tout ce que vous avez dit est vrai, ni que vous êtes innocente des meurtres dont on vous accuse.

Une tache rouge vif apparut sur les joues de Nova. Ses yeux flamboyaient de rage.

— Vous vous serrez les coudes, hein ? lança-t-elle.

— Qu'est-ce que vous voulez dire ?

— Vu que je vous ai raconté que ce Moïse est dans le coup, vous ne voulez pas me croire ?

Amanda se sentait déstabilisée. Comment Nova pouvait-elle savoir que Moïse et elle étaient ensemble ? Etait-ce à ce point évident ? Elle commença à tripoter nerveusement son stylo.

— Vous êtes obligés de vous couvrir les uns les autres, sinon vous vous retrouvez isolés, j'ai lu ça quelque part. L'esprit de corps, c'est comme ça que vous l'appelez, non ?

Amanda comprit alors ce que Nova avait voulu dire, mais son sentiment de malaise ne s'estompa pas.

— Vous dites n'importe quoi. Bien sûr que nous examinons toutes les pistes, quelles que soient les personnes sur qui les soupçons se portent.

— Vous avez enquêté sur ce Moïse Hammar, alors ?

— Pas encore, répondit Amanda prudemment.

En voyant Moïse tout à l'heure, elle avait préféré éluder la question. Pourquoi est-ce que tout cela arrive en même temps ? se demanda-t-elle. Il faudra que je soulève la question la prochaine fois que je le vois, même si le moment est mal choisi.

— Comment allez-vous faire pour trouver ma mère ?

— Nous n'avons pas encore commencé à chercher, avoua Amanda, qui sentait qu'elle perdait le contrôle de son interrogatoire.

Aujourd'hui, c'était Nova qui posait les questions et elle qui donnait les réponses. Amanda s'en voulait de n'avoir pas avancé davantage dans cette enquête. Pour reprendre la main, elle demanda à Nova :

— Vous ne savez pas où on pourrait la trouver, vous ?

— Aucune idée. Moi aussi, je la croyais morte. Mais je sais comment je ferais pour chercher.

— Comment ?

— Elle a une adresse mail.

— Et ?

— D'après ce que je sais, on peut retrouver l'origine d'un e-mail, non ?

Amanda trouva dans son casier une enveloppe à son nom. Elle reconnut les pattes de mouche de Moïse. Le courrier paraissait impersonnel et administratif, mais Amanda ne put s'empêcher d'espérer qu'il ne le soit qu'en apparence. Elle souffrait de la distance qui s'était instaurée entre eux. Elle jeta un coup d'œil autour d'elle pour s'assurer qu'elle était seule, comme si ce qu'elle avait entre les mains avait été top secret. Puis elle entra dans son bureau et ferma la porte derrière elle. Elle déchira l'enveloppe et en sortit fébrilement le contenu. Elle mit un petit moment à comprendre. Elle retournait le formulaire dans tous les sens. Un grand vide se fit dans son cœur quand elle réalisa.

Il s'agissait seulement du rapport d'autopsie de Josef F. Larsson et de son épouse.

Une fois remise de sa déception, elle survola rapidement le document. Elle n'y lut rien qu'elle ne sût déjà, hormis l'heure de la mort. D'après le rapport, ils étaient tous les deux morts entre 14 et 16 heures. Ça changeait tout. Amanda allait devoir tout reprendre à zéro. Nova n'était venue dans l'appartement que plusieurs heures plus tard. Les preuves techniques et tous les témoignages l'avaient établi de manière certaine. Même la recherche d'ADN sur le chewing-gum avait prouvé qu'il appartenait à Nova. Elle aurait donc dit la vérité sur tous les points ? Ou alors elle était venue plusieurs fois.

Et si Nova n'avait pas menti, ce qu'elle avait dit de Moïse était-il exact également ? Avait-il vraiment falsifié le certificat de décès ? C'était lui qui avait signé le rapport d'autopsie qu'elle avait sous les yeux. Amanda ne parvenait pas à mettre de l'ordre dans ses idées. Toutes ses pensées allaient dans la même direction. Vers l'enfant qui grandissait en elle. L'enfant de Moïse qui était peut-être porteur d'une maladie mortelle. Elle caressa son ventre, comme pour protéger le bébé contre tous les maux de la terre. L'idée qu'il puisse s'étouffer avec ses propres sécrétions était insupportable. Une larme coula sur sa joue. D'autres la suivirent. Amanda se mit à pleurer sans pouvoir s'arrêter.

La vie de ce petit être sans défense était menacée.

Et il n'y avait rien qu'elle puisse faire pour le sauver.

Kent regarda le soleil, furieux, avant d'entrer dans le commissariat de Kungsholmen. Est-ce que cette canicule va bientôt s'arrêter ? se demanda-t-il en ouvrant la porte. Si j'avais voulu vivre au Sahara, je ne me serais pas installé à Hässelby. Une longue traînée de sueur avait mouillé sa chemise en lin. Il s'était déjà changé une fois aujourd'hui et n'avait plus de vêtement de rechange. Il s'épongea le front du revers de la main et se dirigea à pas lents vers son bureau.

Les pensées se bousculaient dans sa tête. Il y avait beaucoup trop de points d'interrogation dans cette histoire. Trop d'éléments qu'ils n'avaient pas réussi à prouver, et Amanda semblait ne pas se rendre compte que leur enquête préliminaire était une vraie passoire. Elle n'était plus la même depuis quelque temps. Elle manquait d'énergie. Ça doit être à cause de cette chaleur, se dit-il.

Tout en marchant, il se fit une liste de « choses à faire ». En passant devant le bureau d'Amanda, il décida de discuter avec elle de l'ordre des priorités. Concentré sur son idée, il entra sans frapper. Et s'immobilisa sur le seuil.

Amanda le regardait, les yeux pleins de reproche et de larmes. Kent ne l'avait jamais vue pleurer.

— Je suis désolé, dit-il platement, déconcerté, prêt à repartir.

Il se dit alors qu'ils se connaissaient depuis dix ans et que la situation exigeait qu'il ajoute quelque chose, ne serait-ce que pour consoler Amanda et satisfaire sa propre curiosité.

— Il est arrivé quelque chose ?

Amanda se détendit un peu.

— Non, enfin si... C'est personnel.

— Tu veux en parler ? demanda Kent avec précaution.

— Non... euh... si... Tu as raison, je devrais peut-être en parler.

Amanda gardait les yeux sur son collègue pendant qu'il refermait la porte et s'asseyait en face d'elle, avec une expression pleine de compassion. Elle regrettait déjà de l'avoir laissé entrer. Comment pourrait-elle lui avouer qu'elle était enceinte ? Ils travaillaient ensemble, et elle ne voulait pas courir le risque que la nouvelle se répande trop tôt. Si elle décidait de garder le bébé. Bien sûr que je vais garder le bébé, se reprit-elle aussitôt.

Elle fut secouée d'une nouvelle crise de larmes. Elle ne pouvait plus les contrôler. Les larmes coulaient sans qu'elle y puisse rien. Kent attendit patiemment qu'elle se calme. Il semblait inquiet. Alors, au beau milieu de son désespoir, Amanda se sentit poussée vers l'homme assis en face d'elle. Ils avaient travaillé côte à côte pendant de nombreuses années, dans un respect réciproque.

Il fallait bien qu'elle se confie à quelqu'un tôt ou tard. Kent était la bonne personne.

— Je suis enceinte.

— Est-ce que « félicitations » est le terme approprié ? demanda Kent, dubitatif.

— Oui et non. L'enfant a peut-être une maladie génétique.

— Je peux savoir laquelle ?

— Mucoviscidose.

Kent eut l'air sincèrement désolé.

— Je comprends ce que tu ressens. Mon père était porteur du gène. Heureusement, je suis passé au travers.

— Tu n'en as pas hérité ?

— Non, ma mère n'était pas porteuse. N'empêche que je suis content que mes enfants n'aient aucun risque d'attraper la maladie. D'après ce que j'en ai entendu, c'est terrible.

— Mais toi, tu avais quand même une chance sur deux de l'avoir puisque ton père était porteur ?

— Non, il faut que les deux parents le soient.

Le cœur d'Amanda se mit à battre plus vite.

— Tu veux dire que le bébé peut être porteur mais pas malade si, moi, je n'ai rien ?

— Et si tu n'as aucun chromosome défectueux. Mais, dis-moi, qui t'a raconté tout ça ? Le médecin que tu as vu ne semble pas très bien renseigné.

Amanda eut une vision du visage de Moïse. Elle bondit de sa chaise.

— Excuse-moi, je dois vérifier un truc.

Kent la suivit des yeux quand elle quitta la pièce en courant. Il avait dû rater un épisode.

Moïse avait quatre comprimés dans la main, trois Mifegyne, qui avaient pour effet de baisser le taux de progestérone des femmes enceintes, et un Cytotec, pour provoquer contractions et saignements. Il n'avait eu aucun mal à se les procurer. Il lui avait suffi de rédiger et de signer une ordonnance, puis d'aller chercher les médicaments dans une pharmacie. Il y a quand même des avantages à être médecin, se dit-il. Les comprimés étaient censés être pris à deux jours d'intervalle, mais il s'en moquait.

Il n'aurait qu'une seule chance de les lui administrer.

Moïse mit les comprimés dans un mortier et les broya en une fine poudre blanche. Il descendit d'une étagère le mug qui lui avait été offert par la fondation des maladies cardio-pulmonaires. Sous un gros cœur rouge, une adresse e-mail était inscrite : helajartat.se. Moïse y versa la poudre. Il fut content de son idée. La poudre était pratiquement invisible sur le fond blanc. Si elle s'en rendait compte, il pourrait toujours dire que c'était du sucre de régime.

Moïse avait eu tout juste le temps de se rasseoir quand Amanda entra en trombe dans le bureau. Il jeta instinctivement un coup d'œil en direction du mug. Sans demander à Amanda pourquoi elle arrivait bien avant l'heure convenue, il lui dit :

— J'allais justement me faire un café, tu en veux un ?

— Il faut que je te parle maintenant, répondit Amanda fermement.

— Mais moi, j'ai très envie d'un café, maintenant !

— Arrête, c'est important, il faut que je te parle tout de suite.

— J'arrive dans une minute, lança Moïse en quittant la pièce, un mug dans chaque main.

Amanda le suivit des yeux avec irritation et se laissa tomber sur une chaise. Moïse était déjà de retour avec les mugs fumants. Il tendit celui avec le cœur rouge à Amanda, comme s'il lui faisait une déclaration d'amour. Cette dernière accepta la boisson avec un soupir résigné.

— Alors, qu'est-ce que tu avais sur le cœur ? lui demanda-t-il en souriant.

En son for intérieur, il scandait : Bois, bois, bois.

— J'ai quelques questions à te poser sur la mucoviscidose.

— Je te répondrai bien volontiers, répondit Moïse avec une affabilité qui fit lever un sourcil incrédule à Amanda.

Bois, bois, bois.

— Si, moi, je n'ai pas le gène de la maladie, est-ce que notre enfant peut l'avoir quand même ?

Moïse prit un air grave :

— Oui, malheureusement.

— On m'a dit le contraire. Que l'enfant ne pouvait pas être malade si, moi, j'étais saine.

— Qui t'a dit cela ? lui demanda Moïse, visiblement inquiet.

— Kent, mon collègue.

— Le gros flic ? Tu lui as parlé de nous ? s'exclama Moïse avec colère.

Tu vas l'avaler ce café, oui ? pensait-il. Amanda porta les lèvres à son mug, mais se remit à parler au lieu de boire.

— Ne t'inquiète pas, je n'ai nommé personne.

— Je te rappelle que je suis médecin et lui policier. Lequel de nous deux a raison à ton avis ?

Amanda sembla réfléchir à la question qu'il venait de lui soumettre.

— J'ai trouvé ça bizarre, il avait l'air de savoir de quoi il parlait.

Moïse n'arrivait plus à maîtriser son impatience :

— Tu ne bois pas ton café ?

— Mais qu'est-ce que tu as avec le café, aujourd'hui ?

Puis elle regarda son mug comme si elle venait tout juste de le découvrir.

— Non, je n'ai pas envie de boire du café, dit-elle en le posant brusquement sur le bureau. Ce n'est pas bon pour l'enfant.

— Tu ne sais même pas si tu vas le garder, cet enfant !

— Justement, dans le doute, il vaut mieux que je m'abstienne.

Rendue belliqueuse par l'agacement manifeste de Moïse, Amanda posa la deuxième question qui lui tenait à cœur :

— La mère de Nova est vivante. Tu t'es occupé de l'identification de son cadavre. Peux-tu m'expliquer comment on peut faire une erreur aussi grossière ?

Moïse mit un petit instant à réagir, surpris par le brusque changement de sujet. Son regard était toujours fixé sur le mug de café d'Amanda. Enfin, il comprit ce qu'elle venait de dire et vociféra :

— Tu m'accuses de ne pas connaître mon boulot ?

— Non, pas de manière générale, mais en l'occurrence tu as quand même dû faire une erreur quelque part. Elisabeth Barakel est en vie et Nova prétend que tu as sciemment falsifié son identification.

— Et tu la crois ? Tu sembles avoir oublié que c'est Nova elle-même qui m'a donné son signalement.

— Je ne pouvais pas ne pas te poser la question, n'est-ce pas ?

L'attaque est la meilleure des défenses, pensa Moïse avant de poursuivre d'un ton condescendant :

— Je savais qu'une femme rejetée pouvait se montrer amère, mais là tu deviens franchement ridicule. M'accuser d'être un criminel !

— Je ne savais pas que j'étais rejetée, rétorqua Amanda en regardant Moïse droit dans les yeux.

— Ce n'est pas ce que je voulais dire, répondit Moïse, cherchant maladroitement à se rattraper.

Amanda le poussa alors dans ses retranchements :

— Il va falloir que tu te décides, nous sommes ensemble, oui ou non ?

Moïse réfléchit quelques secondes de trop.

— Alors c'est fini entre nous, conclut Amanda en quittant la pièce.

Quand elle fut partie, Moïse se décomposa. Je dois me débarrasser d'elle, se dit-il.

Le café était toujours devant lui sur la table. Amanda n'en avait pas bu une seule goutte.

Il souleva son combiné de téléphone et composa le numéro. Trop de secrets avaient été révélés. Il fallait agir vite.

Nova était assise entre Nor Boström et Amanda. Nor, vêtu d'un tee-shirt noir, était renversé en arrière et mâchouillait un chewing-gum. Amanda était légèrement penchée en avant et avait l'air fatiguée et stressée. Ses yeux étaient rouges et son regard éteint. Ils étaient tous trois assis autour d'une table de conférence ronde. Nova voyait comme un signe encourageant qu'elle soit ronde. Pour ses interrogatoires précédents, elle avait toujours été assise toute seule d'un côté d'une table carrée. Ils n'étaient plus des pôles contraires, à présent ils travaillaient ensemble.

— Nova a une adresse e-mail où l'on peut joindre Elisabeth Barakel. Si elle parvient à obtenir une réponse d'elle, est-ce que tu peux repérer l'endroit où elle se trouve ? demanda Amanda.

— Pourquoi faire compliqué ! répondit Nor sans cesser de se balancer. On n'a qu'à demander à l'opérateur à partir de quelle adresse IP elle envoie ses mails.

— Ah bon, on peut faire ça ?

— Oui, sans problème, à part qu'il faudra avoir une petite conversation avec le procureur avant.

— On ne peut pas. Pour l'instant, on n'a pas de preuve.

Nova ne put s'empêcher de réagir.

— Comment ça, on n'a pas de preuve ? On a l'enregistrement, non ?

— On la voit sur un film, d'accord, mais on ne peut pas prouver qu'elle a fait quoi que ce soit d'illégal. Elle s'est peut-être fait passer pour morte, mais on ne peut pas le prouver non plus.

— Elle m'a tout de même dit que c'était elle qui les avait tués, insista Nova.

— Il n'y a que vous qui l'ayez entendu, ça ne suffira pas.

Nova sentit la déception et la frustration l'envahir. En temps normal, elle se serait défendue, elle aurait protesté, se serait plainte qu'on puisse mettre en doute sa crédibilité. Mais toute cette situation était trop dingue. Elle se contenta de pousser un gros soupir.

— Vous croyez que vous arriveriez à la pousser à vous envoyer un mail ? intervint Nor.

— Je ne sais pas, mais je crois que oui, répondit Nova.

— Alors j'ai une autre idée, dit Nor.

Il se pencha en avant et leur expliqua son plan. Amanda et Nova écoutèrent attentivement.

Les tensions de sa nuque commençaient à se transformer en migraine. Le manque de sommeil distendait la peau sous ses yeux. Elle se sentait toujours légèrement nauséeuse mais faisait son possible pour l'ignorer. Amanda craignait que ses spasmes ne fassent mal au fœtus et résistait à la tentation de se faire vomir. Quelqu'un avait repeint le mur pour effacer l'inscription « nique la police » qui se trouvait depuis une éternité dans les toilettes, mais les lettres se distinguaient toujours en transparence.

Pesamment appuyée au lavabo, elle regardait son reflet dans le miroir. De sombres poches soulignaient ses yeux injectés de sang. Elle s'était remise à pleurer et ce nouveau torrent de larmes était en train d'effacer ce qui restait du maquillage de ce matin. Tout son corps était lourd de chagrin.

Amanda avait renoncé à son rêve de fonder une famille.

Elle ne devait pas seulement faire son deuil d'un homme parmi d'autres, elle devait aussi quitter le père de son enfant. C'était la première fois qu'elle ressentait vraiment la douleur d'être délaissée. D'habitude, après quelques mois, son chagrin se dissipait. Mais ce n'était pas comme d'habitude.

Elle ne se remettrait jamais tout à fait de celui-là.

Tous les jours de sa vie, elle se rappellerait que Moïse ne voulait pas partager leur existence. Elle posa une main sur son ventre et envoya un message à l'enfant qui grandissait en elle : Il n'y a plus que toi et moi, ma petite crevette... Les larmes coulèrent plus fort et devinrent déluge quand elle acheva sa pensée : si on te laisse vivre. Seule dans les toilettes du commissariat, Amanda s'abandonna à la douleur et au désespoir. Sa façade de dure à cuire venait de s'écrouler.

Au bout d'un long moment, elle se moucha avec du papier toilette et s'adossa au mur. Elle était si fatiguée... Incroyablement fatiguée. Le tendon qui allait de son omoplate à sa nuque lui faisait mal. Amanda n'avait qu'une envie : rentrer chez elle. Ne rien faire. Ne plus penser.

Mais rien de tout cela n'était possible.

Amanda avait une tueuse en série à mettre sous les verrous. Tout reposait sur elle. Elle se regarda à nouveau dans la glace. Puis elle se redressa, inspira profondément et dit à haute voix :

— Ça suffit ! Tu te reprends, maintenant !

Pour appuyer ses paroles, elle se cogna le front contre le miroir. Puis elle s'essuya les yeux et sortit des toilettes.

L'hôtel Clarion, sur Ringvägen, n'était pas du goût d'Elisabeth Barakel, mais il remplissait bien sa fonction. Il était suffisamment anonyme pour lui permettre d'y rester quelques jours sans se faire remarquer. Avec son tailleur classique et son air de femme d'affaires, elle se fondait dans la masse des consultants, comptables et chefs de projet qui y séjournaient entre une mission et deux réunions. Ils auraient tous pu figurer sur une publicité représentant l'homme d'affaires au travail. Elisabeth Barakel aussi avait l'intention de se mettre au travail.

Très bientôt.

Elle descendit au bar du rez-de-chaussée et commanda un verre de vin blanc. Pendant que le barman la servait, elle regarda autour d'elle dans le hall. On avait vaguement tenté d'apporter une touche « design » à la décoration, mais le résultat était médiocre. Les fauteuils étaient d'un rouge criard, les tabourets de bar trop hauts et la moquette couleur moutarde. Les tableaux aux murs étaient dépourvus d'intérêt. D'ailleurs, Elisabeth Barakel avait beau chercher, elle ne voyait rien d'intéressant nulle part.

Elle prit le verre de vin bien frais et s'installa dans un fauteuil, le plus loin possible de la fenêtre. Elle n'avait aucune envie de servir de cible humaine. Elle sortit de son sac le seul objet qui lui permît de garder le contact avec le monde extérieur : un ordinateur portable. Dès qu'elle se fut connectée sur le réseau de l'hôtel, quatre nouveaux mails arrivèrent sur sa boîte. Celui de Peter Dagon éveilla sa curiosité : Moïse Hammar allait la contacter avec de nouvelles consignes. Elisabeth Barakel faisait désormais en sorte qu'il y ait toujours un intermédiaire entre elle et Peter Dagon. Il fut un temps où ils travaillaient ensemble, et où ils étaient toujours proches, très proches.

Elle fut bouleversée par le mail de Nova.

Le fait même que Nova lui écrive était étonnant. Elisabeth ignorait que sa fille connaissait cette adresse hautement confidentielle. Après y avoir réfléchi un moment, elle se souvint qu'elle avait demandé à Nova de lui envoyer un document à cette adresse trois ans auparavant, parce qu'elle n'avait pas d'autre possibilité pour résoudre un problème soudain. Incroyable qu'elle l'ait mémorisée, se dit Elisabeth Barakel.

Elle ne savait que penser du contenu du mail. Avait-elle bien lu ? Elle espérait sincèrement que Nova pensait ce qu'elle avait écrit. Elle s'était sentie seule, ces derniers jours. Elle avait souhaité avoir sa fille à ses côtés et voilà que son rêve semblait se réaliser. Nova faisait enfin preuve de lucidité, disait avoir compris ce que sa mère avait fait pour elle. Elle était sortie de prison et voulait la rejoindre et l'aider.

Elisabeth Barakel se secoua. Quelles que soient ses intentions réelles, Nova était forcément surveillée par la police. Même si elle avait été libérée, c'était sans doute seulement faute de preuves. Non, c'était trop risqué. Elisabeth se contenta donc d'une très courte réponse :

Chère Nova,
J'ai lu ton courriel avec plaisir. Malheureusement, je suis dans l'impossibilité de te voir dans les circonstances actuelles.
Ta maman.

Elisabeth Barakel avait résisté à une tentation de plus. Elle reprendrait contact avec sa fille plus tard, quand ils auraient gagné la guerre. Nova serait toujours sa fille, quoi qu'il arrive.

Nova ne se sentait pas bien. Retrouver sa liberté et faire enfermer sa mère à sa place faisait naître chez elle des sentiments contradictoires. Sa décision était prise, mais elle ne pouvait pas s'empêcher de la peser encore et encore. En théorie, elle avait fait le bon choix. Sa mère était folle, de toute évidence, et devait se faire soigner avant d'avoir fait du mal à d'autres gens. En pratique et surtout sur le plan affectif, le problème était différent. Sa mère aurait le sentiment terrible d'avoir été trahie. Elle ne comprendrait jamais. Dans le monde d'Elisabeth Barakel, tout était noir ou blanc. On était dans son camp ou on était son ennemi.

Nova essaya de chasser ses scrupules en se dirigeant vers la salle de conférences. Elle était toujours en garde à vue, mais, tant qu'elle coopérait, elle jouissait d'une certaine liberté. Quand elle entra dans la pièce, Nor Boström était penché sur son ordinateur portable. Amanda se tenait debout à côté de lui mais semblait complètement ailleurs. Quand Nor la vit entrer, il lui dit :

— Vous avez un message.

Nova avait presque espéré que sa mère ne lui répondrait pas. Ainsi, elle n'aurait pas eu à prendre parti. Mais elle serait aussi restée en prison. Techniquement, elle apparaissait comme la coupable idéale. Passer des années en prison ou dans un hôpital psychiatrique n'était pas quelque chose que Nova avait envie d'envisager. C'était trop cher payé pour se montrer bêtement loyale envers sa mère. La police ne s'intéressait à Elisabeth Barakel que sur la foi de son témoignage à elle. Nova devait se concentrer. Se tenir prête à saisir la moindre chance qui se présenterait.

— Elle n'a pas utilisé un serveur anonyme, poursuivit Nor. Il existe des réseaux qui empêchent toute traçabilité. Nous avons échappé à ça. J'ai une adresse IP.

Amanda sembla sortir de sa torpeur et congédia d'un signe de tête la gardienne qui venait d'accompagner Nova. Cette dernière s'approcha de l'écran. Tous les trois suivaient maintenant le travail de Nor. Il entra www.ripe.net dans le lecteur Internet et copia l'adresse IP dans une case. Nova n'eut pas le temps de voir ce qui s'était passé, mais Nor leur expliqua :

— Elle surfe depuis l'hôtel Clarion, à Stockholm. Elle a envoyé le mail il y a environ un quart d'heure.

Amanda se tourna vers Nova et la regarda attentivement.

— Vous êtes prête ? lui demanda-t-elle.

Nova hocha la tête avec détermination en guise de réponse tout en pensant : Je ne serai jamais prête pour ce que je suis sur le point de faire.

Espèce de cinglée fanatique, se disait Moïse, furieux, en montant dans son Audi grise. Il en avait assez de faire le ménage derrière Elisabeth Barakel. Il trouvait parfois sa créativité morbide pour le moins excessive. Pourquoi ne se contente-t-elle pas de les abattre bien proprement ? se demandait-il.

Il était en mission à la demande de Peter Dagon, pour essayer de la reprendre en main. Elisabeth Barakel était une merveille d'efficacité lorsqu'elle officiait en qualité de simple exécutante, mais voilà qu'elle se mettait à choisir elle-même ses victimes. Charlotte Perrelli ? Comment son esprit tordu était-il arrivé à la conclusion qu'il fallait l'éliminer ? Moïse secoua la tête et appuya sur la pédale d'accélérateur. Ses pneus crissèrent avant d'attaquer le bitume.

Au bout de quelques minutes, il avait atteint Klarastrandsleden. Les bateaux étaient amarrés au ponton en rangs serrés et se reflétaient dans Barnhusviken. Un rideau d'arbres se profilait derrière eux et, plus loin, le nouveau complexe immobilier Saint Erik. L'air conditionné de sa voiture luttait contre les trente degrés qu'indiquait le thermomètre extérieur. Dans l'habitacle, il faisait vingt-cinq degrés.

Moïse regardait droit devant lui. Il était à la fois agacé et ennuyé. Il évitait le plus possible de se trouver en présence d'Elisabeth Barakel. Elle était l'une des plus dangereuses et des plus imprévisibles. C'était son sang très pur qui faisait d'elle une arme redoutable ; malheureusement, cette arme pouvait aussi bien se retourner contre eux. Moïse était d'accord avec Peter Dagon à ce sujet. Ils devaient jouer tous leurs atouts. Ils manquaient de temps. Ils avaient besoin de gens comme Elisabeth Barakel pour servir leur cause.

Ces dernières années, elle avait été une véritable bombe à retardement, et elle avait présenté un risque. A présent, elle n'était plus qu'un outil à utiliser au maximum. Elle était amorcée et prête à exploser. C'était comme si ce qui lui restait d'humanité l'avait désertée quand ils l'avaient fait passer pour morte. L'humain en elle s'était consumé dans le gigantesque brasier qu'ils avaient déclenché dans la station-service. Bien qu'elle ne se soit pas trouvée sur place, perdre son identité l'avait radicalement changée. La femme Elisabeth Barakel avait disparu, il ne restait plus qu'une Nephilim remontée de la nuit des temps.

Mais il fallait lui resserrer la vis. Charlotte Perrelli. Moïse secoua à nouveau la tête, exaspéré. Dans sa poche, il avait une liste de victimes bien plus appropriées. Des personnalités dont la mort susciterait réactions et conséquences. Et dont l'assassinat donnerait aux Nephilim une chance de survie.

Si le résultat escompté s'avérait décevant, ils passeraient au plan B. Ils avaient étudié le réseau d'alimentation électrique suédois en détail. Ils disposaient de tous les renseignements nécessaires. Bien sûr, il ne serait pas facile de se passer complètement d'électricité, mais les Nephilim y étaient préparés. Ils avaient vécu sans pendant des millénaires. A l'inverse des humains, ils s'en souvenaient et en acceptaient les inconvénients. Plutôt se passer d'électricité que de disparaître dans un déluge. Il leur fallait survivre à tout prix.

Moïse appuya sur l'accélérateur, comme pour s'éloigner plus vite de la petite vie confortable à laquelle il était habitué. Si des mesures radicales devaient être prises, son Audi finirait en un tas de rouille dans un coin.

Nova était assise à l'avant, dans la Golf rouge d'Amanda. Elle essayait nerveusement de faire la conversation :

— Vous avez trouvé Moïse Hammar ?

— C'est en cours, répondit Amanda un peu brusquement.

La voiture tourna dans Götgatan. Nova regardait autour d'elle pour éviter de penser à ce qu'elle était sur le point de faire. Elle vit défiler les visages souriants de Tommy Nillsson et de Pernilla Wahlgren sur une affiche en grand format annonçant la reprise de *La Mélodie du bonheur* au Göta Lejon. Se protégeant du soleil sous le porche du théâtre, un SDF était assis sur un sac de couchage crasseux. Amanda emprunta la plus vieille rue de Södermalm, dépassa la nouvelle enseigne au logotype naïf de Skatteskrapan, le gratte-ciel qui à l'origine abritait les bureaux du Trésor public et aujourd'hui des logements étudiants, et contourna, pour finir, ce qui au XVIIe siècle avait été le jardin du bouilleur de cru Sven Persson et était à présent le centre commercial Ringen, avec sa très nette influence architecturale des années 1980.

L'hôtel Clarion se trouvait sur leur gauche. Nova se pétrifia en voyant apparaître sa façade vitrée. Puis elle tenta de se dissimuler sous son siège, afin de rester invisible à quiconque aurait l'idée de regarder à travers la vitre. Amanda alla se garer un pâté de maisons plus loin. Nova tremblait mais elle acquiesça cependant aux questions d'Amanda. Oui, elle promettait de ne prendre aucun risque. Bien sûr qu'elle savait ce qu'elle devait dire. Non, elle n'avait pas de problème, mais elle admettait que c'était dur. Oui, elle savait qu'ils viendraient à sa rescousse au moindre signal de sa part.

Nova descendit de la Golf et traversa. Des pneus émirent un son strident, un coup de klaxon lui vrilla les tympans. Elle avait oublié de s'inquiéter de la circulation. Elle retrouva le pavage rassurant du trottoir. Les doigts de sa main gauche tremblaient si fort qu'elle fut obligée de mettre la main dans la poche de son jean.

Nova entra dans l'hôtel et inspecta le hall.

Une coupe au carré blond cendré attira son regard. Elle la reconnut instantanément.

Elisabeth Barakel était assise à quelques mètres d'elle, concentrée sur l'écran de son ordinateur portable.

Dans un instant, Nova allait trahir la femme qui lui avait donné la vie.

Elle prit une profonde respiration et avança, comme si elle ne l'avait pas remarquée, les yeux rivés sur la porte des toilettes qu'elle venait de repérer au fond du foyer. Elle allait s'en servir comme prétexte. Nova n'était pas du genre à entrer dans le bar de l'hôtel Clarion pour prendre un café au lait à un prix exorbitant. En revanche, personne ne s'étonnerait qu'elle vienne utiliser gratuitement leurs toilettes. Elles étaient spacieuses, propres et à peu près désertes. En ressortant, elle passa tout près de sa mère et s'immobilisa, faisant mine de la découvrir.

— Salut ! s'exclama-t-elle.

Elisabeth Barakel leva les yeux, surprise. D'abord, un sourire éclaira son visage mais, immédiatement après, elle murmura entre ses dents :

— Fais comme si tu ne m'avais pas vue. Continue de marcher.

— Mais pourquoi ?

— Nova chérie, fais ce que je te dis, je t'expliquerai plus tard.

Nova essaya de prendre un air assuré et s'assit en face de sa mère, sans la toucher. Elles n'avaient jamais été très affectueuses.

— Maman, il faut que tu m'expliques. Je suis un peu perdue dans tout ça. Je ne comprends plus rien.

— Pas maintenant, lui répondit sa mère nerveusement.

— En fait, je crois que je te comprends un peu mieux maintenant.

L'expression d'Elisabeth Barakel changea imperceptiblement.

— C'est bien, Nova. Je craignais que tu n'y parviennes pas.

Cette dernière se pencha vers sa mère et chuchota :

— Mais pourquoi es-tu obligée de tuer des gens ? Est-ce qu'il n'y a pas d'autres moyens ?

— Nous manquons de temps, Nova. Dis-toi qu'ils n'ont que ce qu'ils méritent. Ce sont eux qui ont commencé. Eux qui essaient de tous nous tuer. Nous devons lutter avec toutes les armes dont nous disposons.

Amanda surveillait discrètement l'hôtel Clarion, appuyée au dossier de son siège. Un écouteur enfoncé dans une oreille lui permettait d'entendre chaque mot échangé par Nova et sa mère. Forte, la gamine, se disait-elle en entendant comment Nova poussait peu à peu sa mère vers le piège qu'ils lui avaient tendu.

Bientôt, ils auraient des preuves irréfutables de sa culpabilité.

Un type à larges épaules passa près de sa voiture et traversa la rue. Sa silhouette et sa démarche lui parurent familières. Beaucoup trop familières. La respiration d'Amanda s'accéléra.

Moïse.

Il marchait d'un pas rapide sur le trottoir et entrait dans l'hôtel.

Amanda ne pouvait rien faire. Elle vit Moïse s'approcher de Nova et de sa mère.

Nova avait raison, pensa-t-elle.

Mais Amanda n'eut pas la force de réfléchir à ce que cela signifiait pour elle. Sa main chercha instinctivement son ventre, comme pour protéger l'enfant.

Ce fut Nova qui aperçut Moïse la première. Leurs regards se croisèrent. Elle ne pouvait pas faire semblant de ne pas l'avoir vu. Elle ne pouvait pas piquer du nez et espérer qu'il ne l'avait pas remarquée. Elle comprit : il était bien sûr à l'hôtel Clarion pour la même raison qu'elle. Il venait voir Elisabeth Barakel.

Ils étaient à deux contre un.

Elle faillit appeler au secours. Puis elle comprit que cela gâcherait tout. La police avait besoin de plus d'informations pour les arrêter tous les deux. Moïse était au moins aussi dangereux que sa mère. Ses mains de lutteur se crispèrent quand il s'avança vers les deux femmes. Ses lèvres ne formaient plus qu'une ligne. Ses yeux étincelaient de colère. Des yeux bleus, remarqua Nova. D'un bleu pur comme les siens. Ses cheveux sombres les faisaient ressortir plus encore.

Elle se recula instinctivement sur son siège. Elisabeth suivit son regard. Quand elle vit Moïse, elle sourit et déclara :

— Je te présente Nova Barakel, ma fille. Ne t'inquiète pas, elle est OK.

— Elle n'est pas OK du tout, aboya Moïse. Elle a tout raconté à la police.

Elisabeth se retourna vers sa fille d'un air inquiet :

— C'est vrai ?

— Oui, je suis désolée, j'ai tout raconté au début, quand je n'avais pas encore compris.

— Elle n'est pas désolée du tout, elle nous a tous donnés. Quelle gentille petite fille tu as là ! Nous devons la punir.

Elisabeth se dressa entre Moïse et Nova.

— Ecarte-toi, lâcha Moïse, les yeux pleins de haine.

Il lui montra discrètement le canon du pistolet qu'il avait dans la poche. Elisabeth ne bougea pas d'un pouce.

— Tu ne toucheras pas un cheveu de ma fille, affirma-t-elle d'un ton péremptoire.

Un tumulte se fit entendre à l'entrée de l'hôtel. Moïse ne se retourna pas. Deux policiers pénétraient dans le hall. Il fit un pas en direction d'Elisabeth pour la pousser de côté. Au lieu de cela, il reçut un grand coup de pied entre les jambes, hurla et se plia en deux.

Un coup partit.

La poche du blouson était trouée.

Elisabeth Barakel tomba en arrière, sur sa fille. Ses yeux grands ouverts fixaient le plafond.

A la place de son nez, il n'y avait plus qu'un trou béant.

Moïse fit deux pas rapides sur le côté, sans un regard pour le corps d'Elisabeth. Son instinct de survie l'emporta sur la douleur. Son corps bien entraîné obéissait au moindre de ses ordres. Moïse sortit le pistolet de sa poche tout en s'approchant de la sortie à vive allure. Il visa le premier policier.

Il allait tirer presque à bout portant, il ne pouvait pas le rater. Moïse était un tireur émérite. Le stress n'affectait en rien ses capacités. Sa seule chance de s'échapper était d'appuyer sur la détente.

Tout de suite.

Peter Dagon reconnaissait chaque centimètre carré de la maison, bien qu'il n'y eût pas remis les pieds depuis vingt ans. Il n'avait pas eu de problème pour entrer ; il avait toujours les clés. Les choses étaient presque toutes à leur place d'origine, mais la maison donnait une impression d'usure générale et de délabrement. Elisabeth n'a jamais été une femme d'intérieur, se dit-il. Il regrettait qu'elle n'ait pas mieux géré leur patrimoine. Il passa la main sur le papier peint défraîchi. S'imprégna de cette atmosphère qui lui avait manqué. Cette maison abritait tant de souvenirs ! Peter Dagon y avait passé une partie de sa jeunesse. Il avait joué avec sa cousine dans ses moindres recoins, avait pris un nombre incalculable de repas à la table en chêne massif de la cuisine, et même dormi dans une cabane qu'ils s'étaient aménagée dans le grenier. Ils étaient encore jeunes et innocents, et ne savaient pas ce que la vie leur réservait.

Un nouveau Déluge allait détruire le monde.

On allait une fois de plus tenter de les chasser de la surface de cette terre.

Une fois de plus, il leur faudrait lutter pour leur survie.

C'était le père de Peter qui avait repéré les premiers signes du danger. Une fois persuadé de la gravité de la situation, il avait tiré le signal d'alarme. Le message archaïque s'était propagé comme une traînée de poudre. Toutes les loges s'étaient mobilisées, chacun était sur le qui-vive. La destruction de la race humaine ne serait pas la fin des Nephilim.

Le combat contre l'eau était extrêmement préjudiciable à leur mission originelle : créer un monde parfait. Un monde où les Nephilim auraient le pouvoir et dans lequel les humains se soumettraient à leur idéologie. Le projet attendrait. Et, qui sait, peut-être la montée des eaux servirait-elle finalement les intérêts des Nephilim ?

Il entra dans la bibliothèque. L'un des murs était orné de tableaux de prix qu'il n'avait encore jamais vus. Typique d'Elisabeth, se dit Peter Dagon. Incapable de tenir une maison mais passionnée d'art. Elle privilégiait le détail et négligeait la vue d'ensemble. C'était ce qui avait fait d'elle un instrument idéal. Il n'avait jamais rencontré personne qui fût aussi déterminé. Elle avançait vers leur but commun avec des œillères. Ils ne s'étaient pas trompés en la choisissant pour cette mission.

Peter sourit au souvenir du jour où il s'était mis en tête, à l'âge de dix ans, de remplir le garde-manger de leur cabane. Elisabeth était partie, sans un centime en poche, l'air décidée. Elle était revenue une demi-heure plus tard, les yeux luisants de fierté. Elle avait vidé ses poches devant lui. Du Coca, du chewing-gum et des bonbons en vrac avaient formé un petit tas sur le plancher. Comme toujours, elle s'était acquittée de la tâche qui lui avait été assignée.

Peter Dagon se rappela qu'elle était morte. C'est dommage, mais c'était un sacrifice nécessaire, pensa-t-il. Il s'abandonna à la nostalgie. Elisabeth et lui travaillaient ensemble depuis l'école. Parfois, il s'était dit qu'à eux deux ils représentaient la quintessence des Nephilim : lui pour l'intelligence, elle pour le physique et la cruauté. Réunis, ils étaient imbattables. Leur progéniture aurait pu être invulnérable, un hommage aux Nephilim d'antan. Peter Dagon sourit à cette pensée. Mais il fallait revenir à la réalité. Tout ne s'était pas passé comme prévu.

Elisabeth était partie.

Il lui faudrait du temps pour s'habituer à cette idée. Jusqu'ici, il n'avait eu qu'à soulever un combiné de téléphone pour l'appeler. A présent, il allait devoir faire le sale boulot lui-même.

Il s'assit dans le fauteuil et éteignit la lampe à côté de lui.

Il attendrait Nova ici.

Chaque geste de Nova révélait son épuisement. Son âme était fatiguée. Son corps était fatigué. Avoir trahi sa mère l'avait épuisée. Elle se reprochait sa mort. Si elle n'avait pas débarqué avec la police sur les talons, sa mère serait encore en vie. Si elle avait demandé de l'aide plus tôt, elle vivrait encore. Si elle ne l'avait pas dénoncée, elle serait toujours là. Nova se sentait coupable de trop de choses. Elle était responsable de la mort de sa mère... Ou bien Elisabeth Barakel était-elle la seule coupable ? Nova n'arrivait plus à penser. Elle payait le prix de trop de nuits de veille.

Nova n'en pouvait plus.

Elle devait se reposer, décrocher. Elle se dirigea vers sa maison. Elle n'en avait aucune envie, mais elle n'avait pas d'autre endroit où aller. Elle s'occuperait de son logement plus tard, quand elle aurait retrouvé des forces. Pour l'instant, il fallait qu'elle dorme. Longtemps et profondément. Si cela lui était possible.

Malgré les protestations d'Amanda, elle avait quitté le commissariat. Il y avait désormais trop de preuves de son innocence pour qu'on puisse la garder enfermée. Les aveux d'Elisabeth Barakel avaient été immortalisés sur une bande magnétique grâce au micro caché sur Nova.

« Vous n'avez qu'à m'inculper », avait-elle lancé en partant.

Elle ne supporterait plus un seul interrogatoire. Une seule question. Un seul ordre. Elle voulait qu'on la laisse tranquille, qu'on la laisse réfléchir seule, et, surtout, elle voulait retrouver son lit. Est-ce que j'ai eu tort de faire ça ? se demandait Nova. Mais elle était incapable de répondre à sa propre question. Son cerveau ne lui obéissait plus. Nous travaillions dans le même sens, se dit-elle. Quel droit avais-je de la juger ? Pourquoi serait-il justifié de commettre des actes de vandalisme en entrant par effraction chez les gens, et pas de tuer ? J'ai déjà tué moi aussi. Pourquoi suis-je vivante et pas ma mère ?

Les réverbères en fer forgé éclairaient les deux cents mètres du pont Vasa. Une Volvo XC 90 passa près d'elle à la hauteur de Strömsborg. Machinalement, Nova se demanda comment on pouvait rouler dans un 4 × 4 produisant deux cent soixante-six grammes de carbone au kilomètre en plein centre de Stockholm ? Pourquoi avait-on d'ailleurs fabriqué des 4 × 4 pour la ville ?

Cette idée aida Nova à mieux appréhender le problème.

Tout était venu de la devise d'Elisabeth Barakel : œil pour œil, dent pour dent. Elle conduisait à l'irrémédiable. On ne pouvait pas recoller un œil qui avait été arraché. On pouvait toujours manifester et se plaindre, mais on ne pouvait pas remettre en place une main coupée. Une vie n'en remplaçait pas une autre. En revanche, il était facile d'effacer un graffiti sur un papier peint ou de réparer un standard téléphonique. Les objets et les gens ne pesaient pas le même poids dans la balance. La vie était irremplaçable et les objets interchangeables. On n'a pas le droit de tuer un homme pour ses idées, on n'a pas le droit de tuer tout court, se dit Nova.

Elle avait tué un homme, elle aussi, et elle ne pouvait pas se le pardonner, même si la justice l'avait fait. Avant d'arriver chez elle, elle se fit une promesse : passer le reste de sa vie à essayer de réparer cette mauvaise action.

Pour sa mère, il était trop tard.

La maison de Prästgatan lui sembla moins menaçante que lors de sa dernière visite. Ce n'était qu'une vieille maison vide dans laquelle Nova avait grandi. A présent qu'elle savait que le fantôme de sa mère était en réalité un être de chair et de sang, elle n'avait plus peur. A la pensée que, maintenant, Elisabeth était vraiment morte, Nova ressentit à nouveau une légère pointe de culpabilité, mais il fallait qu'elle s'en débarrasse, elle le savait. Elle n'était pas responsable des actes de sa mère. Cette dernière lui avait sauvé la vie. C'était incontestable. Et cela lui réchauffait le cœur. Sa mère l'avait aimée, à sa manière. Elle avait donné sa vie pour elle alors que, de son vivant, elle ne lui avait montré aucune affection. Bien que Nova eût finalement la preuve flagrante de l'amour inconditionnel de sa mère, elle aurait préféré que tout cela ne soit jamais arrivé.

Dès qu'elle ouvrit la porte, Nova sut que quelque chose n'allait pas. La clé ne tournait pas dans la serrure. La porte n'était pas verrouillée.

— Il y a quelqu'un ? cria-t-elle dans le noir.

Le silence seul répondit à son appel.

Crétins de flics, se dit-elle. Ils ont laissé la porte ouverte. Elle retira ses baskets usées. Après les événements de ces derniers jours, rentrer à la maison lui sembla incroyablement, étrangement normal. Le temps était immobile. Rien n'avait bougé. Nova entra dans la cuisine et actionna le plafonnier.

Elle alluma la cuisinière à gaz. Regarda les flammes caresser les flancs d'une casserole en sifflant doucement. C'était comme une respiration. Nova se retourna brusquement. Elle avait eu l'impression que quelqu'un se tenait sur le seuil de la porte. Personne. Elle sourit de sa propre frayeur et sortit des sachets de thé de l'armoire. L'eau commençait à bouillir. Nova se retourna à nouveau. Des ombres dansaient dans l'entrée. Elle regarda plus attentivement, ne vit que des manteaux accrochés à une patère. Elle se mit à penser au cimetière de la cathédrale sur lequel la maison avait été construite. Elle se dépêcha de verser l'eau dans la tasse.

Elle emporta sa boisson chaude dans le hall. Alluma les deux lampes. Se sentit tout de suite plus rassurée. La lumière faisait reculer les spectres. Transformait les ombres en objets et rendait les choses tangibles. Nova décida d'éclairer d'autres pièces et entra dans la bibliothèque. D'abord le lustre du plafond. Puis elle avança dans la pièce pour allumer la petite lampe qui se trouvait à côté du fauteuil.

Elle s'immobilisa au milieu de son geste. Peter Dagon était assis dans le fauteuil. Pas un son ne sortit de sa bouche.

La peur et la surprise l'avaient tétanisée.

— Bonsoir, lui dit-il poliment en désignant un siège du canon de son arme. Asseyez-vous, s'il vous plaît.

Nova surveillait le tout petit pistolet tout en se déplaçant en crabe pour rejoindre la chaise qu'il lui indiquait.

— J'ai appris que vous aviez piégé votre mère et qu'elle était morte. Ce n'est pas gentil d'avoir fait ça, lui fit-il remarquer en agitant son index comme on réprimande un enfant. Mais finalement, c'est un mal pour un bien.

— Qu'est-ce que vous entendez par là ? répliqua Nova sur la défensive.

— Il y a peut-être plus de Nephilim en vous que je ne le croyais. Malgré votre bagage génétique, vous avez montré, par le passé, certains traits de caractère un peu alarmants.

Nova était de plus en plus perplexe.

— Vous êtes une Nephilim aussi pure qu'il est possible de l'être de nos jours. Il y a eu ces deux derniers siècles des métissages déplorables, mais heureusement, vous y avez échappé.

— Vous êtes complètement cinglé ! ricana Nova.

— C'est possible, mais la question demeure : le serez-vous aussi, en refusant la chance qui vous est offerte de rallier notre cause ? Vous disposeriez de plus de moyens que vous n'avez jamais pu en rêver dans votre combat contre le réchauffement climatique.

— Et vous voyez ça comment exactement ? L'effet de serre est un phénomène mondial. Comment espérez-vous le résoudre en assassinant quelques Suédois par-ci par-là ?

— Qui vous dit que nous ne travaillons qu'en Suède ? Nos moyens financiers sont bien plus importants que vous ne le croyez.

Nova regarda Peter Dagon avec attention et se demanda s'il parlait sérieusement. Il poursuivit :

— Vous pourriez continuer à agir de façon tout à fait légale au sein de Greenpeace, mais avec des moyens décuplés. Toute la somme que la FON a héritée de votre mère a déjà été transférée sur les comptes de Greenpeace. Et je vous assure que nous en avons encore beaucoup à investir.

Nova pensa à tout ce qu'ils pourraient réaliser avec ce genre de moyens. Les campagnes de sensibilisation et les actions qu'ils pourraient financer. La proposition était tentante. Et puis les cadavres qu'elle avait vus lui apparurent soudain : la mise en scène macabre chez le P-DG de Vattenfall et la tête tranchée de Waldemar Göransson dans son miroir de sang. Tout cela avait été payé et organisé avec le même argent.

— Non, je ne marche pas. J'ai mes limites.

Peter poussa un gros soupir.

— Vous avez bien réfléchi ?

Nova le regarda droit dans les yeux, sans répondre.

— Quel dommage de mourir de la main de celui qui vous a donné la vie… constata Peter Dagon en soulevant son pistolet. Vous êtes trop dangereuse pour que je vous laisse vivre.

Nova ne comprenait pas ce qu'elle venait d'entendre. Et puis elle vit les yeux, les pommettes hautes et les cheveux d'un blond doré. Voilà où elle avait déjà vu Peter Dagon : dans son propre reflet.

Amanda rentrait chez elle en voiture en longeant Mälarstrand nord. A sa gauche défilaient petits ponts et passerelles. Le flot des promeneurs qui envahissait habituellement la berge avait été chassé par la tombée précoce de la nuit, annonciatrice de l'automne. Quelques rares joggeurs couraient encore.

Amanda essaya de récapituler les événements de la journée. Mais ses réflexions butaient toujours sur Moïse. Le père de son fils était un dangereux criminel. Il l'avait trahie. Il avait trahi leur enfant. Il avait un vice caché. Pour l'instant, personne d'autre qu'elle ne savait qu'il était le père. Elle préférait ne pas imaginer ce qui arriverait si quelqu'un l'apprenait. Sa pensée revenait sans cesse au large dos de Moïse entrant dans l'hôtel.

Elle écrasa le frein, serra à droite, se gara et ouvrit en toute hâte la porte du conducteur. Elle eut juste le temps de se pencher hors de la voiture avant de vomir. Amanda jura à haute voix et s'essuya la bouche du revers de la main. Son autre main se posa sur son ventre. Elle ne voulait pas faire de mal à son enfant, mais, cette fois, elle n'avait pas réussi à contenir sa nausée. Ses pensées l'avaient submergée. Elle ne voulait plus songer à Moïse, ni à l'influence qu'il avait sur sa vie. Elle n'en avait plus la force.

Mais son subconscient refusait de la laisser tranquille.

Une autre inquiétude s'emparait d'elle.

Il y avait encore beaucoup d'éléments à vérifier, mais une chose ne collait pas. Nova n'avait-elle pas affirmé que sa mère avait plusieurs complices ? Amanda avait essayé de la retenir plus longtemps, pour lui faire reprendre toute l'histoire depuis le début, mais elle avait dû baisser les bras. Nova était trop fatiguée et

Amanda avait été obligée d'admettre qu'elle avait besoin de repos. Elle l'avait laissée rentrer chez elle.

J'ai eu tort, se dit-elle tout à coup, Nova a besoin de protection tant que l'enquête n'est pas close. Amanda repartit sur les chapeaux de roue, fit demi-tour, passa devant la façade en briques rouges de l'hôtel de ville, et prit la direction de Gamla stan. Tout en conduisant, elle appela Kent et lui fit part de ses craintes. Il était en train de faire des courses mais il promit de se rendre chez Nova, dès qu'il aurait déposé ses achats chez lui. Il conseilla à Amanda d'essayer d'obtenir une garde rapprochée pour la jeune fille jusqu'à nouvel ordre.

Il y avait de la lumière au rez-de-chaussée de la maison de Nova. Le reste de la demeure était plongé dans le noir. Amanda espéra que cela signifiait que Nova n'était pas encore couchée. Elle discerna un mouvement par la fenêtre. La silhouette de Nova, assise, se dessina à travers les persiennes. Elle semblait parler à quelqu'un, ce qui éveilla la curiosité d'Amanda. Sur une intuition, elle ouvrit la porte d'entrée. Une belle voix grave et masculine se fit entendre. L'homme semblait proposer un nouvel emploi à Nova. Elle le mérite, se dit Amanda en approchant. Nova mérite de prendre un nouveau départ.

Tout à coup, elle eut honte d'écouter aux portes et se demanda comment signaler sa présence sans qu'on puisse penser qu'elle était là depuis un petit moment déjà. Elle entra dans la bibliothèque d'un pas vif, comme si elle venait juste d'arriver.

Un homme était effectivement installé dans le fauteuil. Amanda n'en avait jamais rencontré de plus beau. Ses cheveux avaient une coupe parfaite, ses yeux étaient d'un bleu intense et son costume sur mesure impeccablement repassé. Son apparence la laissa sans voix. Elle réussit juste à dire tout bas :

— Salut.

Il leva la tête, la regarda et répondit :

— Salut, Amanda. Comme vous tombez bien !

— Vous savez comment je m'appelle ?

Elle se sentait honorée qu'il sache qui elle était. Son bras droit changea légèrement de position. Ce n'est qu'à ce moment-là qu'elle remarqua ce qu'il avait dans la main : un petit pistolet de salon. Il le pointa d'abord sur sa tête. Ensuite, il le descendit lentement pour viser son ventre. Instinctivement, elle chercha à le protéger de ses mains nues.

Geste inutile. Un coup partit.

La balle passa entre ses doigts écartés, pénétra dans son ventre à droite de son nombril et mit ses entrailles en charpie. Amanda tomba d'un bloc en arrière, sans amortir sa chute, les deux mains toujours crispées sur son ventre. Sa tête heurta violemment le sol.

Ensuite, elle ne ressentit plus rien.

Pendant que l'attention de Peter Dagon était concentrée sur Amanda, Nova saisit sa dernière chance. Elle eut un ultime réflexe de survie. En un grand pas, elle avait atteint le mur contre lequel était appuyé le sac de golf de sa mère. Elle se jeta sur Peter Dagon en poussant un hurlement sauvage. Il leva la tête vers elle.

Le fer l'atteignit à la tempe.

La violence du coup le projeta hors du fauteuil et sur le sol.

Nova leva le club une deuxième fois. Arma son coup.

L'abattit en direction du corps allongé.

L'arrêta net à dix centimètres de la base du crâne.

Nova se figea. Elle regarda le corps immobile de Peter Dagon.

Pas un autre, pensa-t-elle. Non ! Je n'ai pas recommencé !

Elle chercha du regard un signe de vie. Le sang coulait à flots de la plaie qu'il avait à la tempe. Ça signifie que son cœur bat encore, se dit Nova. A sa consternation, le sang s'arrêta soudain de couler. Non, c'est pas vrai, il ne va pas s'en tirer ! se dit-elle. Sortant de son inertie, elle jeta le club de golf dans un coin. Les mains tremblantes, elle prit son téléphone portable et composa le 112.

Pendant qu'elle attendait, elle examina Peter Dagon. Il y avait quelque chose qui clochait. Et, tout à coup, elle vit ce qui la troublait. Une croûte était déjà en train de se former autour de la blessure. Peter Dagon était en vie. Il remua un bras. Nova recula vers la porte mais s'arrêta net en entendant une voix derrière elle.

Elle se retourna brusquement.

Un homme immense et gras obstruait la porte. Elle l'avait déjà vu au commissariat, c'était un flic. La première chose qu'il fit fut de s'emparer du pistolet, qui était tombé de la main de Peter Dagon. Avant de se pencher sur Amanda, il demanda :

— Vous avez appelé une ambulance ?

Pour toute réponse, Nova hocha la tête et s'affaissa.

Les rêves se succédaient en noir et blanc. La douleur était comme un fil rouge qui les traversait. De loin en loin, la réalité remontait à la surface. Des silhouettes en blanc se penchaient sur Amanda. Plus elles s'approchaient d'elle, plus elle avait de difficulté à les voir distinctement. Le temps était devenu une notion floue. Les jours passaient sans laisser de traces.

Et, enfin, elle se réveilla.

Des néons blancs éblouissaient ses yeux restés fermés trop longtemps. La pièce était claire mais froide et exiguë. A l'extérieur, l'obscurité collait à la fenêtre. Amanda leva le bras pour se gratter la tempe. Une perfusion était fixée par un cathéter au dos de sa main. Je suis dans un hôpital, constata-t-elle en survolant la chambre des yeux. Et puis elle se souvint de ce qui lui était arrivé. Une angoisse subite l'envahit. Sa main se posa sur son ventre. Un long pansement courait de son nombril à son flanc. Son cœur se mit à battre la chamade. Sa tête réagit à la pression sanguine inhabituelle par un martèlement sourd du côté de la nuque.

L'enfant, se dit Amanda. Mon enfant.

Elle essaya de sentir quelque chose mais les signaux émis par son corps la laissaient perplexe. Elle jeta ses jambes sur le côté du lit et tenta de se mettre debout. Une douleur intense traversa son bas-ventre. Amanda fut contrainte de s'appuyer de tout son poids sur ses mains. Ses genoux durent faire la plus grande partie du travail. Elle réussit à se lever. La porte n'était qu'à deux mètres mais il fallut à Amanda tout son courage pour y parvenir. L'acide lactique satura les muscles de son dos dans l'effort qu'ils firent pour compenser l'inefficacité de ses abdominaux. Elle fut stoppée par le tuyau attaché à sa main. Elle vit le pied à perfusion et le goutte-à-goutte qui y était relié. Elle agit sans réfléchir. La douleur quand elle arracha le cathéter fut violente mais de courte durée. A présent, elle pouvait aller jusqu'à la porte. Elle se jeta dans le couloir, qui était plein de monde.

Elle tomba par terre mais eut le temps de se tourner pour atterrir sur la hanche et l'épaule. Elle continuait à protéger son ventre. Une infirmière d'un certain âge vint à son aide.

— Mais qu'est-ce que vous fabriquez, ma jolie ?

— L'enfant, dit Amanda. Qu'est-il arrivé à mon enfant ?

— Ma pauvre chérie, je vais tout de suite appeler le médecin mais d'abord, il faut qu'on vous remette dans votre lit.

— Est-ce que vous savez s'il est encore là ? lui demanda Amanda pendant qu'elle la raccompagnait péniblement jusqu'à son lit.

— Il vaut mieux que vous en parliez avec le docteur, répondit l'infirmière avec compassion.

Amanda en conclut que le bébé n'avait pas survécu. Quand elle se fut écroulée sur son lit, elle se mit à pleurer. Elle pleurait sur le bébé, sur Moïse et sur ses rêves anéantis. Elle ne serait jamais mère, elle ne fonderait jamais une famille. Jamais. Elle était trop vieille. C'était trop tard. L'enfant était mort. Ses pleurs redoublèrent. Ses sanglots lui faisaient mal au ventre.

Tout était fichu.

On frappa à la porte de sa chambre.

Sans attendre l'autorisation d'Amanda, le médecin entra.

Elle avait à peu près l'âge d'Amanda mais quelques cheveux gris se mêlaient déjà à ses cheveux bruns. Elle attendit patiemment qu'Amanda se calme un peu avant de parler :

— Je suis désolée mais j'ai de mauvaises nouvelles à vous apporter.

Je sais, le bébé est mort, se dit Amanda en se remettant à pleurer de plus belle. Le médecin continua :

— La balle a traversé un ovaire et l'a complètement détruit. La région autour de cet ovaire a été abîmée également, et nous avons dû vous enlever également le deuxième. Vous n'aurez plus d'enfants.

— Vous voulez dire que je suis stérile ?

— Oui, malheureusement, vous n'en aurez plus d'autre.

Amanda n'était pas sûre d'avoir bien entendu. Comment cela, plus d'autre ? Qu'est-ce qu'elle voulait dire par là ?

Le médecin vit la mine perplexe d'Amanda et précisa :

— Le petit garçon que vous attendez n'aura jamais de frères ni de sœurs.

Rebecka se retrouvait parmi les cartons de déménagement pour la troisième fois en deux ans. Sur le marché du logement à Stockholm, elle était, à vingt-trois ans, condamnée aux sous-locations. Son premier appartement était même une sous-location de sous-location, à l'insu de son propriétaire évidemment. On lui avait promis qu'elle pourrait rester au moins un an dans celui-là. C'était un studio proche du pont conduisant à l'île de Lidingö. Quand elle en avait parlé à ses amis, elle leur avait dit qu'elle allait habiter pile dans l'axe de Stureplan. Trouver un endroit où elle pourrait souffler un peu, après ce qui lui était arrivé, était une véritable aubaine.

Rebecka avait toujours un gros pansement au bras mais elle ne sentait plus sa blessure, hormis une vague démangeaison liée à la cicatrisation. Ses cauchemars avaient disparu et elle n'était plus obsédée par le souvenir de s'être fait tirer dessus par un policier à l'aéroport d'Arlanda. La petite notoriété qui avait suivi lui manquait un peu. Elle avait trouvé amusant d'être appelée tous les jours par les journalistes de la presse à scandale. Malheureusement, quand l'histoire était retombée, ils avaient cessé de lui téléphoner. Rebecka avait sérieusement pensé à s'inscrire au casting de *Tournez manège*. Même si aucun des candidats ne se révélait à son goût, ça pourrait être drôle de participer à l'émission. Elle la regardait régulièrement avec beaucoup d'intérêt.

Elle ouvrit un tiroir dans lequel elle trouva un miroir au cadre doré, enveloppé dans trois couches de papier journal. Elle en avait hérité de sa grand-mère. Elle le déballa avec précaution et l'emporta dans l'entrée. Après avoir mesuré à quelle hauteur elle allait le suspendre, elle enfonça un clou dans le mur. Elle avait à peine fini qu'on sonna à la porte. OK, d'accord, c'est ce genre de voisins que je vais avoir ici. Rebecka soupira et se prépara mentalement à une salve de remontrances.

En ouvrant la porte, elle tomba sur une jeune femme blonde approximativement de son âge et de sa taille. Ses cheveux étaient coiffés en dreadlocks et Rebecka aurait tué père et mère pour avoir son teint. L'inscription sur son tee-shirt posait une question pertinente : « Sur qui Jésus lancerait-il une bombe ? » Elle avait vaguement l'impression de l'avoir déjà vue mais ne parvenait pas à se rappeler dans quelles circonstances. Elle relâcha sa garde. Ce n'était certainement pas le genre de voisine à venir râler parce qu'on plantait un clou dans un mur à 9 heures du soir.

— C'est pour vous, dit l'inconnue en lui donnant d'un geste maladroit une boîte de chocolats.

Après quoi elle ajouta tout bas :

— Désolée.

Avant que Rebecka ait eu le temps de poser la moindre question, elle avait disparu. Elle regarda la boîte de chocolats avec méfiance. Sa dernière mésaventure lui avait appris à se méfier des cadeaux venant d'une personne inconnue. Elle referma la porte et se rendit dans sa minuscule cuisine. Elle s'assit et examina le paquet. Son ventre gargouillait. Elle avait oublié de dîner. Elle ouvrit la boîte prudemment et, médusée, découvrit son contenu. Elle était pleine, mais pas de chocolats.

Elle était remplie de billets de banque. Des billets de mille couronnes.

La boîte en contenait cinq cents.

L'été brûlant s'était transformé en automne pluvieux. Le soleil qui avait grillé la ville de Stockholm avait disparu dans les nuages. La pluie inondait peu à peu les rues de Gamla stan et dégoulinait le long des trottoirs et des pavés ronds. Entre les galets, la terre s'abreuvait de chaque goutte. La nature s'offrait un repos mérité avant les rigueurs de l'hiver. Il serait froid cette année, et une épaisse couche de neige viendrait recouvrir le sol entre Noël et le nouvel an. Les gaz à effet de serre n'avaient pas encore changé Stockholm en une cité méditerranéenne ; il restait à la terre une chance de s'en sortir.

Il était temps pour Nova de dire adieu à son passé.

Avant d'ouvrir sa porte, elle leva le visage vers le ciel et laissa la pluie tomber sur sa peau. Elle respira profondément et entra dans ce qu'elle avait jadis appelé son foyer. A présent, la maison n'était plus pour elle qu'un monument aux mauvais souvenirs et à une enfance qu'elle aurait volontiers échangée contre celle de quelqu'un d'autre.

Une odeur de propre et de produit pour les vitres l'accueillit. Au mur de l'entrée était suspendue une série de reproductions d'Edgar Degas représentant des danseuses. L'agent immobilier avait pensé que la peinture de Degas conviendrait au type de clientèle qui pourrait être intéressé par la maison. Le contraste avec les œuvres qui se trouvaient là auparavant était saisissant et Nova resta clouee sur place. De jolies jupes légères flottaient sur des jambes graciles. La lumière pure du matin éclairait des jeunes filles s'entraînant à la barre dans leur salle de danse. Des rubans s'enroulaient autour de chevilles étroites pour y attacher les pointes de ballet.

L'ombre effaça soudain la lumière.

Des orbites noires et vides remplacèrent les yeux brillants des fillettes.

Des boucs éventrés vomirent leurs entrailles.

Elle vit une route où gisaient des agneaux écrasés.

Nova ferma les yeux bien fort puis les rouvrit. Les danseuses de Degas étaient revenues. Les gravures de William Hogarth n'étaient plus là. Elles étaient en miettes dans des sacs plastique, entre les mains de la police.

Nova monta dans son ancienne chambre. Un rideau clair se balançait doucement devant la fenêtre entrouverte. On entendait la pluie tambouriner dehors. Son lit avait été recouvert d'un grand couvre-lit blanc et moelleux, rehaussé de coussins aux couleurs chatoyantes. La seule chose qui restait de son ancienne décoration était l'affiche du navire dans les eaux glacées du Groenland. Un fin cadre en aluminium brossé la mettait en valeur. Nova se dit que la société de valorisation immobilière avait bien travaillé.

Ses vêtements étaient rangés dans un sac de voyage gris au milieu du plancher. Elle avait décrit au téléphone ceux qu'elle souhaitait garder. Pour ce qui était du reste, elle leur avait dit d'en faire ce qu'ils voulaient avant de commencer les visites. Elle ouvrit tout de même le sac pour vérifier.

Ses habits préférés étaient soigneusement empilés. Parmi les vêtements se trouvaient quelques objets. Elle sentit un dossier de format A4 dans la poche intérieure du sac. Nova tira la fermeture à glissière. Elle découvrit une chemise cartonnée qu'elle ne connaissait que trop bien.

Elle portait l'inscription « L'Anomalie d'Ararat ». Comment était-elle arrivée là ? Elle la remit dans le sac comme si elle s'était brûlée. Elle refoula les souvenirs en refermant vite le sac, puis le porta dans l'entrée.

Avant de partir, elle alla se servir un verre d'eau dans la cuisine. Les poêles et les casseroles en cuivre suspendues au mur avaient été parfaitement briquées. Une nappe à carreaux cachait la vieille table en chêne massif. Les rideaux avaient été lavés et repassés. Toute la pièce respirait le bien-être. Nova se sentit mieux et mit la bouilloire à chauffer sur la cuisinière avant d'aller chercher sa tasse à fleurs préférée. Après tout, je ne suis pas pressée, se dit-elle en cherchant la passoire, qui était à sa place habituelle. Nova caressa les vieux ustensiles de cuisine du bout des doigts. Les poignées de porte et les boutons des tiroirs étincelaient de propreté. L'eau se mit à bouillir, les petites flammes bleues du gaz jouaient gaiement sous la bouilloire.

Quand sa tasse de thé fut prête, Nova descendit l'escalier de la cave. Le vieux divan était toujours là, mais aucun nuage de poussière ne s'éleva quand elle s'assit dessus. Les murs de la pièce, au lieu d'être d'un gris déprimant, avaient été repeints dans un joli jaune pâle. Des photos sous verre représentant les quatre coins de la planète étaient accrochées par groupes, un peu partout sur les murs. A côté du poste de télévision avaient été posés quelques vases au col élancé.

Son téléphone sonna et elle répondit. L'agent immobilier lui expliqua que tout était prêt pour les visites du lendemain. Une vingtaine de personnes avaient déjà pris rendez-vous. D'autres se présenteraient sans doute au dernier moment. Il connaissait déjà certains des clients pour avoir visité d'autres biens avec eux ; il lui assura que c'étaient des gens qui avaient du répondant financier et qui étaient depuis longtemps à la recherche d'un bien de cette qualité. Il était rare qu'une maison du XVe siècle arrive sur le marché. Toutes les conditions étaient rassemblées pour une vente aux enchères passionnante. La voix de l'agent immobilier vibrait d'excitation. Il se voyait déjà chaleureusement complimenté par ses supérieurs et gratifié d'une prime conséquente à l'issue de la vente.

Nova jeta un coup d'œil en direction de sa collection de DVD, regarda sa tasse fleurie et les vieux coussins du canapé. Elle pensa aux jolies danseuses à l'étage au-dessus, à la table en chêne dans la cuisine, à sa chambre repeinte en blanc. Et elle dit :

— La maison n'est plus à vendre.

Quelques bourgeons avaient déjà éclaté en une cascade verte. Le printemps s'était installé sur la ville de Stockholm. Le parc Kronoberg était passé du gris au vert. Le soleil réchauffait le sol gelé. Les pelouses étaient envahies de citadins sortis de leur tanière. Des visages blêmes se tournaient, hilares, vers la lumière.

Amanda gravissait péniblement la colline. Son corps était lourd et las. Elle avait dormi en pointillé. Le bout de ses seins était tout crevassé.

Elle poussait un landau. Le petit garçon qui y était couché dormait paisiblement, la tête bien enveloppée dans son nid d'ange. Pourquoi est-ce qu'il ne dort pas comme ça quand, moi, j'ai besoin de sommeil ? se demandait Amanda, excédée. Elle était de mauvaise humeur à cause de son rendez-vous imminent. C'était la première fois qu'elle était entendue comme témoin. Et l'idée était loin de l'amuser, en particulier parce qu'elle était en congé maternité. Il faudrait rouvrir d'anciennes blessures. Repenser à des choses qu'elle avait presque réussi à oublier : la vision de Moïse menaçant Nova et abattant sa mère. Après avoir tiré, il avait tenté de s'enfuir en braquant son arme sur les policiers. Kent lui avait mis une balle dans la jambe avant qu'on ait d'autres victimes à déplorer. Au cours de l'enquête, on avait découvert qu'il avait fait incinérer une parfaite inconnue à la place d'Elisabeth Barakel. On ignorait encore l'identité de cette femme et Moïse se taisait obstinément.

Le procureur voulait le juger pour meurtre avec préméditation, son avocat plaidait l'irresponsabilité pour cause d'instabilité mentale. Tuer une meurtrière en série était presque une bonne action aux yeux de beaucoup de gens. Amanda ne savait que croire mais elle était certaine d'une chose : Moïse ne s'approcherait jamais de son fils. Et l'enfant resterait également à distance de Peter Dagon, qui avait failli les tuer tous les deux. Une haine incommensurable emplissait le cœur d'Amanda. L'homme était sous les verrous et elle espérait bien qu'il y resterait. A la pensée de Peter Dagon, Amanda chercha instinctivement son arme de service alors qu'il y avait déjà un moment qu'elle ne la portait plus.

Après le drame, elle avait obtenu un congé maladie, qu'elle avait accepté avec gratitude. L'enquête inachevée qu'elle laissait derrière elle était un casse-tête. Ce que Kent lui en avait dit ressemblait à un cauchemar de flic ; ce serait sans doute l'enquête policière la plus difficile que la Suède ait jamais connue.

Elle vit un mouvement dans le landau. Le nid d'ange faisait des vagues. La tétine tomba de la bouche du bébé. Ses grands yeux bleus étaient rivés sur elle. Son petit visage s'illumina tout à coup. Les soucis d'Amanda s'effacèrent instantanément devant le premier sourire de son enfant. Une jeune femme marchait dans leur direction, emmitouflée dans son manteau d'hiver noir. Est-ce que cela en vaut la peine ? avaient l'air de demander ses yeux quand elle croisa le landau. Oh oui, pensa Amanda en lui faisant un grand sourire.

Mille fois oui.

THE NEW YORK TIMES

Un lobbyiste pétrolier se mêle d'environnement

Washington. Un ancien lobbyiste du milieu pétrolier modifie la circulaire officielle du gouvernement Bush sur la question du changement climatique. Le lien entre les gaz à effet de serre et le réchauffement de la planète revu à la baisse.

Philip Cooney, président de la commission à la question de l'environnement au sein de la Maison-Blanche, a apporté une modification au rapport sur les recherches autour du dérèglement climatique. Les risques ont été revus à la baisse et certaines incertitudes dans les expertises ont été signalées. Philip Cooney est juriste, n'a aucune formation sur le sujet et n'a lui-même participé à aucune recherche. Avant d'entrer au gouvernement, il était en poste à l'Institut américain du pétrole, un organisme qui, en collaboration avec l'industrie pétrolière américaine, contribue à répandre le doute sur l'éventuelle influence des hommes sur le dérèglement climatique.

« Il semble évident que Cooney travaille toujours pour son ancien employeur, déclare Kert Davies, directeur des recherches pour Greenpeace aux Etats-Unis. C'est un peu comme si l'Institut du pétrole installait son siège social à la Maison-Blanche. »

Le *New York Times* a publié un document sur lequel on peut voir les ratures et corrections manuscrites que Philip Cooney a jugé bon d'apporter au rapport officiel du gouvernement sur les recherches climatiques. Il a, par exemple, ajouté les adjectifs « fondamentales et significatives » derrière le mot « incertitudes », dans un paragraphe abordant les preuves du changement climatique. Le mot « extrêmement » est un autre exemple de sa manipulation du texte original. Il a écrit : « Il est extrêmement difficile d'établir le lien entre les changements écologiques et biologiques et les fluctuations du climat. »

Philip Cooney est aussi montré du doigt pour son attitude de garde-barrière, en ce qui concerne les informations qu'il décide arbitrairement de divulguer ou pas quant aux projets du gouvernement en matière de protection de l'environnement. La politique gouvernementale sur les questions climatiques est, comme par hasard, un copié collé des arguments des lobbys pétroliers. Ces derniers ont toujours mis l'accent sur les failles dans la recherche sur le réchauffement et de tout temps claironné qu'il convenait de réaliser des études plus approfondies, avant de pouvoir se prononcer dans un sens ou dans l'autre. Dès le début de son mandat présidentiel, George Bush a rejeté les accords de Kyoto concernant les variations climatiques, parce qu'ils prévoyaient une diminution globale des émissions de carbone. A la fin de la semaine dernière, lors d'un entretien avec Tony Blair, George Bush a mis en avant la nécessité de poursuivre la recherche sur le réchauffement climatique.

« Il est plus facile de résoudre un problème *quand on sait beaucoup de choses* sur le sujet », a déclaré le président Bush.

DAGENS NYHETER.se

Un proche collaborateur de George Bush retrouvé assassiné

Washington. Un proche collaborateur de George Bush a été retrouvé assassiné devant son domicile. D'après l'agence de presse AP, le cadavre présentait des traces d'agression brutale et de coups de couteau. On est toujours à la recherche du meurtrier.

L'épouse de Philip Cooney a alerté la police, son mari n'étant pas rentré après son travail jeudi. Un peu plus tard le même soir, on a retrouvé son cadavre sur leur terrain. M. Cooney avait trente-neuf ans. La police n'a aucune piste pour l'instant.

Cooney était particulièrement connu pour le rôle de conseiller personnel qu'il tenait auprès du président Bush en matière d'écologie. Ses positions sur les questions climatiques avaient été hautement controversées et avaient à plusieurs reprises provoqué de vives réactions au sein des organisations de protection de l'environnement. Il avait en partie été à l'origine des réserves émises par George Bush sur les accords de Kyoto. Philip Cooney avait aussi par le passé été l'un des porte-parole de l'Institut américain du pétrole. « Il est essentiel de ne pas céder à la pression des terroristes », a déclaré George Bush dans un discours ce matin. Le président semblait très affecté.

Composé par Nord Compo Multimédia
7, rue de Fives, 59650 Villeneuve-d'Ascq

Cet ouvrage a été imprimé en France par

BUSSIÈRE

à Saint-Amand-Montrond (Cher)
en décembre 2010

N° d'édition : 08398 – N° d'impression : 103449/1
Dépôt légal : décembre 2010